SPANISH GRAMMAR
Un buen repaso

SPANISH GRAMMAR
Un buen repaso

DOROTHY MICHALSON
CHARLOTTE AIRES
Department of Foreign Languages
and Literatures
University of Missouri,
Kansas City

PRENTICE-HALL, INC., ENGLEWOOD CLIFFS, N.J. 07632

Library of Congress Cataloging in Publication Data

MICHALSON, DOROTHY.
  Spanish grammar.

  Includes index.
    1. Spanish language—Grammar—1950– I. Aires,
Charlotte, joint author. II. Title.
PC4112.M49   468.2′421   80-18833
ISBN 0-13-824334-4

Printed in the United States of America

10 9 8 7 6 5 4 3 2 1

Editorial/production supervision and interior design by Marybeth Brande
Cover design by Frederick Charles, Ltd.
Manufacturing buyer: Harry Baisley

Prentice-Hall International, Inc., *London*
Prentice-Hall of Australia Pty. Limited, *Sydney*
Prentice-Hall of Canada, Ltd., *Toronto*
Prentice-Hall of India Private Limited, *New Delhi*
Prentice-Hall of Japan, Inc., *Tokyo*
Prentice-Hall of Southeast Asia Pte. Ltd., *Singapore*
Whitehall Books Limited, *Wellington, New Zealand*

Para nuestros estudiantes

Tabla de Materias

Preface

As the name implies, **Spanish Grammar:** *Un buen repaso,* is designed to review grammatical concepts presented in the elementary Spanish course and to expand them to a degree appropriate to the intermediate sequence (second or third year). Composed of eighteen chapters, the text is intended as a two-semester program which may be supplemented with additional material of the teacher's choosing.

Consistent with the principle of teaching grammar in terms of the language itself, the text, exclusively a grammar review, is written entirely in Spanish, with examples in English and Spanish. The presentation of grammatical principles is logical and not fragmented. Each chapter deals with at least one grammatical principle with a thoroughness suitable for second-year college work. Consequently, the chapters need not be studied in the order presented in the contents. This organizational arrangement allows the book to be used not only as a classroom text but also as a reference tool.

To sustain student interest, we have included the following variety of exercises:

> completion
> question and answer
> translation
> matching
> substitution drills
> choice drills
> personal applications

In order to activate the use of structures presented in each lesson, compositions for translation into Spanish appear at the end of every chapter.

We feel review should be a continuous process, and therefore, we have included a total of sixteen review sections which appear at the end of each chapter beginning with Chapter 3. The review material is systematically organized to include grammatical concepts presented in the three previous chapters. In addition, the subjunctive mood, once introduced, is reviewed in each succeeding chapter.

Another feature of the text which reinforces the structure of the language is the inclusion of *personal applications*. These consist of a series of questions directly relating to the lives of the students and illustrating the grammatical points involved in the lesson being studied.

Useful, idiomatic, everyday vocabulary has been used throughout—to be supplemented by readings of a literary, cultural, or conversational nature depending upon the emphasis of the course.

ACKNOWLEDGMENTS

We feel deeply indebted to Professor A. Arias-Larreta, whose inspiration and encouragement caused this book to be written. Both his advice and assistance have been invaluable to us in the preparation of the text. We thank our colleagues, Professors Gerda Kaatz and Rafael Espejo-Saavedra for using our text in their second-year Spanish classes and for offering helpful suggestions. We also thank Professor Kaatz for her careful reading of the final manuscript. We wish to express our appreciation to George Michalson for his efforts in helping us launch our text in the experimental stages and our gratitude to Dr. and Mrs. David Francisco and Mr. and Mrs. Harry Woodward for providing the photographs that appear throughout the book. And finally, we wish to thank our patient students, whose recommendations have been incorporated in this, the final version.

Dorothy Michalson

Charlotte Aires

UN POCO DE TODO

I. El alfabeto español

a	n (ene)
b (be)	ñ (eñe)
c (ce)	o
ch (che)	p (pe)
d (de)	q (qu)
e	**r (ere)
f (efe)	s (esc)
g (ge)	t (te)
h (hache)	u
i	v (uve; ve)
j (jota)	*w (uve doble; ve doble)
*k (ka)	x (equis)
l (ele)	y (i griega)
ll (elle)	z (zeta)
m (eme)	

II. División en sílabas

A. Normalmente, la sílaba termina en vocal.

ca/sa   so/lo   di/je

B. Una sola consonante (las letras **ch, ll, rr** inclusive) constituye principio de la sílaba siguiente.

a/mar   e/se   mu/cha/cho   re/lla/no
a/rri/ba

*Estas letras aparecen solamente en palabras de origen extranjero.
La combinación **rr (erre) aparece frecuentemente.

C. Las consonantes contiguas forman parte de sílabas diferentes a menos que la segunda sea **l** o **r**.

man/dar   ven/cer   sa/brá   a/cla/rar

D. En grupos de tres consonantes sólo la última forma parte de la sílaba siguiente a menos que dicha consonante sea **l** o **r**.

cons/tan/te   ex/pli/car   com/pren/sión

E. Un diptongo consta de una vocal fuerte y otra débil. Las dos forman parte de la misma sílaba.

VOCALES FUERTES	VOCALES DEBILES
a	i
e	y (usada como vocal)
o	u

au/ra   oi/go   Eu/ro/pa   hay   ciu/dad
cui/da/do

A veces, estas combinaciones de vocales no forman diptongo. En este caso, el uso del acento escrito sobre la vocal débil indica que las vocales pertenecen a sílabas diferentes.

ha/bí/a   ba/úl   cam/bi/éis

F. Un triptongo (conjunto de tres vocales) forma una sola sílaba.

buey   cuai/rón   Pa/ra/guay

G. Una sílaba consta de una de las combinaciones que siguen:
1. una sola vocal fuerte

é/po/ca   a/ma   ve/o

2. un diptongo

au/to   oi/go   ay

3. una combinación de consonante(s) y vocal

ro/pa   cri/ti/car   sal/var

4. una combinación de consonante(s) y diptongo (o triptongo)

cuan/to   ha/bréis   ven/gáis
cuai/ma   U/ru/guay

III. Acentuación

A. Las palabras que terminan en vocal, o en **n** o **s**, se acentúan normalmente en la penúltima (*next to last*) sílaba.

es/*cri*/be   dur/*ma*/mos   re/*suel*/ven

B.   Las palabras que terminan en consonante, excepto **n** o **s**, se acentúan normalmente en la última sílaba.

se/*ñor*   re/*loj*   ver/*dad*

C.   Si la pronunciación de la palabra no sigue estas reglas, se indica la sílaba acentuada por medio del acento escrito.

ca/*rác*/ter   dor/*mí*   sa/*lió*

D.   Otros usos del acento escrito

1.   El acento escrito sirve para distinguir entre dos palabras que se escriben del mismo modo pero desempeñan diferentes funciones gramaticales.

sí—yes   sólo—only   mí—me
si—if   solo—alone   mi—my

2.   El acento escrito indica también formas interrogativas y formas exclamativas.

¿Cuánto vale?   *How much is it worth?*
¡Cuánto te echo de menos! *How much I miss you!*

IV.   Signos de puntuación

punto   .
coma   ,
dos puntos   :
punto y coma   ;
puntos suspensivos   . . .
paréntesis   ( )
diéresis   ¨
comillas   "   "
guión   -
raya   —
signos de interrogación   ¿ . . . . ?   (Se usan al principio
  y al final de una pregunta.)
      ¿Por qué dice usted eso?
      Si tiene tiempo, ¿me ayudarás?
signos de admiración   ¡ . . . . !   (Se usan al principio
  y al final de una oración exclamativa.)
      ¡Qué hermosa es!

Notas:
1.   Las comillas sirven para indicar una cita (*quotation*).
      Se oyen frecuentemente las palabras: "Si Dios quiere".
2.   Se indica el comienzo de un diálogo por medio de la raya.
      —¿Cómo estás?
      —Muy bien, gracias, ¿y tú?

V.   Algunas abreviaturas

Cía.	Compañía	—*Company*
Dr.	Doctor	—*Doctor*
EE.UU.	Estados Unidos	—*United States*
etc.	Etcétera	—*etc.*
pág(s).	Página(s)	—*page(s)*
S.A.	Sociedad Anónima	—*Corporation*
Sr.	Señor	—*Mr.*
Sra.	Señora	—*Mrs.*
Sres.	Señores	—*Mr. and Mrs.; Messrs.*
Srta.	Señorita	—*Miss*
Ud(s).	usted(es)	—*you*
Vd(s).	usted(es)	—*you*

VI.   Uso de las letras mayúsculas (*Capitalization*)

Se escribe con mayúscula la letra inicial de una palabra en los casos siguientes:

1.   Al principio de una oración

Volveremos pronto.   *We'll come back soon.*

2.   La primera palabra del título de una obra literaria, una película, un artículo etc.

La vida es sueño.   *Life is a Dream*
Lo que el viento se llevó   *Gone with the Wind*

3.   Los nombres propios

Juan García
Buenos Aires
Portugal

4.   Ciertas abreviaturas

Sr.   Dr.
Ud.   Cía.

A diferencia del inglés, se escriben con minúscula (*in small letters*) los meses del año, los días de la semana, los nombres de idiomas, y los adjetivos que indican nacionalidad.

enero—*January*   inglés—*English*
martes—*Tuesday*   No hablo ruso.—*I don't speak Russian.*

VII.   Los diminutivos y su formación

En español, los diminutivos enriquecen la conversación agregando un sentimiento de afecto. Sirven también para indicar pequeñez.

A.   **-ito**

1.   Se añade **-ito** a una palabra de más de una sílaba que termina en consonante (excepto **n** o **r**).

hotel—hotelito
papel—papelito

2.   Se añade **-ito** a una palabra que termina en vocal. (Se pierde la vocal inacentuada delante de este sufijo.)

momento—momentito
abuela—abuelita
pequeño—pequeñito

B.   **-cito**
Se usa **-cito** con palabras de más de una sílaba que terminan en **n** o **r**.

mujer—mujercita
amor —amorcito

C.   **-ecito**

1.   Se emplea **-ecito** con palabras de una sílaba que terminan en consonante.

flor—florecita
voz—vocecita

2.   Se usa **-ecito** con palabras de dos sílabas que terminan en e, **a**, u o cuando la primera sílaba es diptongo de **ei**, **ie** o **ue**.

viejo—viejecito
peine—peinecito
pueblo—pueblecito

D.   **-illo** (de uso menos frecuente)

cigarro—cigarrillo
ventana—ventanilla

VIII. Los aumentativos y su formación

Se pueden usar los aumentativos para indicar gran tamaño y, a veces, para indicar cierto tono despectivo. Las terminaciones más frecuentes son: **-ón(-ona), -azo(a), -ote(-ota), -acho(a), y -ucho(a)**

hombre—hombrazo / hombrón

mujer—mujeraza / mujerona

soltero—solterón

grande—grandote (grandota)

rico—ricacho

casa—casucha

IX. Unidades monetarias

España—peseta
Estados Unidos—dólar
Argentina—peso
Bolivia—peso
Chile—escudo
Costa Rica—colón
Cuba—peso
Ecuador—sucre
El Salvador—colón
Guatemala—quétzal

Honduras—lempira
México—peso
Nicaragua—córdoba
Panamá—balboa
Paraguay—guaraní
Perú—sol
República Dominicana—peso
Uruguay—peso
Venezuela—bolívar

ñ

año

SPANISH GRAMMAR
Un buen repaso

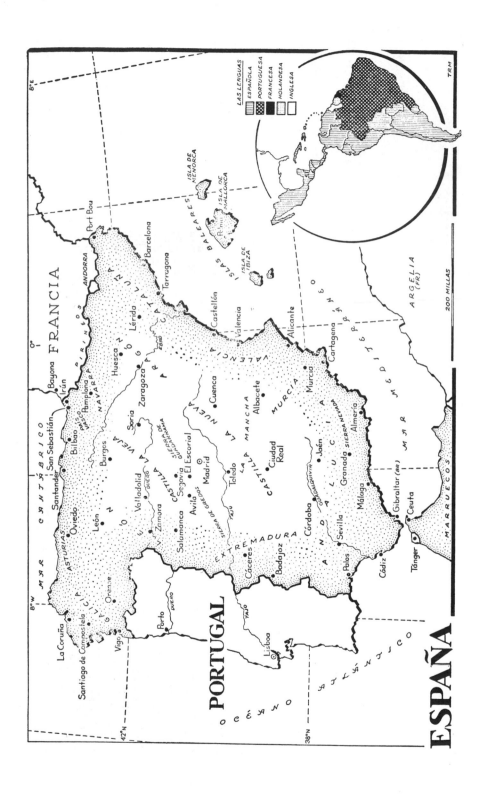

1

Los tiempos regulares

APARTADO UNO:
LOS TIEMPOS SIMPLES

El modo indicativo

Present.

I. El presente de indicativo

	COMPRAR to buy	**VENDER** to sell	**ESCRIBIR** to write
	I buy, I do buy, I am buying, etc.	I sell, I do sell, I am selling, etc.	I write, I do write, I am writing, etc.
yo	compro	vendo	escribo
tú	compras	vendes	escribes
él ella usted } *formal*	compra	vende	escribe
nosotros nosotras	compramos	vendemos	escribimos
vosotros vosotras	compráis	vendéis	escribís
ellos ellas ustedes } *formal*	compran	venden	escriben

¿Qué compra usted hoy?	*What are you buying today?*
¿Dónde come usted ahora?	*Where do you eat now?*
¿Qué escribe usted usualmente?	*What do you usually write?*
Le escribo en seguida.	*I'll write to you right away.*

Past (definite)

II. El pretérito indefinido

	I bought, I did buy, etc.	I sold, I did sell, etc.	I wrote, I did write, etc.
	compré	vendí	escribí
	compraste	vendiste	escribiste
	compró	vendió	escribió
	compramos	vendimos	escribimos
	comprasteis	vendisteis	escribisteis
	compraron	vendieron	escribieron

Ayer por la tarde compré unos zapatos.	*Yesterday afternoon I bought some shoes.*
Anteayer comí en aquel restaurante.	*The day before yesterday I ate in that restaurant.*
La semana pasada le escribí una carta.	*Last week I wrote her a letter.*

2

past - indefinite (desi...

III. El pretérito imperfecto

I used to buy, I was buying, I bought (many times), etc.	I used to sell, I was selling, I sold (many times), etc.	I used to write, I was writing, I wrote (many times), etc.
compraba	vendía	escribía
comprabas	vendías	escribías
compraba	vendía	escribía
comprábamos	vendíamos	escribíamos
comprabais	vendíais	escribíais
compraban	vendían	escribían

Compraban comestibles en aquel mercado.	*They used to buy groceries in that market.*
Todos los días comíamos con Elena.	*We ate with Helen every day.*
Escribía una carta cuando sonó el teléfono.	*He was writing a letter when the telephone rang.*

IV. El futuro

I shall (will) buy, etc.	I shall (will) sell, etc.	I shall (will) write, etc.
compraré	venderé	escribiré
comprarás	venderás	escribirás
comprará	venderá	escribirá
compraremos	venderemos	escribiremos
compraréis	venderéis	escribiréis
comprarán	venderán	escribirán

El año que viene comprará un coche nuevo.	*Next year she'll buy a new car.*
La semana próxima comeremos en la cafetería.	*Next week we'll eat in the cafeteria.*
Mañana te escribiré una tarjeta.	*Tomorrow I'll write you a postcard.*

V. El condicional

I would buy, etc.	I would sell, etc.	I would write, etc.
compraría	vendería	escribiría
comprarías	venderías	escribirías
compraría	vendería	escribiría
compraríamos	venderíamos	escribiríamos
compraríais	venderíais	escribiríais
comprarían	venderían	escribirían

3

Compraría una moto, si pudiera.

He would buy a motorcycle, if he could.

Comeríamos juntos, si fuera posible.

We would eat together, if it were possible.

Les escribirías inmediatamente, si fuera necesario.

You would write to them immediately, if it were necessary.

Ejercicios:

A.   Complete usted las oraciones siguientes tal como se indica en el modelo.

> **Yo (tocar) mis discos.**
> **Yo toco mis discos.**

1.   Mis padres (gozar) de perfecta salud.
2.   Yo (guardar) todo mi dinero en el banco.
3.   Todos los días Jorge (escribir) cartas a su novia.
4.   Tú siempre (cuidar) de tu hermanita.
5.   Nosotros (correr) riesgo en hacer eso ahora.
6.   Ellos nunca (admitir) nada.
7.   Cuando él (asistir) a una fiesta, siempre (meter) ruido.
8.   Ahora Roberto (llevar) la delantera.

B.   Aplicación personal. Conteste según su gusto.

1.   Generalmente, ¿qué hace usted por la tarde?
2.   ¿Toca usted sus discos todas las noches?
3.   ¿Goza usted de buena salud?
4.   ¿Dónde guarda usted todo su dinero?
5.   ¿Escribe usted a su novio (novia) todos los días?
6.   ¿Mete usted ruido cuando asiste a una fiesta?

C.   Complete según el modelo.

> **¡ El (trabajar) como una fiera !**
> **¡ El trabajó como una fiera !**

1.   De repente él (mudar) de opinión.
2.   Anoche mis tíos (asistir) a un concierto.
3.   Miguel (abrir) la puerta de par en par.
4.   Ayer el dependiente no me (atender) bien.
5.   La semana pasada Carlos y yo (pasar) un buen rato en su casa.
6.   Esta mañana ustedes (interrumpir) el tráfico.
7.   Una bomba (estallar) anoche.
8.   ¿Cuándo (terminar) (tú) los estudios universitarios?

D. Aplicación personal
1. ¿Trabajó usted como una fiera anoche?
2. ¿Asistió usted a una fiesta el sábado pasado?
3. ¿Pasó un buen rato con sus amigos ayer?
4. La última vez que visitó la librería, ¿lo (la) atendieron bien?
5. ¿Cenó usted anoche con su familia?
6. ¿Interrumpió usted el tráfico al venir a la universidad hoy?

E. Complete según el modelo.

Nosotros (ir de compras) mañana.
Nosotros iremos de compras mañana.

1. El viernes por la noche yo te (acompañar) al concierto.
2. El año que viene mi padre (pagar) mis gastos.
3. De ahora en adelante Paco no (jugar) al fútbol.
4. A partir de hoy yo (dejar) de fumar.
5. En el futuro ustedes (llevar) a cabo las órdenes.
6. Esta tarde vosotros (recibir) un paquete de Europa.
7. Mañana nosotros (dormir) hasta las once.
8. Si no tienes cuidado, (caer) en la red.

F. Aplicación personal
1. ¿Quién pagará sus gastos el año que viene?
2. ¿Jugará usted al fútbol con unos amigos este fin de semana?
3. ¿Cuándo dejará usted de fumar?
4. El viernes que viene, ¿me acompañará a la galería de arte?
5. ¿Estudiará usted en casa esta noche?
6. ¿Quién preparará la comida en su casa esta noche?

G. Complete según el modelo.

Mi amigo (ir de vacaciones), si pudiera.
Mi amigo iría de vacaciones, si pudiera.

1. Si pudiera, yo (pasar) unos meses en México.
2. Si pudiera, mi hermano (comprar) un coche flamante.
3. Si pudiera, Roberto (repartir) muestras gratis.
4. Si pudiera, ella me (ofrecer) sus billetes.
5. Si pudieras, tú (asistir) a la conferencia.
6. Si pudiéramos, nosotros (escoger) un regalo ahora mismo.
7. Si fuera posible, ellos nos (llamar) todos los días.
8. Si fuera necesario, vosotros (regresar) en seguida.

H. Aplicación personal
1. Si pudiera, ¿pasaría unos días en el campo?
2. Si pudiera, ¿compraría un coche flamante?
3. Si fuera posible, ¿me ofrecería sus billetes para el cine?

    4. Si fuera posible, ¿asistiría a un concierto esta noche?
    5. Si fuera necesàrio, ¿prepararía una buena comida?
    6. Si pudiera, ¿dormiría mañana hasta las once?

I.   Complete según el modelo.

> **De vez en cuando mis amigos (visitar) a sus primos.**
> **De vez en cuando mis amigos visitaban a sus primos.**

    1. A veces nosotros (echar una siesta) por la tarde.
    2. Todos los sábados él (recibir) noticias de su familia.
    3. De cuando en cuando me (sorprender) con tu visita.
    4. Todos los días ustedes (patinar) sobre el hielo.
    5. De vez en cuando nosotros (tomar) una cerveza.
    6. Usualmente yo (servir) pasteles.
    7. Ella (encender) un cigarrillo constantemente.
    8. Todas las noches José (dormir) al aire libre.

J.   Aplicación personal

    1. El verano pasado, ¿echaba una siesta de vez en cuando?
    2. ¿Qué tomaba para refrescarse? ¿una Coca-Cola? ¿una cerveza?
    3. ¿Comía usted muchos pasteles? Y ahora, ¿los come?
    4. ¿Dormía al aire libre el verano pasado?
    5. Cuando estaba cansado(a), ¿echaba una siesta de vez en cuando?
    6. ¿Asistía usted a muchos conciertos el año pasado?

El modo subjuntivo

I. El presente de subjuntivo

COMPRAR	VENDER	ESCRIBIR
. . . I (may) buy,	. . . I (may) sell,	. . . I (may) write,
. . . me to buy, etc.	. . . me to sell, etc.	. . . me to write, etc.
compre	venda	escriba
compres	vendas	escribas
compre	venda	escriba
compremos	vendamos	escribamos
compréis	vendáis	escribáis
compren	vendan	escriban

Nota: Las terminaciones de los verbos que terminan en **-er** e **-ir** son idénticas.

Quiero que me compren un suéter.	*I want them to buy me a sweater.*
Desean que vendamos el reloj.	*They want us to sell the clock.*
Espero que usted le escriba una carta.	*I hope you will write him a letter.*

Ejercicios:

A. Llene los espacios en blanco con la forma apropiada del verbo en el presente de subjuntivo.
1. Quiero que ustedes (estacionar) _____ sus coches aquí.
2. Quiere que Carlos le (regalar) _____ un portapapeles.
3. Desean que nosotros les (acompañar) _____ al teatro.
4. Desea que usted (celebrar) _____ su cumpleaños.
5. Esperamos que sus amigos nos (llamar) _____ esta noche.
6. Espero que él (recibir) _____ una invitación a la fiesta.
7. Todos esperamos que los precios no (subir) _____ más.

B. Aplicación personal
1. ¿Quiere usted que los ayude con estos ejercicios?
2. ¿Desea usted que celebremos su cumpleaños este año?
3. ¿Espera usted que los derechos de matrícula no suban más?
4. ¿Quiere que le preste diez dólares?
5. ¿Desea que su amigo lo (la) llame esta noche?
6. ¿Se alegra de que no asistamos a esta clase los sábados?
7. ¿Desean sus padres que reciba buenas notas?

II. El imperfecto de subjuntivo (dos formas intercambiables)

COMPRAR	VENDER	ESCRIBIR
. . . I (might) buy,	. . . I (might) sell,	. . . I (might) write,
. . . I bought,	. . . I sold,	. . . I wrote,
. . . me to buy	. . . me to sell	. . . me to write
comprara	vendiera	escribiera
compraras	vendieras	escribieras
comprara	vendiera	escribiera
compráramos	vendiéramos	escribiéramos
comprarais	vendierais	escribierais
compraran	vendieran	escribieran

comprase	vendiese	escribiese
comprases	vendieses	escribieses
comprase	vendiese	escribiese
comprásemos	vendiésemos	escribiésemos
compraseis	vendieseis	escribieseis
comprasen	vendiesen	escribiesen

Quería que me compraran un boleto.	*I wanted them to buy me a ticket.*
Me alegraba que vendieras tu coche.	*I was glad you sold your car.*
Dudaban que Alicia nos escribiese.	*They doubted that Alice would write to us.*

Ejercicios:

A. Llene usted los espacios en blanco con la forma apropiada del verbo indicado.
   1. Quería que ustedes se (apresurar) _____ un poquito.
   2. Mamá quería que nosotros (descansar) _____ durante las vacaciones.
   3. Nos alegrábamos mucho que usted (heredar) _____ el dinero.
   4. ¿Dudabas que él (denunciar) _____ al ladrón?
   5. Dudaban que vosotras (recibir) _____ las joyas.
B. Aplicación personal
   1. ¿Dudaba que le gustara este curso?
   2. ¿Esperaba que sus padres le regalaran un coche?
   3. ¿Quería que lo (la) ayudara con estos ejercicios?
   4. ¿Esperaba que no nos reuniéramos hoy?
   5. ¿Quería que les permitiese salir temprano?

APARTADO DOS:
LOS TIEMPOS COMPUESTOS

Los tiempos compuestos del modo indicativo

I. El pretérito perfecto (present perfect)

El presente de indicativo de **haber** + el participio pasivo*

he comprado	I have bought
has comprado	you have bought
ha comprado	he (she, it) has bought, you have bought
hemos comprado	we have bought
habéis comprado	you have bought
han comprado	they have bought, you have bought

II. El pluscuamperfecto (pluperfect or past perfect)

El pretérito imperfecto de indicativo de **haber** + el participio pasivo

había comprado	I had bought
habías comprado	you had bought
había comprado	he (she, you, it) had bought
habíamos comprado	we had bought
habíais comprado	you had bought
habían comprado	they (you) had bought

III. El futuro perfecto (future perfect)

El futuro de **haber** + el participio pasivo

habré comprado	I will (shall) have bought
habrás comprado	you will have bought
habrá comprado	he (she, you, it) will have bought
habremos comprado	we will have bought
habréis comprado	you will have bought
habrán comprado	they (you) will have bought

IV. El condicional perfecto (conditional perfect)

El condicional de **haber** + el participio pasivo

habría comprado	I would have bought
habrías comprado	you would have bought
habría comprado	he (she, you, it) would have bought
habríamos comprado	we would have bought
habríais comprado	you would have bought
habrían comprado	they (you) would have bought

*Se describe la formación del participio pasivo en la página 118.

V. El pretérito anterior (past anterior)

Se emplea en cláusulas temporales introducidas por **cuando, en cuanto, apenas, tan pronto como,** etc., para indicar que una acción ocurrió inmediatamente antes de otra. Hoy día, su uso se limita al lenguaje literario.

El pretérito indefinido de **haber** + el participio pasivo

hube comido	I had eaten
hubiste comido	you had eaten
hubo comido	he (she, you, it) had eaten
hubimos comido	we had eaten
hubisteis comido	you had eaten
hubieron comido	they (you) had eaten

Cuando hubo comido, salió de casa.

When he had eaten, he left the house.

Apenas hubieron llegado, se acostaron.

They had scarcely arrived when they went to bed.

Ejercicios:

A. Conteste tal como se indica en el modelo.

¿Quién ha recibido el documento? (María)
María ha recibido el documento.

1. ¿Quién ha asistido a la fiesta? (yo)
2. ¿Quiénes habrán encontrado los cheques? (las niñas)
3. ¿Quién habría preparado la cena? (mi primo)
4. ¿Quiénes habrían comido los dulces? (tus hermanos)
5. ¿Quién habrá llegado primero? (yo)
6. ¿Quién ha sacado las fotos? (su madre)
7. ¿Quiénes habían prometido traer los refrescos? (vosotras)
8. ¿Quiénes han lavado el coche? (Miguel y yo)

B. Aplicación personal
1. ¿Ha estado alguna vez en México?
2. ¿Ha asistido a una fiesta recientemente?
3. ¿Habremos terminado este capítulo para mañana?
4. ¿Habría sido mejor quedarse en casa esta mañana?
5. ¿Le habría gustado ir al cine anoche?
6. ¿Había preparado todos los ejercicios para hoy?

Los tiempos compuestos del modo subjuntivo

I. El pretérito perfecto de subjuntivo (present perfect subjunctive)

El presente de subjuntivo de **haber** + el participio pasivo

haya venido	I have come
hayas venido	you have come
haya venido	he (she, it) has come, you have come
hayamos venido	we have come
hayáis venido	you have come
hayan venido	they have come, you have come

II. El pluscuamperfecto de subjuntivo (past perfect subjunctive)

El imperfecto de subjuntivo de **haber** + el participio pasivo

hubiera venido	I had come
hubieras venido	you had come
hubiera venido	he (she, it) had come, you had come
hubiéramos venido	we had come
hubierais venido	you had come
hubieran venido	they had come, you had come

Ejercicios:

A. Combine, según el modelo.

> **Lo ha pedido.**
> Le sorprende que . .
> Le sorprende que **lo haya pedido.**
> **Le sorprende que . . .**

1. Roberto lo ha escogido.
2. Los muchachos han salido tan pronto.
3. Has preguntado por ella.
4. Habéis comprado los billetes.
5. Nadie ha llegado todavía.
6. Hemos mandado las cartas.

B. Combine, según el modelo.

> **Habías llegado tarde.**
> No les importaba que . . .
> No les importaba que **hubieras llegado tarde.**
> **No les importaba que . . .**

1. Lo habíamos mencionado.
2. Habíais gastado todo el dinero.
3. No habías pagado la cuenta.

11

  4. El perro no había comido desde ayer.

  5. Ustedes habían recibido el telegrama.

  6. Usted había avisado a sus colegas.

C. Aplicación personal

  1. ¿Le sorprende que hayamos terminado esta lección tan pronto?

  2. ¿Le sorprendía que los derechos de matrícula no hubieran subido más?

  3. ¿Le sorprende que esta lección haya sido tan fácil?

  4. ¿Le molesta que haya sido necesario comprar tantos libros de texto?

Repaso

A. Complete las oraciones siguientes usando el tiempo apropiado del verbo indicado.

1. El otro día yo (comer) un buen pastel.
2. Rosa y Adela (preparar) la comida cuando llegaron los invitados.
3. Si fuera necesario, Enrique (pasar) más tiempo en la biblioteca.
4. Ahora mi reloj (andar) bien.
5. Anoche yo (coger) un resfriado.
6. Ayer Ramón (cambiar) de opinión.
7. Si fuera posible, ¿(dormir) vosotros al aire libre?
8. El año que viene, nosotros (pasar) tres meses en Italia.
9. Generalmente Pepe y yo (mirar) la televisión antes de cenar, pero ya no.
10. Tú no (terminar) los estudios universitarios el año pasado, ¿verdad?
11. De ahora en adelante Roberto (manejar) con más cuidado.
12. Ahora mi esposo y yo (echar) una siesta después de comer.

B. Aplicación personal

1. Cuando usted estudia en la biblioteca, ¿se reune con sus amigos?
2. ¿Mañana dormirá hasta las diez?
3. ¿Goza usted de buena salud?
4. ¿Terminará pronto sus estudios universitarios?
5. Si fuera posible, ¿iría usted a una playa este invierno?
6. ¿Caminaba usted a la escuela cuando era más joven?

C. Composición: Tradúzcase al español.

On the Way to the University

Something disagreeable happened on the way to the university this morning. My brand-new car collided with a truck. All of a sudden a policeman appeared and asked why I was driving so fast. I answered that I don't drive fast but that this morning the streets were very slippery. Then he looked at me, and I looked at him. We recognized each other. The officer had attended my Spanish class last year. (Fortunately, my best student!) He wanted me to show him my driver's license, and I promised to drive more carefully in the future. Nothing else! This semester all my students will receive good grades, just in case.

2

Los artículos
y los sustantivos

APARTADO UNO: LOS ARTICULOS

I. El artículo definido o determinado

A. En inglés hay una sola forma del artículo definido: *the*. En español hay cuatro formas que concuerdan en género y número con el sustantivo (o palabra equivalente en la oración).

	SINGULAR	PLURAL
masc.	**el**	**los**
fem.	**la**	**las**

el teatro   *the theater*   los teatros   *the theaters*
la comedia   *the comedy*   las comedias   *the comedies*

B. La forma **el** se usa delante de una palabra femenina singular que comienza con el sonido **a** acentuado.

el águila   *eagle*   el hacha   *ax*
el alma   *soul*   el hambre   *hunger*

pero

las águilas   las hachas

C. Cuando la forma **el** sigue a las preposiciones **a** o **de**, la preposición y el artículo se unen para formar una contracción.

Voy al cine todos los sábados.   *I go to the movies every Saturday.*
Se quejaba mucho del clima.   *He used to complain a lot about the climate.*

pero

¿Van ustedes a la fiesta esta noche?   *Are you going to the party tonight?*
Soy amigo de los dos hermanos.   *I am a friend of both brothers.*
La madre de las chicas nos invitó a pasar la tarde con ellas.   *The girls' mother invited us to spend the afternoon with them.*

D. Usos generales de **el, la, los, las**:

    1. Para indicar personas o cosas con exactitud, es decir, para expresar la idea de *the* en inglés

El muchacho y la muchacha andaban lentamente.   *The boy and girl were walking slowly.*
Las flores que me mandaste son hermosísimas.   *The flowers you sent me are very beautiful.*
¿Por qué llegaron tarde los estudiantes?   *Why did the students arrive late?*

2. Para expresar una generalización

Las mujeres son tan inteligentes como los hombres.	*Women are as intelligent as men.*
La vida es sueño.	Life is a Dream.
"Los proverbios son el eco de la experiencia."	*"Proverbs are the echo of experience."*

3. Delante de títulos (**señor, señora, señorita, profesor, doctor,** etc.) cuando uno no habla directamente a la persona

El señor Moreno es un abogado distinguido.	*Mr. Moreno is a distinguished lawyer.*
La señorita Mendoza va a casarse con un amigo mío.	*Miss Mendoza is going to marry a friend of mine.*
¿Dónde nació el general Franco?	*Where was General Franco born?*

pero

Muy buenas tardes, señora López.	*Good afternoon, Mrs. Lopez.*
Muchas gracias por su ayuda, profesor García.	*Many thanks for your help, Professor Garcia.*

Excepciones: El artículo definido no se usa con **don, doña, san, santo, santa, sor** y **fray,** títulos usados delante de nombres de pila (*first names*).

¿Cómo está su esposo, doña María?	*How is your husband, Doña Maria?*
San Francisco de Asís fue un hombre humilde.	*Saint Francis of Assisi was a humble man.*

4. Al hablar de la ropa y de las partes del cuerpo en vez de emplear el adjetivo posesivo

¡Ay! ¡Me duelen los pies!	*Oh! My feet hurt!*
Miguel se puso los guantes y la bufanda antes de salir.	*Michael put on his gloves and scarf before he went out.*

5. Delante de los días de la semana excepto después del verbo **ser**

Para muchas personas, el sábado y el domingo son días de descanso.	*For many people, Saturday and Sunday are days of rest.*
Ayer fue martes. Pasado mañana es viernes.	*Yesterday was Tuesday. The day after tomorrow is Friday.*

6. Al referirse a un día específico o a días de acción recurrente

el viernes	*on Friday*	los viernes	*on Fridays*
el miércoles	*on Wednesday*	los miércoles	*on Wednesdays*

7.   Delante de las fechas (*dates*)

El semestre comenzó el veinte de enero.	*The semester began January 20th.*
Alicia celebra su cumpleaños el seis de octubre.	*Alice celebrates her birthday on October 6th.*

Excepciones:

a.   Cuando se menciona primero un día específico no se usa el artículo delante de la fecha.

La reunión tuvo lugar el sábado cinco de abril a las dos de la tarde.	*The meeting took place on Saturday, April 5th, at two o'clock in the afternoon.*

b.   En una carta, no se usa el artículo delante de la fecha.

4 de noviembre de 1980	*November 4, 1980*

8.   Delante de las estaciones del año (Puede omitirse después del verbo **ser** o después de la preposición **en**.)

La primavera ha venido tarde este año.	*Spring came late this year.*
En invierno me gusta esquiar.	*I like to ski in the wintertime.*
Ahora es verano. Pronto será otoño.	*Now it's summer. Soon it will be autumn.*

9.   Al hablar de la hora

—¿Qué hora era?	*What time was it?*
—Eran las seis más o menos.	*It was about six.*
—¿A qué hora comienza el partido de fútbol?	*What time does the soccer game start?*
—Comienza a la una en punto.	*It begins at one sharp.*

10.   Delante de los nombres de algunos países y ciudades

el Brasil *Brazil*	el Uruguay *Uruguay*
el Canadá *Canada*	la Argentina *Argentina*
el Ecuador *Ecuaor*	la China *China*
el Japón *Japan*	la Gran Bretaña *Great Britain*
el Paraguay *Paraguay*	la Habana *Havana*
el Perú *Peru*	la Haya *The Hague*
el Salvador *El Salvador*	la India *India*
los Estados Unidos *The United States*	

Nota: Hay una fuerte tendencia de eliminar el uso del artículo delante de los nombres de muchos países que tradicionalmente han sido escritos con el artículo.

11. Delante del nombre de divisiones geográficas y regiones naturales

la Pampa   la Patagonia   la Mancha

12. Con los nombres de ríos, volcanes, montañas, océanos

el (río) Amazonas   el (monte) Himalaya
el (volcán) Misti   el (océano) Atlántico

13. Delante de nombres de personas y lugares acompañados de adjetivos

La pobre María está muy descontenta.	*Poor Mary is very unhappy.*
la España medieval	*medieval Spain*
El Africa oriental fue explorada por Livingston en el siglo diecinueve.	*East Africa was explored by Livingston in the nineteenth century.*

14. Delante de los nombres de lenguas

El ruso es algo difícil.	*Russian is rather difficult.*
Como el español, el portugués es una lengua romance, es decir, se deriva del latín.	*Like Spanish, Portuguese is a Romance language; that is, it is derived from Latin.*

Excepciones:

a. No se usa el artículo después de **en** o **de**.

¿Cómo se dice en francés "Buenos días"?	*How do you say "Good morning" in French?*
El profesor de español es de Puerto Rico.	*The Spanish teacher is from Puerto Rico.*

b. No suele usarse el artículo después de los verbos **hablar, estudiar, aprender,** etc., cuando el nombre de la lengua sigue inmediatamente al verbo.

Usted habla español ¿no?	*You speak Spanish, don't you?*

pero

Arturo ha aprendido bien el inglés.	*Arthur has learned English well.*

15. Delante de los sustantivos cuando se habla de las unidades de peso, medida y tiempo (*units of weight, measure, and time*)

Los huevos están a ochenta centavos la docena.	*Eggs are eighty cents a dozen.*
Ibamos a las montañas dos veces al año.	*We used to go to the mountains twice a year.*

Esta tela cuesta ahora más de   *This cloth now costs more than*
treinta pesos el metro.   *thirty pesos a meter.*

Ejercicios:

A. Conteste usted las preguntas siguientes de **A** escogiendo las palabras
    apropiadas de **B**. Emplee usted un artículo definido cuando sea
    necesario.

A	B
1. ¿Qué puede destruir el hombre?	1. jueves
2. ¿Qué se representan en la bandera mexicana?	2. inglés
3. ¿Qué le gusta a Roberto?	3. águila/serpiente
4. ¿Quiénes van a casarse?	4. Srta. Molinos/Sr. Gómez
5. ¿Qué toma usted en el desayuno?	5. ambición
6. ¿Qué día es hoy?	6. 10 de diciembre
7. ¿Cuánto costaron los huevos?	7. café
8. ¿Qué lengua ha aprendido bien?	8. cerveza
9. ¿Quién está muy enferma?	9. pobre María
10. ¿Cuándo comenzaron los exámenes?	10. ochenta centavos/docena

B. Sustituyan las palabras en negrita por las palabras que van entre
    paréntesis.
1. Eran las **ocho**. (seis y media, once y cuarto, tres menos diez)
2. ¿No puedes acompañarme **la semana** que viene? (mes, sábado, jueves)
3. Pensamos que **el verano** es la mejor estación del año. (invierno, otoño, primavera)
4. Las vacaciones empezarán el **doce de mayo**. (tres de junio, diez de julio, veinte de agosto)
5. Voy a quitarme **los zapatos**. (suéter, abrigo, chaqueta)
6. **El señor Blanco** es el tío de Eduardo. (Sr. Gómez, Dr. Ramírez)
7. Me dolían **los pies**. (brazos, piernas, manos)
8. Comieron en el restaurante **los miércoles**. (domingos, sábados, viernes)
9. El concierto tuvo lugar **el sábado dos de febrero**. (lunes tres de enero, domingo dos de abril, martes ocho de junio)
10. **El pobre José** perdió los billetes. (Marta, Roberto, Elena)

C. Conteste usted escogiendo una de las alternativas sugeridas.
1. ¿Empezó la fiesta a las ocho o a las nueve?

   2.   ¿Ha aprendido bien el español o el inglés?
   3.   ¿Invitaron a los señores López o a los señores Molinos?
   4.   ¿Prefiere usted tomar chocolate o leche?
   5.   ¿Es médico o dentista el padre de Eduardo?
   6.   ¿Irán ustedes a la playa dos o tres veces al año?
D.   Aplicación personal
   1.   ¿Asiste usted a la clase de español los jueves?
   2.   ¿Qué día fue ayer?
   3.   ¿Va usted a la iglesia los domingos?
   4.   ¿Escribe usted con la mano derecha o con la izquierda?
   5.   ¿Irá de compras el sábado?
   6.   ¿Será difícil resolver los problemas del Africa del Sur?
   7.   ¿Sabe usted dónde está el Amazonas?
   8.   El japonés es algo difícil ¿no?
   9.   ¿Quién habla ruso en esta clase?
  10.   ¿Cuándo celebra usted su cumpleaños?
  11.   ¿Le gusta esquiar en invierno?
  12.   ¿Le gusta esquiar en el agua en verano?
  13.   ¿Hay muchos habitantes en la China comunista?
  14.   ¿Dónde guarda usted la cartera? ¿en el bolsillo?
  15.   ¿Le duele la cabeza?

E.   Usos especiales de **el, la, los, las**:

   1.   **el (la) de** = the one belonging to, that of
        los (las) de = those belonging to, those of

El examen de Pablo, el de Rosa,
   y los de María y Roberto están
   sobre la mesa.

Pablo's exam, Rosa's, and those
   belonging to Maria and
   Roberto are on the table.

La Facultad de Derecho, y las de
   Medicina y Farmacia están
   situadas en las afueras de la
   ciudad.

The School of Law and those of
   Medicine and Pharmacy are
   located on the outskirts of the
   city.

   2.   **el (la) que** = he (she) who, the one who, the one that
        los (las) que = those (the ones) who, those that

Los que estudian aprenden.   *Those who study learn.*
El que busca encuentra.   *He who seeks finds.*
El primer partido de béisbol es a   *The first baseball game is at two;*
   las dos; el que sigue es a las   *the one that follows is at six.*
   seis.

3. El artículo definido **el** puede usarse en combinación con el infinitivo para formar un sustantivo.

El comer es necesario para sobrevivir.   *Eating is necessary for survival.*

F. Se omite el artículo definido en los títulos de reyes, reinas y papas.

Enrique octavo   Henry VIII   León décimo   Leo X
         Isabel segunda   Elizabeth II

Ejercicios:

A. Cambie las oraciones siguientes sustituyendo las palabras en negrita con las que van entre paréntesis. Haga los otros cambios necesarios.
   1. Mi **hermano** y **el de Teresa** son compañeros de cuarto. (hermana/Pablo)
   2. Mis **discos** estaban aquí. No sé donde estaban **los de Ernesto**. (tocadiscos/Carmen)
   3. **Julio** y **su amigo** son los que vinieron tarde. (Elena/su amiga)
   4. —¿Quién es **esa señora**?
      —¿La que acaba de entrar? No sé. (ese señor)
   5. El **morir** es un fenómeno natural. (nacer)
   6. Estos **artefactos** y los que se ven en la galería son del Ecuador. (estatuas)
   7. **Ese señor** y el del abrigo negro son muy buenos amigos. (señora)
   8. **Mi instrumento** y el de Felipe están en el coche. (guitarra)
   9. ¿Encontraste mis **guantes** y los de **Julia**? (botas/su hermano)
   10. Me gusta esta **chaqueta** y la que compró **tu hermano**. (zapatos/Margarita)
B. Traducción al español
   1. My books and Linda's were in the car.
   2. Those who finished early left right away.
   3. Reading is a wonderful pastime.
   4. I cashed your check and the one belonging to Mary.
   5. My bicycle and the one you have didn't cost much.
   6. Elizabeth I was the daughter of Henry VIII.

II. La forma neutra del artículo definido—lo

A. **Lo** se usa en combinación con la forma masculina singular del adjetivo (o con el participio pasivo) para formar un sustantivo abstracto.

lo bueno   *the good thing, what is good*
lo inesperado   *the unexpected, what is unexpected*

Lo malo es que murió sola.	*The bad thing is that she died alone.*
Parece que ellos han hecho lo imposible.	*It seems that they have done the impossible.*

   B.   **lo** + adjetivo (o adverbio) + **que** = how . . .

No puedo decirles lo contenta* que está María.	*I can't tell you how happy Maria is.*
Nos sorprendió saber lo mucho que habían entendido.	*It surprised us to know how much they had understood.*

   C.   **lo que** = what (that which)

Lo que vino después es mucho más interesante.	*What came afterwards is much more interesting.*
Voy a explicarles lo que deseo hacer.	*I'm going to explain to them what I wish to do.*

Nota: Esta forma no debe confundirse con la forma interrogativa **qué**.

¿Qué dijo usted?	*What did you say?*

pero

Lo que usted dijo parece increíble.	*What you said seems unbelievable.*

   D.   **lo de** = that matter of, that business of

Lo del cheque perdido . . . Lo encontré esta mañana en un cajón del escritorio.	*That matter of the lost check . . . I found it this morning in a desk drawer.*

Ejercicios:

   A.   Conteste usted las preguntas negativamente reemplazando las palabras en negrita con antónimos.
   1.   ¿Comprenden ustedes **lo fácil** que es hacerlo?
   2.   ¿Le sorprende **lo mucho** que hemos olvidado?
   3.   ¿Dijo Roberto que **lo fácil** es siempre lo **mejor**?
   4.   ¿No ve usted **lo bonito** que es?
   5.   ¿Se da cuenta de **lo triste** que está su hermano?

   B.   Complete las oraciones siguientes con **lo que**, **lo de** o **lo**.
   1.   What Mrs. Garcia says is important.
        _____ dice la señora García es importante.
   2.   In these situations, it's best to wait for the unexpected.
        En estas situaciones, es mejor esperar _____ inesperado.

*En esta construcción, el adjetivo concuerda con el sustantivo que describe.

3. The business about the car has been arranged.
   _____ coche se ha arreglado.
4. We sold what you had brought.
   Vendimos _____ habías traído.
5. The business about the check bothered me a lot.
   _____ cheque me molestó mucho.
6. They didn't know how bored we were.
   No sabían _____ aburridos que estábamos.
7. Didn't you understand what had happened?
   ¿No comprendiste _____ había pasado?
8. The difficult thing will be to finish it all.
   _____ difícil será terminarlo todo.

III. El artículo indefinido o indeterminado

A. Tiene cuatro formas que concuerdan en género y número con el sustantivo o palabra equivalente.

	SINGULAR	PLURAL
masc.	**un** (a, an)	**unos** (some)
fem.	**una** (a, an)	**unas** (some)

un hombre   *a man*   unos hombres   *some men*
una mujer   *a woman*   unas mujeres   *some women*

B. La forma **un** se usa delante de un sustantivo femenino singular que comienza con el sonido **a** acentuado.

un alma perdida   *a lost soul*
un hacha rota   *a broken ax*
                       pero
unas almas perdidas   *some lost souls*
unas hachas rotas   *some broken axes*

C. En general, el artículo indefinido se utiliza, como en inglés, para referirse a una persona o cosa de un modo vago, impreciso.

Un viejo pasaba por la calle   *An old man was going along the*
  cuando yo salí.   *street when I came out.*
Una mujer hermosa atrae mucha   *A beautiful woman attracts a great*
  atención.   *deal of attention.*
Unos amigos míos me invitaron   *Some friends of mine invited me*
  a cenar.   *to have dinner.*
Dolores dio con unas amigas   *Dolores ran into some of her*
  suyas en la librería.   *friends in the bookstore.*

D. Omisión del artículo indefinido:

1. Cuando el sustantivo que sigue al verbo **ser** se refiere a la nacionalidad, la profesión, la religión o la preferencia política de una persona, se omiten las formas **un** y **una** delante del sustantivo.

Yo soy mexicana; mi novio es peruano.	*I am a Mexican; my boyfriend is a Peruvian.*
—Se dice que el señor Hernández fue comunista.	*They say Mr. Hernandez was a communist.*
—No, no fue comunista; fue socialista.	*No, he wasn't a communist; he was a socialist.*
—¿Es químico el padre de Miguel?	*Is Michael's father a chemist?*
—No, es dentista.	*No, he's a dentist.*
María es católica pero su esposo es protestante.	*Maria is a Catholic but her husband is a Protestant.*

Excepción: Cuando un adjetivo (o frase preposicional) modifica el sustantivo, se utilizan las formas **un** y **una**.

El padre de Miguelito es un dentista excelente.	*Mike's father is an excellent dentist.*
Lola Rodríguez es una actriz muy popular.	*Lola Rodriguez is a very popular actress.*

2. No se usa el artículo indefinido en combinación con las palabras siguientes:

cien(to) *a hundred*	mil *a thousand*
cierto *a certain*	otro *another*
medio *a half*	¡qué . . . ! *what a . . . !*
tal	*such a*

Ya hemos leído cien páginas.	*We have already read a hundred pages.*
Más de mil personas viven en aquel barrio.	*More than a thousand people live in that neighborhood.*
Recibí otra carta ayer.	*I received another letter yesterday.*
Pasamos media hora en la biblioteca.	*We spent half an hour in the library.*
Cierto hombre me lo regaló.	*Some man gave it to me.*
¡Tal cosa es increíble!	*Such a thing is unbelievable!*
¡Qué día!	*What a day!*

Nota: En español se usan las expresiones siguientes:

un millón de *a million*	un millón de dólares
una docena de *a dozen*	una docena de huevos (*eggs*)

3. Se omite el artículo indefinido después de (a) verbos tales como **buscar, haber** y **tener**, y (b) las preposiciones **con** y **sin** cuando se indica la existencia o inexistencia del objeto solamente en términos generales.

Buscamos apartamento.	*We're looking for an apartment.*
No tenía paraguas.	*I didn't have an umbrella.*
¿Habrá clase mañana?	*Will there be a class tomorrow?*
Siempre escribía con pluma.	*He always wrote with a pen.*
Un joven sin meta se siente perdido.	*A young man without a goal feels lost.*
Tuve examen ayer.	*I had an exam yesterday.*

pero

Tengo un examen hoy y dos mañana.	*I have one exam today and two tomorrow.*
Buscamos un apartamento grande con tres dormitorios y dos cuartos de baño.	*We're looking for a large apartment with three bedrooms and two bathrooms.*

Ejercicios:

A. Conteste las preguntas siguiendo el modelo.

> **¿Quién es ese hombre? autor/colombiano**
> **Es un autor colombiano.**

1. ¿Cómo es su padre? (español/guapo)
2. ¿Quién es Roberto? (artista)
3. ¿Quién fue Pablo Neruda? (poeta de gran mérito)
4. ¿Cuántas personas vivían en ese barrio? (1.000)
5. ¿Quiere hacerle una pregunta? (otra)
6. ¿Qué tienes? (camisa azul/chaqueta blanca)
7. ¿Cuántas páginas tiene la novela? (150)
8. ¿Qué hay en el jardín zoológico? (águila/joven)
9. ¿Quién merece los aplausos? (tal actor)
10. ¿Cuántos dólares ganará él? (1.000.000)

B. Pregúntele a su vecino . . .

1. ¿Hubo clase ayer?
2. ¿Habrá clase mañana?
3. ¿Salió sin abrigo esta mañana?
4. ¿Es republicano(-a)?
5. ¿Es demócrata?
6. ¿Escribe con bolígrafo?
7. ¿Es español(-a)?

8. ¿Tiene fósforos?
9. ¿Busca apartamento?
10. ¿Tiene paraguas?

APARTADO DOS: LOS SUSTANTIVOS

I. El género de los sustantivos

A. En español, los sustantivos son masculinos o femeninos.

Regla general: La mayoría de los sustantivos que terminan en "**o**" y los que se refieren a personas masculinas son del género masculino; los que terminan en "**a**" o se refieren a personas femeninas son del género femenino. Los sustantivos que terminan en **-ista** son masculinos o femeninos según el caso.

MASCULINO	FEMENINO
el anillo ring	**la pulsera** bracelet
el espejo mirror	**la cartera** wallet
el actor actor	**la actriz** actress
el padre father	**la madre** mother
el estudiante male student	**la estudiante** female student
el guitarrista guitarist (male)	**la guitarrista** guitarist (female)

Excepciones comunes:

la mano *hand*   el día *day*   el planeta *planet*

B. Otros sustantivos masculinos:

1. Muchos sustantivos de origen griego que terminan en "**ma**" y algunos en "**pa**."

el telegrama *telegram*	el programa *program*
el drama *drama*	el problema *problem*
el poema *poem*	el clima *climate*
el tema *theme*	el sistema *system*

el mapa *map*

2. Los días de la semana, los meses del año, los ríos y los mares

el martes *Tuesday*	el Amazonas *the Amazon*
el jueves *Thursday*	el Guadalquivir *the Guadalquivir*
el septiembre que viene *next* September	el Caribe *the Caribbean*
	el Mediterráneo *the* *Mediterranean*

3. Los nombres de los idiomas

el francés *French*   el alemán *German*

4. El infinitivo usado como sustantivo verbal (a veces precedido por el artículo masculino)

El cocinar es un arte.   *Cooking is an art.*
Esquiar es peligroso.   *Skiing is dangerous.*

  C. Otros sustantivos femeninos:
    1. Los sustantivos que terminan en **-dad**, **-tad**, **-tud**, **-ie**, **-ción**, **-sión** y **-umbre**

la ciudad *city*	la multitud *crowd*
la amistad *friendship*	la muchedumbre *crowd*
la compasión *compassion*	la lección *lesson*

la serie   series

Excepción: el pie   *foot*

    2. Las letras del alfabeto

la "ch" (che)	la "x" (equis)
la "j" (jota)	la "y" (i griega)

  D. En algunos casos, el significado de un sustantivo cambia con el género.

<table>
<tr><td align="center">EL ORDEN</td><td align="center">LA ORDEN</td></tr>
<tr><td>Cambié el orden de las páginas.
I changed the order of the pages.</td><td>La mesera tomó la orden.
The waitress took the order.</td></tr>
<tr><td align="center">EL CAPITAL</td><td align="center">LA CAPITAL</td></tr>
<tr><td>No puedo conseguir el capital para construir el edificio.
I can't get the capital to construct the building.</td><td>La capital de Portugal, Lisboa, es una ciudad muy pintoresca.
The capital of Portugal, Lisbon, is a very picturesque city.</td></tr>
<tr><td align="center">EL GUIA</td><td align="center">LA GUIA</td></tr>
<tr><td>El señor Ramos fue nuestro guía.
Mr. Ramos was our guide.</td><td>Busqué el número en la guía.
I looked for the number in the directory.</td></tr>
<tr><td align="center">EL CORTE</td><td align="center">LA CORTE</td></tr>
<tr><td>Me gusta el corte de su traje.
I like the cut of your suit.</td><td>La ley fue aprobada en la Corte Suprema.
The law was upheld in the Supreme Court.</td></tr>
<tr><td align="center">EL CURA</td><td align="center">LA CURA</td></tr>
<tr><td>El padre Francisco es el cura de nuestra iglesia.
Father Francisco is the priest in our church.</td><td>Los médicos no han encontrado la cura para esta enfermedad.
The doctors haven't found the cure for this illness.</td></tr>
</table>

II. El plural de los sustantivos

A. Para formar el plural de los sustantivos que terminan en vocal no acentuada o en "e" acentuada, se añade una "s."

SINGULAR	PLURAL
El pañuelo es fino.	Los pañuelos son finos.
La gorra es negra.	Las gorras son negras.
El café es popular.	Los cafés de Madrid son populares.

B. Se forma el plural de los sustantivos que terminan en consonante o en vocal acentuada (excepto la "e") añadiendo "es."

SINGULAR	PLURAL
El árbol es verde.	Los árboles son verdes.
El pantalón es corto.	Los pantalones son cortos.
Este rubí es de la India.	Estos rubíes son de la India.

Excepciones:

el papá   los papás   la mamá   las mamás

el sofá   los sofás

Nota:

1. En algunos casos, la adición de la sílaba -es para formar el plural hace necesario el uso del acento escrito.

el examen   los exámenes

el crimen   los crímenes

2. En otros casos, el uso del acento escrito no es necesario en la forma plural.

la nación   las naciones

el portugués   los portugueses

3. Debe notarse la diferencia de pronunciación entre la forma singular y plural de las palabras siguientes:

el carácter   los caracteres

el régimen   los regímenes

C. Si el sustantivo termina en "z," se cambia la "z" por "c" antes de añadir "es."

SINGULAR	PLURAL
La nuez es nutritiva.	Las nueces son nutritivas.
La actriz es volátil.	Las actrices son volátiles.

D. Los sustantivos de más de una sílaba que terminan en -s no sufren cambio en el plural.

Yo voy el jueves.	Yo voy los jueves.
Una nueva crisis ha surgido.	Unas nuevas crisis han surgido.
No tenía puesto el salvavidas.	No tenían puestos los salvavidas.

pero

el mes   los meses   el gas   los gases

E.   La forma plural masculina de algunos sustantivos puede indicar personas de ambos sexos.

Los padres vinieron tarde.	*The parents came late.*
Los niños están jugando.	*The children are playing.*
Fue a visitar a sus abuelos.	*He went to see his grandparents.*

F.   Algunos sustantivos se usan solamente en la forma plural.

los calzoncillos	shorts	**las tinieblas**	darkness
los celos	jealousy	**las vacaciones**	vacation

G.   El significado de ciertos sustantivos depende de su uso en forma singular o plural.

SINGULAR		PLURAL	
consejo	a piece of advice	**consejos**	advice
mueble	a piece of furniture	**muebles**	furniture
negocio	a business deal, a business	**negocios**	business (in general)
noticia	a piece of news	**noticias**	news (in general)

III.   La concordancia

El artículo, el sustantivo y el adjetivo concuerdan en género y número.

El melón es sabroso.	Los melones son sabrosos.
La pera es jugosa.	Las peras son jugosas.

Ejercicios:

A.   Cambie al plural los sustantivos en negrita. Haga los cambios que sean necesarios.
1.   ¿Quién apagó **la luz**?
2.   No escuché **el programa** anoche.
3.   ¿Leyeron ustedes **el poema**?
4.   Veré a Julia **el sábado**.
5.   Mi tío y mi tía compraron **una finca**.
6.   Escribí **el examen** con dificultad.
7.   **El árbol** está cubierto de hojas rojas.
8.   **El sofá** era cómodo.
9.   **La sandía** es jugosa y dulce.
10.   **La ciudad** creció rápidamente.

B.   Aplicación personal
1.   ¿Tiene usted un mueble preferido en su alcoba? ¿Cuál es?
2.   ¿Cuándo fue la última vez que escuchó las noticias en la radio?
3.   ¿Recibió una buena noticia ayer?
4.   ¿Qué hace cuando recibe un buen consejo de un amigo?

5. ¿A dónde fue de vacaciones el verano pasado?
6. ¿Le gustan los rubíes?
7. ¿Dónde puedo encontrar su número de teléfono?
8. ¿Cuándo fue la última vez que visitó a sus tíos?
9. ¿Cómo es el clima de esta ciudad?
10. ¿Quién es su cantante favorita?
11. En su opinión, ¿por qué ha aumentado el número de crímenes en este siglo?
12. En su opinión, ¿quiénes van a ganar la serie mundial de béisbol este año?
13. ¿Quiénes son sus actrices favoritas?
14. En su opinión, ¿en qué parte del mundo habrá nuevas crisis este año?

C. Traducción al español
1. The Rio Grande separates the United States from Mexico.
2. The umbrellas are large.
3. Sometimes I visit my grandparents in New York.
4. We swim on Wednesdays.
5. Walking is good exercise.
6. Andres Segovia is the guitarrist I want to hear.
7. The can opener is broken.
8. The business (deal) is going well.
9. He will open another business in May.
10. They bought new furniture last Thursday.
11. Jose Greco is a fantastic dancer.
12. The president changed the order of the program.

D. Composición: Tradúzcase al español.

Plans for the Party

Raul: That business of the party—when is it going to be?

Clara: I'm not sure, but I think it will be Friday, February 25th.

Raul: Do you want me to take you?

Clara: A thousand thanks, but I'm going to go with Jose, the one who took me to the movies last Saturday. Why don't you call Alicia?

Raul: Thanks, but I don't want to take another girl. I prefer to take you.

Clara: What a man! Last Tuesday when I saw you you didn't speak to me, and now you want to invite me to go to the party with you.

Raul: I had a headache. I didn't know what I was doing.

Clara: Men are like that. They always have a problem.

Raul: By the way, what should I take to the party?

Clara: I don't know . . . nuts, cheese, crackers. . . . Why don't you call Rosa? Her number is in the directory.

Raul: O.K. Be seeing you!

3

Los pronombres personales

LOS PRONOMBRES PERSONALES

SUJETO	FORMA REFLEXIVA	COMPLE-MENTO INDIRECTO	COMPLE-MENTO DIRECTO	CON PREPOSICION
yo	me	me	me	mí**
tú	te	te	te	ti**
él	se	le	lo (le)*	él
ella	se	le	la	ella
usted	se	le	lo (le)*, la	usted
				sí** (forma reflexiva)
nosotros, -as	nos***	nos	nos	nosotros, -as
vosotros, -as	os	os	os	vosotros, -as
ellos	se	les	los (les)*	ellos
ellas	se	les	las	ellas
ustedes	se	les	los (les)*, las	ustedes

I. Generalmente, se usa el pronombre sujeto solamente para dar énfasis o, en el caso de **él**, **ella**, **usted** y las correspondientes formas plurales, para evitar ambigüedad.

II. Colocación de los pronombres complemento
   A. El complemento indirecto precede al complemento directo.
   B. Cuando se usa la forma reflexiva, ésta siempre va primero.
   C. Normalmente, los complementos indirectos y directos, incluso las formas reflexivas, preceden al verbo.

Excepciones:
   1. Con mandatos afirmativos
       Los pronombres complemento siguen al verbo y van unidos a él.
   2. Con el infinitivo
       Se unen al infinitivo o preceden al verbo principal.
   3. Con el gerundio
       Se unen al gerundio o preceden al verbo principal.

III. **Le** y **les** se sustituyen por **se** cuando preceden a los complementos directos **lo**, **la**, **los** y **las**. Para mayor claridad, se puede agregar una forma con preposición.

Se lo expliqué a ella.   *I explained it to her.*

*En España, cuando el complemento directo masculino es una persona suelen usarse **le** y **les** en vez de **lo** y **los** en algunas regiones.
Formas especiales de **mí, **ti**, **sí** con la preposición **con**: **conmigo**, **contigo** y **consigo**.
***Las formas reflexivas **nos**, **os** y **se** sirven también de formas recíprocas y significan *each other*, *to each other* o *for each other*.

I. Los pronombres sujetos

SINGULAR		PLURAL	
yo	I	**nosotros, -as**	we
tú	you	**vosotros, -as**	you
él	he	**ellos**	they
ella	she	**ellas**	they
usted	you	**ustedes**	you

A. Uso del pronombre sujeto

En español, se omite, por lo general, el pronombre sujeto. Suele usarse solamente en los casos siguientes:

1. Para dar énfasis al sujeto

Yo lo haré, él no.	*I'll do it, not he.*

2. Para evitar ambigüedad cuando la forma verbal no indica la persona

El me acompañará, pero ella se quedará en casa.	*He will go with me, but she'll stay at home.*

B. Usos de **tú, usted, vosotros (vosotras)** y **ustedes**

Como se ve, hay cuatro formas que corresponden al pronombre inglés *you.* El uso de **tú** se limita al hablar con niños amigos y miembros de la familia. Si la persona con quien hablamos no pertenece a uno de estos grupos, debe usarse la forma **usted**, como señal de respeto. (El uso de títulos tales como **señor, señora, doctor, profesor**, etc., exige el uso de la forma pronominal **usted.**)

En Hispanoamérica, la única forma plural que se usa es **ustedes**. En España, en cambio, se mantiene el uso de **vosotros (vosotras)** como forma plural de **tú**.

II. Los pronombres reflexivos

me	(to) myself	**nos**	(to) ourselves
te	(to) yourself	**os**	(to) yourselves
		himself, herself,	
se	(to) itself, yourself,		
	themselves, yourselves		

Los pronombres reflexivos se usan con los verbos reflexivos. Un verbo es reflexivo cuando la acción recae, directa o indirectamente, sobre el sujeto que la ejecuta.

Yo me lavaba.	*I was washing myself.*
(**me**—complemento directo)	
Yo me lavaba la cara.	*I was washing my face.*
(**me**—complemento indirecto)	

Los infinitivos de los verbos reflexivos terminan en **se** (**quejarse, atreverse, bañarse, preocuparse**, etc.). Siempre se emplean con la forma apropiada del pronombre reflexivo.

Los pronombres reflexivos preceden al verbo conjugado y al mandato negativo. Siguen y van unidos al mandato afirmativo, al infinitivo y al gerundio.

El señor Moreno se levantó.	*Mr. Moreno got up.*
Señor Moreno, no se levante.	*Mr. Moreno, don't get up.*
Juan, levántate.	*John, get up.*
Juan decidió levantarse.	*John decided to get up.*
Juan estaba levantándose.	*John was getting up.*

Ejercicios:

A. Cambie al plural.
1.   Mi padre se olvida de todo.
2.   Te peinaste con mucho cuidado.
3.   Ella no se atreve a decirle nada.
4.   ¿A qué hora se levantó el niño?
5.   Me he bañado con un jabón especial.

B. Cambie las oraciones siguientes según las indicaciones.
1.   El general se suicidó anoche.   (los generales, su amiga)
2.   Me desayunaba bien en ese restaurante.   (Tú, ustedes, Miranda y yo)
3.   No nos acostamos hasta que llegaron.   (yo, Luis, ella)
4.   Pablo se queja mucho.   (Tú, La señora Vargas, vosotros)
5.   ¿Van a pasearse ustedes?   (tú, ella, nosotros)

C. Aplicación personal
1.   ¿A qué hora se levantó usted esta mañana?
2.   ¿Se acostó tarde o temprano anoche?
3.   Por lo general, ¿se baña usted por la mañana o por la noche?
4.   ¿Se preocupa mucho por los problemas del mundo?
5.   ¿Se atreve usted a hacer cosas peligrosas?
6.   ¿Se queja de sus profesores de vez en cuando?

Muchos verbos pueden convertirse en verbos reflexivos. Algunas veces el verbo adquiere otro significado.

dormir *to sleep*	dormirse *to fall asleep*
ir *to go*	irse *to go away*
volver *to return*	volverse *to turn around*
parecer *to seem*	parecerse a *to resemble*
poner *to put, to place*	ponerse *to put on* (*clothes*)

Ejercicio: Traduzca al español.

1. We sleep until ten on Sundays.
2. Finally, I fell asleep.
3. It seems incredible.
4. Paul resembles his mother.
5. Why don't you (**tú**) put on your coat?
6. Where did you (**tú**) put your wallet?
7. He was going to the library when I saw him.
8. They don't want to go away.
9. When I saw him, I turned around.
10. Will you (**ustedes**) come back early?

El plural de los pronombres reflexivos expresa la reciprocidad. Se pueden añadir **uno a otro, el uno al otro, unos a otros**, etc., si existe una ambigüedad en la oración.

Se amaban.	*They loved each other.*
Se escribirán.	*They will write to each other.*
Se veían todos los días.	*They saw each other every day.*

Se puede usar la forma reflexiva **se** con la tercera persona singular del verbo para referirse a un sujeto impersonal como *one*, *we*, *they*, etc.

¿Dónde se come bien en esta ciudad?	*Where does one eat well in this city?*
¿Cómo se llega al correo?	*How do you get to the post office?*
¿Se habla inglés en aquella tienda?	*Do they speak English in that store?*

Muchas veces se usa el reflexivo **se** en sustitución de la voz pasiva cuando el sujeto es una cosa y no se expresa el agente. En esta construcción, el verbo muestra su concordancia con el sujeto, que, generalmente, sigue al verbo. (Véase el capítulo 17.)

Se prepara la comida.	*The meal is being prepared.*
¿Cuándo se publicará la obra que mencionaste?	*When will the work you mentioned be published?*
Se ven las montañas desde aquí.	*The mountains can be seen from here.*

Ejercicios:

A. Conteste usted las preguntas siguientes.
1. ¿Quiénes se saludaron? ¿tú y yo?
2. ¿Quiénes se escribieron? ¿los novios?

3. ¿Dónde se estudia en esta universidad? ¿en la biblioteca?
4. ¿A qué hora se sirve el desayuno? ¿a las siete?
5. ¿Quiénes se odian? ¿los dos?
6. ¿Cuándo se preparan las comidas? ¿muy temprano?

B. Traducción
1. We understood each other very well.
2. They didn't speak to each other yesterday.
3. How does one get to the library?
4. "Don't you (**ustedes**) see each other often?" "No, but we write to each other every week."
5. It is believed that the situation will improve.
6. Many trips to Spain are being organized now.

III. Los complementos indirectos

SINGULAR		PLURAL	
me	to (for) me	nos	to (for) us
te	to (for) you	os	to (for) you
le	to (for) him	les	to (for) them
	to (for) her		to (for) you
	to (for) you		
	to (for) it		

Un pronombre complementario indirecto se refiere a cosas y a personas. Responde a la pregunta ¿**a quién (qué)**? o ¿**para quién (qué)**?

Alicia me lavó el pelo.	*Alice washed my hair for me.*
El perro tenía hambre. Le di de comer.	*The dog was hungry. I gave it something to eat.*
¿Quién te compró esa bufanda?	*Who bought that scarf for you?*

A. Los pronombres complementarios indirectos preceden al verbo conjugado y al mandato negativo. Siguen y se unen al infinitivo, al mandato afirmativo y al gerundio.

Le presté un dólar.	*I lent her a dollar.*
No le prestes un dólar.	*Don't lend her a dollar.*
Préstale un dólar.	*Lend her a dollar.*
Puedo prestarle un dólar.	*I can lend her a dollar.*
Prestándole un dólar, me sentí mejor.	*Lending her a dollar, I felt better.*

B. Cuando el complemento indirecto se refiere a una persona específica, a veces se añade también un pronombre complementario.

Le daré la vuelta a Guillermo.	*I'll give William the change.*

C. El uso del complemento indirecto con verbos tales como **quitar** y **robar** y, a veces, **comprar** indica *from* y no *to* o *for.*

Le quité la tinta a la niña.	*I took the ink away from the child.*
Nos robaron todo lo que teníamos.	*They stole from us everything we had.*
Le compré el cuadro.	*I bought the picture for (from) her.*

D. Para indicar la relación que existe entre una persona y la acción de un verbo en forma reflexiva, se emplea un pronombre complementario indirecto. En esta construcción, la persona no participa directamente en la acción. En algunos casos, el uso de la construcción indica que la persona no acepta la responsabilidad de la acción. En otros, indica que la acción del verbo afecta personalmente al individuo.

Se nos perdió la llave.	*Our key got lost.*
Se me murió el perrito.	*My little puppy died.*
No te me vayas.	*Don't go away and leave me.*
Se le rompió el reloj.	*His watch got broken.*

Ejercicios:

A. Sustituya la frase complementaria en negrita por un pronombre complementario indirecto.
1. Regalaremos dos boletos **a Carmen.**
2. Enviaron un cheque **a la compañía.**
3. No prestaré mi radio **a los chicos.**
4. ¿Qué estás diciendo **a tu hermano?**
5. Entregó la tarea **a su profesora.**
6. ¿Mandaron el tocadiscos **a su hermano?**
7. ¿Cuándo vas a devolver el anillo **a Ricardo?**

B. Llénense los espacios en blanco con la forma apropiada del pronombre complementario indirecto.
1. (a nosotros) Se _____ apagaron las luces.
2. (a Antonio) Se _____ escapó un suspiro.
3. (a mí) Se _____ murieron las ilusiones.
4. (a ellos) Se _____ comerán todas las manzanas.
5. (a Anita) Se _____ olvidó la palabra.
6. (a ti) ¿Se _____ perdió la pulsera?

C. Traducción.
1. He used to write me a letter every week.
2. I didn't send you the watch.
3. She won't lend you (fam. pl.) the car.
4. They will give us two free tickets.

5. He bought the jacket from him.
6. The clerk pays no attention to us.
7. She cleaned the whole house for me.
8. His glasses got broken.
9. They cut my hair for me.

IV. Los complementos directos

SINGULAR		PLURAL	
me	*me*	nos	*us*
te	*you*	os	*you*
lo	*him, you, it*	los	*them, you*
le*	*him, you (m.)*	les*	*them* (**hombres**), *you (m.)*
la	*her, you, it*	las	*them, you*

Los pronombres complementarios directos reciben la acción del verbo y responden a las preguntas ¿ **a quién**? y ¿ **qué**?

Recomendé a mi amigo.	Lo recomendé.
Repararon mis gafas.	Las repararon.

A. Los pronombres complementarios directos preceden al verbo conjugado y al mandato negativo. Siguen y se unen al infinitivo, al mandato afirmativo y al gerundio.

Lo recibimos ayer.	*We received it yesterday.*
No los toquen ustedes.	*Don't touch them.*
Es difícil verlo desde aquí.	*It's difficult to see him from here.*
Bébala usted.	*Drink it.*
Poniéndolo sobre la mesa, sonrió.	*Putting it on the table, she smiled.*

B. Si el complemento directo precede al verbo, se añade un pronombre complementario directo.

Estos aretes los compré en España.	*These earrings I bought in Spain.*
Ese televisor lo vendí el mes pasado.	*That television set I sold last month.*

Ejercicios:

A. Sustituya las palabras en negrita por el pronombre complementario directo apropiado.
1. ¿Dónde guardan **la vajilla**?
2. ¿Van a visitar **a sus abuelos** el domingo?

*En España, es muy común el uso de *le* y *les* cuando el complemento directo masculino se refiere a una persona. En Hispanoamérica, se usan con más frecuencia las formas **lo** y **los**.

    3. ¿ Prefiere usted **esta silla**?
    4. ¿ Usaremos **estos platos**?
    5. Ya lavé **las tazas**.
    6. ¿ Enviaron **las fotos** a sus amigos?

  B. Sustituya las palabras en negrita por un pronombre complementario directo o indirecto, según el caso.

    1. Quito el abrigo **a Juan**.
    2. Mis padres pagaron **los derechos de matrícula**.
    3. Compré mi nuevo coche **al señor García**.
    4. Presentó **a su novio** a su madre.
    5. Perdieron **los instrumentos**.
    6. Verán **a sus primas** pronto.

  C. El pronombre complementario directo **lo** se usa también como forma neutra para referirse a una idea o a un concepto que se ha expresado anteriormente.

—¿ Cree usted que él es rico?	*Do you think he is wealthy?*
—Sí, lo es.	*Yes, he is.*
—¿ Están ustedes enfermos?	*Are you ill?*
—Sí, lo estamos.	*Yes, we are.*
—¿ Eran ellos del Brasil?	*Were they from Brazil?*
—Sí, lo eran.	*Yes, they were.*

  D. Cuando **todo (-a, -os, -as)** es el complemento directo de un verbo, también se añade el pronombre complementario directo **lo (la, los, las)**.

Lo tomé todo.	*I took it all.*
Los comieron todos.	*They ate them all.*

Ejercicio: Traducción.

    1. Did you learn them (fem. pl.) all?
    2. Don't you think Alice is charming? Yes, I do.
    3. Did they understand it all?
    4. Is it easy to learn a foreign language? No, it isn't.
    5. The boys were English, weren't they? Yes, they were.
    6. You are tired, aren't you (fam. pl.)? Yes, we are.

V. La colocación de los pronombres complementarios

  A. Cuando se usan dos pronombres complementarios en una oración, el complemento indirecto precede al directo. Cuando se emplean dos complementos de tercera persona (singular o plural) el indirecto **le (les)** se convierte en **se**.

me lo (la, los, las)	it to me	**nos lo (la, los, las)**	it to us
	them to me		them to us
te lo (la, los, las)	it to you	**os lo (la, los, las)**	it to you
	them to you		them to you

se lo (la, los, las) it to you, them to you
it to them, them to them
it to her, them to her
it to him, them to him

Nota: Para poner énfasis, o para evitar la ambigüedad, es necesario, a veces, añadir una frase preposicional.

Me lo dio a mí.	*He gave it to me.*
Se lo daré a él.	*I'll give it to him.*
Se los daré a usted.	*I'll give them to you.*

B.   Cuando se usa la forma reflexiva (o recíproca), ésta siempre va primero.

Se lavaron las manos.	*They washed their hands.*
Se las lavaron.	*They washed them.*
Nos dimos regalos.	*We gave each other gifts.*
Nos los dimos.	*We gave them to each other.*

C.   Cuando el gerundio y el infinitivo están subordinados a otro verbo, los pronombres complementarios, en vez de juntarse a ellos, pueden preceder al verbo principal.

No lo puedo recoger.	
No puedo recogerlo.	*I can't pick it up.*
¿Me vas a acompañar?	
¿Vas a acompañarme?	*Are you going to go with me?*
Me estaba bañando.	
Estaba bañándome.	*I was taking a bath.*

Ejercicios:

A.   Sustituya las palabras en negrita por los pronombres complementarios correspondientes.
   1.   Explicaron **la situación a la secretaria**.
   2.   Compró **las legumbres al vendedor**.
   3.   Estaba escribiendo **unas líneas a mi familia**.
   4.   No queríamos dar **dinero a los chicos**.
   5.   La señora Martínez mandará **la ropa a su hija**.
   6.   ¿Te lavaste **los pies**?
   7.   Entregamos **los instrumentos a los músicos**.

B.   Haga las sustituciones, tal como se indica en el modelo.

Daré el disco a Alfredo mañana.
Lo daré a Alfredo mañana.
Se lo daré mañana.

1. Pedí un favor a mi amigo.
2. Daremos los regalos al señor Fernández.
3. ¿Vendiste tu tocadiscos a Miguel?
4. Relate el cuento a las niñas.
5. ¿Comprasteis las flores al vendedor?
6. Mi madre quitó las llaves a sus nietos.

VI. Las formas preposicionales

mí me		**nosotros, -as** us	
ti you		**vosotros, -as** you	
él him, it		**ellos** them	
ella her, it		**ellas** them	
usted you		**ustedes** you	
sí	himself, herself, itself, yourself, themselves, yourselves		

A. Estas formas de los pronombres se usan después de preposiciones. Con la excepción de **mí** y **ti**, las formas son iguales a los pronombres personales usados como sujeto.

Los refrescos son para ella.	*The refreshments are for her.*
Lo hicieron por mí.	*They did it for my sake.*
Hablábamos de él.	*We were talking about him.*
Me senté con ellos.	*I sat down with them.*
Nunca piensa en sí mismo.	*He never thinks about himself.*

B. Las formas **mí**, **ti** y **sí** usadas con la preposición **con** se convierten en **conmigo**, **contigo** y **consigo**.

Se enfadó consigo.	*He got angry with himself.*
María se casa conmigo en septiembre.	*Mary is marrying me in September.*

Ejercicio: Conteste libremente a las preguntas usando una forma apropiada de la segunda columna.

1.	¿Con quiénes trabaja usted?	mí
2.	¿Por quién lo hiciste?	ti
3.	¿De quién es este saco?	usted
4.	¿Sin quién no puedes vivir?	nosotros
5.	¿Para quién es este pastel?	ella
6.	¿De quién está enamorada Sarita?	ellos
7.	¿En quién pensaba él?	vosotros
8.	¿De quiénes son estos libros?	ustedes
9.	¿Con quiénes llegaron ellos?	consigo
10.	¿Con quiénes se enfadaron?	él

C. La forma neutra **ello** se usa para referirse a una idea o pensamiento, o a una acción que se ha expresado anteriormente.

Nunca me río de ello.	*I never laugh about it.*
No tengo tiempo para ello.	*I don't have time for it.*

D. Cuando se usa la forma **se** como complemento indirecto de la tercera persona suele añadirse una frase preposicional para evitar la ambigüedad.

Se lo entregaré a él.	*I'll hand it over to him.*
Se lo entregaré a ella.	*I'll hand it over to her.*
Se lo entregaré a usted.	*I'll hand it over to you.*

E. A veces se usa una frase preposicional para dar énfasis.

A mí no me gusta el pollo, pero a él, sí.	*I don't like chicken, but he does.*
Nos lo contó a nosotros, no a ella.	*He told it to us, not to her.*

Ejercicio: Añada una frase preposicional para dar énfasis o para evitar ambigüedad.
1. No me gusta nadar.
2. Les hace falta el ejercicio.
3. ¿Te duele la garganta?
4. No nos parece interesante.
5. No le importaban los resultados.
6. Se los mandaré en seguida.

F. Después de unas palabras tales como **entre**, **menos**, **excepto**, **salvo**, **incluso**, **según** y **como**, se usan los pronombres sujeto. (En inglés, empleamos las formas del complemento directo.)

Todos fueron menos (excepto, salvo) yo.	*They all went except me.*
Según ella, nadie hace nada.	*According to her, no one does anything.*
Todos, incluso tú y yo, estamos de acuerdo con él.	*Everyone, including you and me, agrees with him.*

Ejercicios:
A. Conteste las preguntas siguientes cambiando los sustantivos en negrita por los pronombres apropiados.
1. ¿Compraste **el perfume** para tu tía?
2. ¿Han enseñado **a María** a jugar a las cartas?
3. ¿Mandará **las cartas a Enrique**?
4. ¿Visitaban **a sus sobrinos** frecuentemente?
5. ¿Comieron todos menos **Carlos y yo**?
6. ¿Podría prestar **la cámara a Julia**?

B. Traducción
   1. What time did they go to bed?
   2. Are they Spaniards? Yes, they are.
   3. I don't have the patience for it.
   4. They are not leaving with me.
   5. We didn't want to tell them it.
   6. I'm going to write to you (fam. sing.) soon.

C. Aplicación personal
   1. ¿Cuándo se limpió usted los dientes?
   2. ¿Puedo pedirle un favor?
   3. ¿Dónde se come bien en esta ciudad?
   4. ¿Cuándo se viste rápidamente?
   5. ¿Por qué se le olvidó el cuaderno?
   6. ¿Por qué quiere hablar conmigo después de la clase?
   7. ¿Cuándo escuchó las noticias?
   8. ¿A qué hora se desayunó esta mañana?
   9. ¿Con quién (quiénes) cenó usted anoche?
   10. ¿A veces se enfada consigo mismo?

D. Composición: Tradúzcase al español.

Loneliness

I studied several hours. Finally, I got tired and went to the kitchen to get myself a glass of milk. Then I sat down in the armchair. I was thinking about my good friend Margaret. I missed her very much. It is said that good friends never forget each other, and it's true. I decided to call Margaret. Fortunately, she was at home. We talked to each other for half an hour. We told each other what was going on in our schools, and I mentioned the problems I was having and how I was going to solve them. After calling her, I felt better. I got up, got dressed, and went to visit some of my friends in the dormitory. I had a very good time and forgot completely how unhappy I had been earlier.

Repaso

A. Emplee usted el artículo definido cuando sea necesario.
1. ¿Cree usted que _____ español es difícil?
2. _____ Brasil es un país enorme.
3. Fueron a cenar con ellos _____ sábado.
4. Traduzca usted esta frase a _____ inglés.
5. _____ Sr. Martínez, ¿ cuándo quiere usted comer?
6. Eran _____ tres de la tarde.

B. Emplee usted el artículo indefinido cuando sea necesario.
1. ¡Qué _____ niña más linda!
2. Me gustaría tomar _____ otra taza de café.
3. El señor Ramírez es _____ demócrata.
4. Tengo _____ impermeable pero no tengo _____ paraguas.
5. Lo he dicho _____ mil veces.
6. Tal _____ cosa es increíble.

C. Traducción
1. How many times did you attend class last week?
2. I see her on Thursdays.
3. They visited his uncle and aunt last summer.
4. He bought a record player last month.
5. My number is not in the directory.
6. The crowd did not applaud.

4

El presente de indicativo y el uso idiomatico del verbo **gustar**

APARTADO UNO:
EL PRESENTE DE INDICATIVO

I. Usos del presente de indicativo

A.   El tiempo presente de indicativo expresa lo que pasa o lo que existe en el momento de hablar.

Mi coche no funciona bien hoy.	*My car isn't working well today.*
Roberto está de mal humor.	*Robert is in a bad mood.*
Ya es tarde.	*It's late now. (It's already late.)*

B.   Expresa una acción en el futuro inmediato.

Lo veo mañana.	*I'll see him tomorrow.*
Salimos a las seis en punto.	*We're leaving right at six.*
Los dos vienen pronto.	*They're both coming soon.*

Nota: Las formas del presente de indicativo del verbo **ir** + **a** + infinitivo se usan también para referirse a una acción en el futuro. El equivalente en inglés es *"to be going to"* + *infinitive.*

C.   Expresa una acción habitual o un estado continuo.

Abren las puertas del museo a las diez y las cierran a las cinco.	*They open the museum doors at ten and close them at five.*
Siempre están de buen humor.	*They're always in a good mood.*
Es un estudiante diligente.	*He's a hard-working student.*

D. Se utiliza, a veces, para narrar hechos pasados.

[handwritten margin note: passive substantive]

Se proclama la independencia de los Estados Unidos en 1776.	*The independence of the United States is proclaimed in 1776.*
Los aztecas fundan la ciudad de Tenochtitlán en el siglo XIV.	*The Aztecs found the city of Tenochtitlan in the fourteenth century.*

Nota: Todas estas declaraciones se hacen de un modo cierto y positivo. Son una expresión de la realidad.

II. Formación del presente de indicativo

A. Verbos regulares. (Véase el capítulo 1.)

B. Verbos irregulares: Las formas de algunos verbos son irregulares y deben aprenderse de memoria. Incluimos aquí las formas de unos de estos verbos. Las formas de otros, con uso menos frecuente, se encuentran en un diccionario español–inglés.

DECIR		**ESTAR**		**HABER***	
(to say)		(to be)		(to have)	
digo	decimos	estoy	estamos	he	hemos
dices	decís	estás	estáis	has	habéis
dice	dicen	está	están	ha (hay)	han

IR		**OIR**		**SER**	
(to go)		(to hear)		(to be)	
voy	vamos	oigo	oímos	soy	somos
vas	vais	oyes	oís	eres	sois
va	van	oye	oyen	es	son

TENER		**VENIR**	
(to have, to possess)		(to come)	
tengo	tenemos	vengo	venimos
tienes	tenéis	vienes	venís
tiene	tienen	viene	vienen

*Haber.

El verbo **haber** no se usa en el español moderno para expresar *to have, to possess.* En este sentido, debe emplearse el verbo **tener.**

Haber se usa como verbo auxiliar en la formación de los tiempos compuestos. (Véase el capítulo 1.)

Haber de + infinitivo = *to be supposed to.*

He de verlo mañana.	*I'm supposed to see him tomorrow.*

Hay es la forma irregular de la tercera persona singular. Significa *there is* o *there are.*

Hay mucho ruido en la calle.	*There's a lot of noise in the street.*
¿Cuántos huevos hay en una docena?	*How many eggs are there in a dozen?*

[handwritten note at bottom] ✳ becoming archaic, literary

C. Verbos irregulares en la primera persona singular: Algunos verbos son irregulares solamente en la primera persona singular del presente de indicativo. Hay que aprender estas formas de memoria.

hago	**hacer**	to make, to do
pongo	**poner**	to put
salgo	**salir**	to leave
valgo	**valer**	to be worth
caigo	**caer**	to fall
traigo	**traer**	to bring
conozco	**conocer**	to know a person; to be acquainted with someone or something
nazco	**nacer**	to be born
ofrezco	**ofrecer**	to offer
parezco	**parecer**	to seem; **parecerse a** to resemble
conduzco	**conducir**	to drive
luzco	**lucir**	to shine
produzco	**producir**	to produce
traduzco	**traducir**	to translate
doy	**dar**	to give
quepo	**caber**	to fit
sé	**saber**	to know a fact, to know how to do something
veo	**ver**	to see

Esta no es una lista completa. Contiene solamente las formas irregulares de verbos de uso frecuente. Para otras formas, el estudiante debe consultar un diccionario español–inglés.

Ejercicios:

A. Cambie los verbos de las oraciones siguientes a la primera persona singular.
   1. Este asiento es muy estrecho. No sabemos si cabemos en él o no.
   2. Salen el viernes.
   3. ¿Qué hacemos ahora?
   4. No es pintor; es músico.
   5. Ha de preparar estos ejercicios para mañana.
   6. Roberto no oye nada.

B. Conteste las preguntas siguientes según las indicaciones.
   1. Si caemos del caballo, ¿nos hacemos daño?
   2. ¿Quién pone los platos sobre la mesa? ¿Ana?
   3. Tú traduces esta composición al español, ¿no?

Hay que + infinitivo (expresión impersonal) = *One has to . . .; it is necessary to. . . .*

Hay que hacerlo lo más pronto posible.	*It is necessary to do it as soon as possible.*
Hay que tener en cuenta lo que dijo el presidente.	*One has to keep in mind what the president said.*

4. ¿Viene usted aquí todos los días?
5. Te pareces a tu padre, ¿no?
6. ¿Me ofreces mil dólares?
7. ¿Conduce usted cuidadosamente?

C. Traducción
1. Are you (**ustedes**) coming before or after you eat?
2. —What are you (**tú**) saying?
   —I? I'm not saying anything.
3. I don't know Mr. Gonzalez, but I know his wife. She's very nice.
4. I'm offering you love—nothing else.
5. These shoes don't fit in the suitcase.
6. Shall I set the table?
7. There are a lot of people in the street. I think there is an accident.
8. Carlos is embarrassed. He doesn't know how to fix (**arreglar**) the car.

D. Verbos que cambian de radical en el tiempo presente de indicativo: Algunos verbos españoles sufren cambios de radical (*root changes*) en el tiempo presente. El cambio ocurre en todas las formas excepto en la primera persona plural y en la segunda persona plural, es decir, ocurre cuando se acentúa la sílaba que contiene la vocal.

	o → ue			e → ie	
(contar)	cuento	____	(perder)	pierdo	____
	cuentas			pierdes	
	cuenta	cuentan		pierde	pierden

	e → i			u → ue	
(pedir)	pido	____	(jugar)	juego	____
	pides	____		juegas	____
	pide	piden		juega	juegan

E. Verbos de uso frecuente que sufren cambios de radical en el presente de indicativo

e → ie

arrepentirse de to repent of	**mentir** to tell a lie
cerrar to shut	**negar** to deny
comenzar a to begin to	**nevar** to snow
confesar to confess	**pensar** to think
convertirse en to turn into	**perder** to lose
despertarse to wake oneself up	**preferir** to prefer
divertirse to enjoy oneself, to amuse oneself	**referirse a** to refer to
	querer to want, to love
empezar a to begin to	**sentarse** to sit down, to seat oneself
entender to understand	**sentir** to regret, to feel sorry

e → i

corregir to correct	**repetir** to repeat
elegir to choose, to elect	**seguir** to continue, to follow
pedir to ask for something	**conseguir** to get, to obtain
reír to laugh	**servir** to serve
sonreír* to smile	**vestirse** to get dressed

o → ue

acordarse de to remember	**mostrar** to show
acostarse to go to bed	**mover** to move
contar to count, to tell a story	**poder** to be able to
costar to cost	**recordar** to remember
dolerle a uno to cause pain to,	**resolver** to solve, to resolve
to hurt someone *to have a pain*	**rogar** to beg, to plead
dormir to sleep	**sonar** to sound, to ring
encontrar to find	**soñar con** to dream about
llover to rain	**volar** to fly
morir to die	**volver** to go back, to return to a place

u → ue

(jugar) a las cartas	to play cards
al básquetbol (baloncesto)	to play basketball
al béisbol	to play baseball
al fútbol	to play soccer
al fútbol americano	to play football
al golf	to play golf
al tenis	to play tennis

Ejercicio:

Complétense las oraciones que siguen.

1. (jugar)   —¿ _____ usted al fútbol americano?
   (preferir)   —No me gusta el fútbol; _____ el béisbol.
2. (entender)   —¿ Me _____ ustedes?
   (entender)   —Sí, mamá, te _____ (nosotros).
3. (querer)   —¿ Qué _____, niño?
   (querer)   —(Yo) _____la luna, mamá. ~ *no use en español*
4. (querer)   —¿ Por qué no _____ (vosotros) acompañarnos?
   (preferir)   —Nosotros _____ quedarnos en casa.
5. (pedir)   —¿ Cuánto dinero me _____ (tú)?
   (pedir)   —Te _____ cinco dólares, papá. No es mucho.
6. (mover)   Se dice que la fe _____ las montañas. ¿Están de
                    acuerdo?

*Todas las formas de **reír** y **sonreír** llevan acento sobre la **i** en el presente de indicativo.

7. (servir)   Margarita _____ de secretaria en la oficina del señor de Vargas.

8. (volver)   —¿Cuándo _____ Ricardo?

   (contar)   —De hoy en ocho días. (Yo) _____ las horas.

9. (tener)   —¿ _____ (tú) sed?

   (morirse)   —No, pero _____ de hambre.

10. (comenzar)   —¿A qué hora _____ la clase de biología?

   (despertarse)   —A las ocho, pero, a veces, (yo) _____ tarde y no llego hasta las ocho y media.

F. Verbos con cambios ortográficos (*spelling changes*) en el presente de indicativo: A veces, es necesario hacer cambios ortográficos para que las formas escritas de un verbo correspondan con las formas habladas. Aquí tiene usted los cambios que ocurren en el presente de indicativo.

Spelling Changes
so that written form
corresponds phonetically

1. <u>Cambios que ocurren en la primera persona singular</u>

a. Verbos que terminan en **-ger** y **-gir** convierten la **g** en **j**.

coger to catch   **cojo** I catch.
dirigir to direct   **dirijo** I direct.

b. <u>V</u>erbos que terminan en **-guir** convierten las letras **gu** en **g**.

seguir (i) to follow   **sigo** I follow.
distinguir to distinguish   **distingo** I distinguish.

c. El verbo **delinquir** *Uncommon (legal term)*

delinquir to be guilty   **delinco** I am guilty.

d. <u>Verbos que terminan en las letras **-cer** y **-cir** precedidas de una consonante convierten la **c** en **z**.</u>

vencer to conquer   **venzo** I conquer.
esparcir to scatter   **esparzo** I scatter.

2. <u>Verbos que terminan en **-uir** (excepto **-guir** y **-quir**) introducen una **y** delante de todas las terminaciones del presente de indicativo excepto el plural de las personas primera y segunda.</u>

HUIR		CONTRIBUIR	
(to flee)		(to contribute)	
huyo	_____	contribuyo	_____
huyes	_____	contribuyes	_____
huye	huyen	contribuye	contribuyen

3. Algunos verbos—no todos*—que terminan en **-iar** y **-uar** llevan un acento escrito sobre la **i** o **u** de todas las formas del presente de indicativo menos el plural de las personas primera y segunda. (El

*El verbo **cambiar** (*to change*) no forma parte del grupo.

acento es necesario para mantener el sonido de la forma hablada en la forma escrita.)

ENVIAR		**CONTINUAR**	
(to send)		(to continue)	
envío	___	continúo	___
envías	___	continúas	___
envía	envían	continúa	continúan

Otros verbos de este tipo son

fiarse de   to have confidence in
variar   to vary
efectuar   to carry out, to effect

Ejercicios:

A. Verbos con cambios ortográficos: Escriba la forma apropiada del verbo en el presente de indicativo, según las indicaciones.

recoger	(yo) _____	(él) _____	
elegir (i)	(yo) _____	(ustedes) _____	
perseguir (i)	(yo) _____	(ellos) _____	
vencer	(yo) _____	(tú) _____	
fruncir	(yo) _____	(ella) _____	
huir	(yo) ____	(vosotros) _____	
construir	(tú) _____	(nosotras) _____	
fiarse	(él) _____	(vosotras) _____	
cambiar	(usted) _____	(Miguel y yo) _____	

B. Aplicación personal
   1. ¿A qué hora se acuesta usted por lo general?
   2. ¿Siempre duerme usted bien?
   3. ¿Sueña usted de vez en cuando? ¿Sí? ¿Qué sueña?
   4. ¿A qué hora se despierta usted por lo general?
   5. ¿Se viste usted antes o después de comer?
   6. ¿A qué hora sale usted para la universidad?
   7. ¿A qué hora comienza su primera clase?
   8. Después de asistir a las clases, ¿adónde va usted?
   9. ¿A qué hora vuelve usted a casa por lo general?
   10. ¿Juega usted al tenis? ¿al golf? ¿al béisbol? ¿al fútbol?
   11. Cuando llueve (nieva), ¿prefiere usted quedarse en casa?
   12. ¿Tiene usted ganas de hacer un viaje al Perú? ¿a México? ¿a la India?
   14. ¿Tiene usted que trabajar para poder asistir a la universidad?
   15. ¿Se divierte usted mucho durante las vacaciones?

APARTADO DOS: EL USO
IDIOMATICO DEL VERBO *GUSTAR*

I.   Formación de oraciones con *gustar*

me gusta	I like it	**me gustan**	I like them
te gusta	you like it	**te gustan**	you like them
le gusta	he likes it	**le gustan**	he likes them
le gusta	she likes it	**le gustan**	she likes them
le gusta	you like it	**le gustan**	you like them
nos gusta	we like it	**nos gustan**	we like them
os gusta	you like it	**os gustan**	you like them
les gusta	they like it	**les gustan**	they like them
les gusta	you like it	**les gustan**	you like them

A Roberto le gusta.	*Robert likes it.*
A Roberto le gustan.	*Robert likes them.*
A mis padres les gusta.	*My parents like it.*
A mis padres les gustan.	*My parents like them.*

A.   Con el verbo **gustar**, el sujeto en inglés se convierte en un complemento indirecto en español.

Complemento indirecto	Verbo	Sujeto
me	**gusta**	**la lámpara**
to me	is pleasing	the lamp

B.   El verbo **gustar** concuerda con el sujeto que le sigue.

Me gusta el color.	*I like the color.*
Me gustan los colores.	*I like the colors.*

Ejercicios:

A.   Cambie las oraciones según las palabras indicadas.
1. A Anita no le gustaría esta dieta. (mamá/dietas)
2. A mis padres no les gustaba el arreglo. (tu amigo/arreglos)
3. Me gusta el pastel. (le/pasteles)   (Accent was mistake
4. Nos gustaría la foto. (su padre/fotos)
5. ¿Le gustaría a usted esta hamburguesa? (ella/hamburguesas)
6. ¿No te gustaría un huevo frito? (su hermano/huevos fritos)

B.   Aplicación personal
1. ¿Le gustan los chocolates?
2. ¿Le gustaría comprar un coche nuevo este año?
3. ¿Le gusta bailar? ¿A sus amigos les gusta bailar?
4. ¿Le gustaría hacer un viaje este verano?
5. ¿A sus padres les gustaría hacer un viaje a Europa?

6. ¿Le gustan las novelas policíacas?

7. ¿Le gustaría hacerse millonario?

II. Otros verbos que emplean la misma construcción

lastimar - (outside pain)

dolerle a uno	to hurt
encantarle a uno	to charm, to delight
faltarle a uno	to lack
hacerle falta a uno	to need
importarle a uno	to matter
interesarle a uno	to interest, to be of interest to
parecerle a uno	to seem
quedarle a uno	to be left, to remain

¿Te duele la muela?	*Is your tooth hurting you?*
A mí me encantan esos cuadros.	*I'm delighted with those pictures.*
A él le faltaba suficiente energía para hacerlo.	*He lacked sufficient energy to do it.*
Nos hace falta más tiempo.	*We need more time.*
A mí me importa un bledo.	*It doesn't matter to me a bit.*
¿No te interesaría visitar el museo?	*Wouldn't you be interested in visiting the museum?*
¿Cuántos pesos nos quedan?	*How many pesos do we have left?*
Me parece que va a llover.	*It seems to me that it's going to rain.*

Nota: Para dar énfasis al complemento indirecto o para aclarar el género de **le** o **les**, a veces se agrega un complemento de preposición.

A mí me gusta bailar, a ella no.	*I like to dance, but she doesn't.*
A él no le gusta volar.	*He doesn't like to fly.*
¿A usted no le gusta jugar a las cartas?	*Don't you like to play cards?*

Ejercicios:

A. Complete tal como se indica en el modelo.

Me _____ (gustar) tener ese cuadro. (tiempo condicional)
Me gustaría tener ese cuadro.

1. Nos _____ (encantar) pasar el verano allí. (condicional)
2. Le _____ (gustar) las comodidades. (presente de ind.)
3. A ellos les _____ (interesar) tus opiniones. (pretérito indefinido)
4. No nos _____ (faltar) consejos. (pretérito imperfecto de ind.)
5. ¿No te _____ (gustar) ir a medias? (condicional) *(go dutch treat)*
6. ¿A ustedes les _____ (importar) mi punto de vista? (presente de ind.)
7. Me _____ (doler) las piernas. (pretérito imperfecto de ind.)

8. ¿Os _____ (hacer falta) dinero? (presente de ind.)
9. No me _____ (quedar) ni un céntimo. (presente de ind.)
10. ¿Le _____ (gustar) el regalo? (futuro)

B. Traducción
   1. She doesn't like those plants over there.
   2. I think that Michael will like that photograph.
   3. The children don't like the circus.
   4. Wasn't she interested in the toys?
   5. The clown delighted the children.
   6. I'm sure that you would like it, Mary.
   7. Do you all need more time?
   8. That seems impossible to me.

C. Aplicación personal
   1. ¿Le interesan sus clases este semestre?
   2. ¿A sus padres les interesa escuchar las noticias?
   3. ¿Le quedan muchas cosas que hacer hoy?
   4. ¿Le gustaría repetir este curso?
   5. ¿Le hace falta el ejercicio?
   6. ¿Le gusta guardar cama cuando está enfermo(a)?
   7. ¿Le importa ganar dinero para pagar sus gastos?
   8. ¿Le hace falta un impermeable nuevo?
   9. ¿Le interesan los problemas de sus amigos?
   10. ¿Le gusta esta clase?
   11. Me encanta dar un paseo cuando hace buen tiempo, ¿ y a usted?
   12. ¿Le pareció difícil este ejercicio?

D. Composición

Dreams and Reality

It seems that Mr. Abreu's children would like to go on vacation toward the end of the semester. Ramon would like to go to the mountains because he is interested in learning how to ski. Marta would like to go to the beach because she adores to swim and be seen. The sad part of it is that they need money. Naturally they hope that their parents will pay **(paguen)** all the expenses of the trip. Their parents listen to them and smile.

They were supposed to leave Wednesday, December 28th. We don't know exactly what happened, but they seem to be (it seems that they are) enjoying themselves at home.

Repaso

A. Los pronombres personales: Sustituya las palabras en negrita por los pronombres apropiados.
   1. Escribieron **a sus parientes**.
   2. Esperaba **a mi primo**.
   3. Enviamos **tres tarjetas a nuestros hermanos**.
   4. Le prestaré **mi cámara nueva**.
   5. Compraron **los cuadros** para sus padres.
   6. Antes de vender **mi casa**, quiero dar una fiesta.
B. Los artículos definidos: Emplee el artículo definido cuando sea necesario.
   1. La niña se quitó _____ suéter.
   2. Buenas noches, _____ señor García.
   3. Leo bien _____ ruso.
   4. No sabe usted _____ entusiasmados que estamos.
   5. Ayer fue _____ martes.
   6. Mi prima tiene _____ ojos azules y _____ pelo rubio.
C. Los artículos indefinidos: Emplee el artículo indefinido cuando sea necesario.
   1. La señora Martínez era _____ enfermera excelente.
   2. Ricardo no es _____ protestante; es _____ católico.
   3. Nueva York es _____ ciudad enorme.
   4. Mi tía es _____ escritora.
   5. No podemos salir sin _____ paraguas.
   6. Tenía _____ mil pesos en el banco.

5

El presente de subjuntivo

Como ya hemos visto, el modo indicativo se usa para expresar de una manera cierta y positiva la realidad pasada, presente o futura.

El subjuntivo es el modo verbal que se usa para expresar la acción como posible, deseada o necesaria. Corresponde entonces a una actitud, un deseo, un sentimiento, o a cierta duda en la mente del que habla.

I. Formación del presente de subjuntivo

A. Verbos de formación regular

1. Tenga en cuenta el infinitivo del verbo: **cantar, aprender, describir, hacer, coger, venir**, etc.

2. Elimine la terminación **-o** de la primera persona singular del presente de indicativo: **cant-, aprend-, describ-, hag-, coj-, veng-**, etc.

3. Agregue las terminaciones apropiadas, según las indicaciones.

Verbos que terminan en **-ar**

cante	cantemos
cantes	cantéis
cante	canten

Verbos que terminan en **-er** e **-ir**

haga	hagamos	venga	vengamos
hagas	hagáis	vengas	vengáis
haga	hagan	venga	vengan

Ejercicio:

A. Verbos de formación regular: Diga primero la forma apropiada del verbo en el presente de indicativo y después en el presente de subjuntivo.

INFINITIVO	PERSONA	PRESENTE DE INDICATIVO	PRESENTE DE SUBJUNTIVO
	yo		
bailar		_____	_____
beber		_____	_____
sufrir		_____	_____
ver		_____	_____
	tú		
cantar		_____	_____
comprender		_____	_____
vivir		_____	_____
hacer		_____	_____
	usted, él, ella		
comprar		_____	_____
vender		_____	_____
recibir		_____	_____
poner		_____	_____

INFINITIVO	PERSONA	PRESENTE DE INDICATIVO	PRESENTE DE SUBJUNTIVO
	nosotros, -as		
caminar		_____	_____
correr		_____	_____
decidir		_____	_____
salir		_____	_____
	vosotros, -as		
llamar		_____	_____
deber		_____	_____
abrir		_____	_____
viajar		_____	_____
	ustedes, ellos, ellas		
contestar		_____	_____
responder		_____	_____
insistir		_____	_____
conocer		_____	_____

B. Verbos que cambian de radical

1. Verbos que terminan en **-ar** y **-er**: Los cambios de radical que ocurren en el presente de indicativo ocurren también en el presente de subjuntivo.

CONTAR (ue)		ENTENDER (ie)	
cuente	contemos	entienda	entendamos
cuentes	contéis	entiendas	entendáis
cuente	cuenten	entienda	entiendan

2. Verbos que terminan en **-ir**: Los cambios que ocurren en el presente de indicativo ocurren también en el presente de subjuntivo. Hay, sin embargo, un cambio adicional en el plural de las personas primera y segunda.

El diptongo **ie** se convierte en **i**.
El diptongo **ue** se convierte en **u**.
La vocal **e** se convierte en **i**.

	SENTIR (ie) (i)	DORMIR (ue) (u)	PEDIR (i) (i)
(nosotros)	sintamos	durmamos	pidamos
(vosotros)	sintáis	durmáis	pidáis

Nota: Como se ve, es eliminada la segunda vocal del diptongo de los dos primeros grupos. Los verbos con el cambio de **e** a **i** mantienen la **i** en todas las personas del verbo.

Ejercicio:

A. Verbos con cambios de radical: Dé la forma apropiada del presente de subjuntivo, según las indicaciones.

1. contar (ue)   El niño quiere que yo le _cuente_ una historia.

   El niño quiere que nosotros se la _contemos_

sugerir
pedir willing

2. entender (ie)   Espero que tú me _____ bien. *entiendas*
   Espero que vosotros nos _____ bien. *entendáis*

3. devolver (ue)   El profesor nos pide que _____ los libros. *devolvamos*
   El profesor les pide que (ellos) se los _____. *devuelvan*

4. jugar (ue)   Le sorprende que yo _____ bien al tenis. *juegue*
   Le sorprende que nosotros _____ bien al tenis. *juguemos*

X 5. elegir (i)   Es necesario que nosotros _____ otro presidente. *elijamos*
   Es necesario que ustedes _____ otro presidente. *elijan*

6. pedir (i)   Yo sugiero que vosotros le _____ permiso. *pidáis*
   Yo sugiero que usted le _____ permiso. *pida*

7. preferir (ie)   Carlos no cree que nosotros _____ quedarnos en *prefiramos*
   (like sentir)   casa.
   Carlos no cree que tú _____ quedarte aquí. *prefieras*

8. morirse (ue)   No creo que vosotros _____ de hambre. *os muráis*
   No creo que tú _____ de sed. *mueras*

?X 9. comenzar (ie)   Es importante que la clase _____ a las diez. *comience*
   Es importante que nosotros _____ a las diez. *comencemos*

B.   Verbos que terminan en **-car, -gar, -guar, -zar**: Estos verbos sufren un cambio ortográfico en el presente de subjuntivo. (En este grupo se incluyen algunos verbos con cambios de radical.)

1.   La **c** se convierte en **qu**.

BUSCAR (to look for)

busque	busquemos
busques	busquéis
busque	busquen

2.   La **g** se convierte en **gu**.

LLEGAR		**NEGAR (ie)**	
(to arrive)		(to deny)	
llegue	lleguemos	niegue	neguemos
llegues	lleguéis	niegues	neguéis
llegue	lleguen	niegue	nieguen

3.   La combinación **gu** se convierte en **gü**.

AVERIGUAR (to find out)

averigüe	averigüemos
averigües	averigüéis
averigüe	averigüen

4.   La **z** se convierte en **c**.

LANZAR		**COMENZAR (ie)**	
(to hurl)		(to begin)	
lance	lancemos	comience	comencemos
lances	lancéis	comiences	comencéis
lance	lancen	comience	comiencen

elij
Pres. Ind.   *Subj.*
X *elijo   elegimos   elija   elijamos*
eliges elegís   elijas   elijáis
elige   eligen   elija   elijan

Ejercicio:

A. Verbos con cambios ortográficos: Escriba la forma apropiada del verbo en el presente de indicativo y después en el presente de subjuntivo.

INFINITIVO	PERSONA	PRESENTE DE INDICATIVO	PRESENTE DE SUBJUNTIVO
	yo		
coger		*cojo*	*coja*
dirigir		*dirijo*	*dirija*
tocar		*toco*	*toque*
	tú		
llegar		*llegas*	*llegues*
vencer		*vences*	*venzas*
empezar		*empiezas*	*empieces*
	usted, él, ella		
buscar		*busca*	*busque*
averiguar		*averigua*	*averigüe*
	nosotros, -as		
escoger		*escogemos*	*escojamos*
dedicarse		*nos dedicamos*	*nos dediquemos*
	vosotros, -as		
exigir		*exigís*	*exijáis*
lanzar		*lanzáis*	*lancéis*
	ustedes, ellos, ellas		
entregar		*entregan*	*entreguen*
esparcir		*esparcen*	*esparzan*

B. Verbos irregulares en el presente de subjuntivo

DAR		ESTAR		HABER	
dé	demos	esté	estemos	haya	hayamos
des	deis	estés	estéis	hayas	hayáis
dé	den	esté	estén	haya	hayan

IR		SABER		SER	
vaya	vayamos	sepa	sepamos	sea	seamos
vayas	vayáis	sepas	sepáis	seas	seáis
vaya	vayan	sepa	sepan	sea	sean

Ejercicio: verbos irregulares

Complétense las oraciones siguientes usando la forma apropiada del verbo en el presente de indicativo en la primera frase de cada grupo, y la del verbo en el presente de subjuntivo en la segunda.

1. (saber) María lo *sabe.*
    Queremos que María lo *sepa*
2. (ir) Nosotros *vamos* al concierto mañana.
    Mi esposo insiste en que nosotros *vayamos* al concierto.

3. (estar)   Alfonso y Elena _están_ aburridos.
              Siento que ellos _estén_ aburridos.
4. (dar)   Yo le _dey_ un regalito de vez en cuando.
              Al niño le gusta que yo le _dé_ un regalito.
5. (haber)   No _hay_ nadie en la calle.
              Parece increíble que no _haya_ nadie en la calle.
6. (ser)   Tú _eres_ una estudiante diligente.
              Dudo que tú _seas_ una estudiante diligente.

II. Algunos usos del presente de subjuntivo

Es posible agrupar en varias categorías los verbos cuyo uso en una oración principal exige el uso del subjuntivo en una oración subordinada introducida por **que**. (Todos estos verbos expresan el juicio o el deseo del que habla con respecto a la naturaleza, el estado o la acción de otra persona o de una cosa.)

A. Verbos que expresan deseo

Quieren que usted lo haga en seguida.	*They want you to do it right away.*
Su padre insiste en que vuelvan a casa a las once.	*Their father insists that they return home at eleven.*
Les pedimos que no digan nada con respecto al asunto.	*We are asking them to say nothing in regard to the matter.*

Nota: Para el uso del subjuntivo en la formación de mandatos, véase el capítulo 6.

B. Verbos de negación y verbos que expresan duda

No creo que sea posible efectuar estos cambios rápidamente.	*I don't think it's possible to effect these changes rapidly.*
Dudamos que usted tenga razón.	*We doubt that you are right.*
Pedro niega que estén descontentos.	*Pedro denies that they are unhappy.*
No es verdad que la situación se empeore.	*It is not true that the situation is getting worse.*

pero

Creo que es posible.	*I think it's possible.*
No dudamos que usted tiene razón.	*We don't doubt you're right.*
Pedro no niega que están descontentos.	*Pedro does not deny that they are unhappy.*
Es verdad que la situación se mejora.	*It is true that the situation is getting better.*

C. Verbos que expresan emociones

Siento que no me acompañes.	*I'm sorry that you are not going with me.*
Nuestros amigos se alegran de que nos casemos.	*Our friends are glad we're getting married.*
¿Temes que no se resuelva el problema?	*Are you afraid that the problem won't be solved?*
Esperamos que vengan pronto.	*We hope they'll come soon.*

D. **Ojalá (que)** + una oración subordinada en el subjuntivo = *Oh, I hope that. . . .*

¡Ojalá (que) llueva mañana!	*Oh, I hope it rains tomorrow!*
¡Ojalá (que) todo vaya bien!	*Oh, I hope everything goes well!*

used also in pluperfect — ojalá que hubiese llegado a la tiempo

Nota especial: Las construcciones arriba mencionadas se usan cuando hay cambio de sujeto.

Siento que Roberto esté de mal humor.	*I'm sorry Robert is in a bad mood.*
Carlos quiere que lo ayudemos.	*Carlos wants us to help him.*
Nos alegramos de que Ricardo y Sara vengan mañana.	*We're happy that Richard and Sara are coming tomorrow.*

Si no hay cambio de sujeto, suele usarse el infinitivo.

Siento estar de mal humor.	*I'm sorry I'm in a bad mood.*
Carlos quiere ayudarnos.	*Carlos wants to help us.*
Nos alegramos de venir.	*We're happy to come.*

Excepciones: Ciertos verbos tales como **aconsejar, mandar, permitir, prohibir,** *dejar,* etc., pueden usarse con el infinitivo, como en inglés.

or
Les mande que hagan el...

Les manda hacer el trabajo con más cuidado.	*He orders them to do the work more carefully.*
Me permite manejar el auto de vez en cuando.	*She lets me drive the car from time to time.*

III. Verbos de uso frecuente que exigen el uso del subjuntivo en una oración subordinada

A. Verbos que expresan deseo

aconsejarle a uno to advise someone to
desear to want
insistir en to insist on
mandarle a uno to order someone to
pedirle a uno to ask someone to
permitirle a uno to allow someone to
prohibirle a uno to forbid someone to
querer to want

3.d°

B. Verbos que expresan negación o duda   *doubt, denial, disbelief*

> **dudar** to doubt
> **negar (ie)** to deny
> **no creer** to not believe
> **Es improbable** It's improbable
> **Es posible (imposible)** It's possible (impossible)
> **No es verdad (cierto)** It's not true

C. Verbos que expresan emociones

> **alegrarse de** to be glad
> **Es lástima** It's a pity
> **sentir (ie)** to regret, to feel sorry
> **temer** to fear, to be afraid

Nota: Hoy día, el modo subjuntivo se utiliza en inglés solamente en ciertos casos, por ejemplo:

> We desire that his life be spared.
> They insist that she leave first.
> I demand that there be an accounting.

Ejercicios: A, B, C

A. Sustituya el infinitivo por la forma apropiada del verbo.
1. Queremos que usted nos (dar) sus propias opiniones. *dé*
2. Insisten en que nosotros (dormir) en su casa. *durmamos*
3. Te pido que lo (hacer) lo más pronto posible. *hagas*
4. No creo que Pablo lo (negar) completamente. *niegue*
5. Dudamos que sus amigos (llegar) a tiempo. *lleguen*
6. No es verdad que Carlos (jugar) al fútbol. *juegue*
7. Niega que vosotros (tener) razón. *tengáis*
8. No dudo que tú (sufrir) mucho. *sufres*

B. Traducción
1. Will you (**tú**) allow me to leave now?
2. My mother insists that Arthur and I speak Spanish at home.
3. I advise you (**vosotros**) not to do that. It's dangerous.
4. The children ask me to tell them stories from time to time.
5. The boss wants us to arrive at eight on Fridays.
6. I'm glad to see you, Joe, and I'm glad that you're feeling better.
7. The doctor forbids Manolo to play football or basketball.
8. It's a pity that you (**usted**) don't have any brothers or sisters.
9. I'm afraid they won't arrive on time.
10. He doesn't think that she can climb the stairs.
11. They deny that the situation is critical.
12. It is not true that men are more intelligent than women.

13. —It's improbable that the economy will get worse.
    —Oh, I hope that's true!
14. I'm sorry not to go with you, but I think it is better to stay at home.

C. Aplicación personal
    1. ¿Cree usted que haya vida en el planeta Marte?
    2. ¿Esperas hacerte millonario(a) en el futuro?
    3. ¿Es probable que estudiéis con unos amigos esta noche?
    4. ¿Se alegra usted de que no haya clases los sábados?
    5. ¿Quiere usted ayudarme con el próximo examen?
    6. ¿Es posible que compre un coche nuevo este año?
    7. ¿Teme usted que no terminemos a tiempo hoy?
    8. ¿Niega usted que sea necesario estudiar todos los días para aprender una lengua extranjera?
    9. ¿Es probable que llueva mañana?
    10. ¿Es posible que se gradúe este semestre?
    11. ¿Es verdad que los hombres de esta clase son tan inteligentes como las mujeres?
    12. ¿Espera usted que salgamos temprano hoy?
    13. ¿Cree usted que haga buen tiempo mañana?

D. Composición

Looking for an Apartment

Eduardo: Elena, why don't we rent a furnished apartment in this neighborhood?
Elena: It doesn't matter to me, but I want one that has **(tenga)** three bedrooms and a well-equipped kitchen.
Eduardo: As far as I'm concerned, the important thing is that it be air-conditioned.
Elena: Do you think it may be possible to find one on the ground floor?
Eduardo: I don't know. But I prefer an apartment that faces **(dé a)** the street.
Elena: I hope that we find a well-furnished apartment! But it's possible that your parents will lend us some chairs and a sofa.
Eduardo: I hope we find one right away and that it won't cost too much.
Elena: I'm afraid that's not possible in this neighborhood.

Repaso a b c

A. Sustituya los infinitivos por la forma apropiada del verbo en el presente de indicativo.
1. (coger) ¿_____ (yo) el autobús en esta esquina? *cojo*
2. (ser) Tú _____ mi mejor amigo. *estás, eres*
3. (decir) (Nosotros) _____ que no. *decimos*
4. (mostrar) El señor López nos _____ sus transparencias. *muestra*
5. (volar) Luis _____ frecuentemente a Los Angeles. *vuela*

B. Sustituya las palabras en negrita por los pronombres apropiados.
1. ¿No quieres dar un paseo con **Roberto y conmigo**? *nosotros?*
2. Dejo **los comestibles** en la tienda. *éstos*
3. Tropecé con **Juanito** ayer. *él*
4. Le vendí **mis libros a mi amigo**. *Se los vendí a él*
5. Le compramos **la máquina** a Luisa. *Se la compramos a Luisa*
6. No queríamos leer **el telegrama**.

C. Haga los cambios necesarios, según las indicaciones.
1. A mí no me gusta esperar. (a mis amigos)
2. A Pedro no le gustaba cocinar. (a tus hermanas)
3. Nos hacía falta trabajar los sábados. (a mi padre)
4. No le quedará mucho que hacer. (a ustedes)
5. A ellos les hace falta el ejercicio. (a nosotros)
6. Me encantaría no hacer nada. (a mi hermana)

I bumped into *tropezar.*

tropiezo

6

Los mandatos

APARTADO UNO:
EL MODO IMPERATIVO
(MANDATOS CON
TU Y *VOSOTROS*)

Teresa, **escríbeme** frecuentemente.	*Teresa, **write to me** often.*
Miguel, **no te levantes** tan tarde mañana.	*Miguel, **don't get up** so late tomorrow.*
Luisa y José, **bajad** a comer.	*Luisa and Jose, **come down** to eat.*
Niños, **no habléis** tanto.	*Children, **don't talk** so much.*

El imperativo sirve para expresar mandatos u órdenes familiares. Generalmente se omiten los pronombres **tú** y **vosotros**, a menos que se quiera dar más énfasis al mandato.

I. El imperativo singular afirmativo

Para formar el imperativo singular afirmativo (**tú**), se emplea la tercera persona singular del presente de indicativo. Los pronombres complementarios y reflexivos siguen al imperativo afirmativo y se unen a él.

María, **compra** esas botas.	*Maria, **buy** those boots.*
María, **cómpralas**.	*Maria, **buy them**.*
Luis, **come** las legumbres.	*Luis, **eat** the vegetables.*
Luis, **cómelas**.	*Luis, **eat them**.*
Andrés, **escribe** la carta.	*Andres, **write** the letter.*
Andrés, **escríbela**.	*Andres, **write it**.*

II. El imperativo singular negativo

Para construir la forma negativa del imperativo singular, se emplea la segunda persona singular del presente de subjuntivo. Los pronombres complementarios y reflexivos preceden al imperativo negativo.

Inés, **no compres** ese abrigo.	*Ines, **don't buy** that coat.*
Inés, **no lo compres**.	*Ines, **don't buy it**.*
Carlos, **no comas** la fruta.	*Carlos, **don't eat** the fruit.*
Carlos, **no la comas**.	*Carlos, **don't eat it**.*
Miguel, **no escribas** esa tarjeta.	*Miguel, **don't write** that postcard.*
Miguel, **no la escribas**.	*Miguel, **don't write it**.*

Ejercicios:

A. Cambie usted los infinitivos al imperativo singular (afirmativo y negativo), tal como se indica en el modelo.

Voy a aceptar la invitación.
Muy bien, acepta la invitación.
No, no aceptes la invitación.

1. Voy a tomar una cerveza.
2. Voy a subir al avión.
3. Voy a gritar.
4. Voy a cantar ahora.
5. Voy a beber toda la leche.
6. Voy a comer el pastel.
7. Voy a bailar con él.
8. Voy a trabajar hasta las siete.

B. Cambie usted los infinitivos al imperativo singular (afirmativo y negativo), tal como se indica en el modelo.

Quiero cantar una canción mexicana.
Entonces, cántala.
No, no la cantes.

1. Quiero olvidar mi promesa.
2. Quiero cortarme el pelo.   *córtatelo*
3. Quiero cubrir los muebles.
4. Quiero sorprender a mis padres.
5. Quiero abrir los paquetes.
6. Quiero llamar a mis parientes.
7. Quiero olvidar la disputa.
8. Quiero cobrar estos cheques.

C. Cambie las oraciones tal como se indica en el modelo.

No puedo pagar la cuenta.
Entonces, no la pagues ahora, págala después.

1. No puedo mandarles los documentos.
2. No puedo conducir el auto.
3. No puedo preparar la comida.
4. No puedo servir el postre.
5. No puedo pedirle el dinero.
6. No puedo leerlo ahora.

D. Cambie las oraciones tal como se indica en el modelo.

Voy a vestirme ahora.
Entonces, vístete.
No, no te vistas.

1. Quiero sentarme aquí.
2. Quiero levantarme temprano.

3. Quiero acostarme tarde.
4. Quiero lavarme las manos.
5. Quiero mudarme de ropa.
6. Quiero quitarme los zapatos.

III. Formas irregulares en el imperativo singular afirmativo

decir	**di**
hacer	**haz**
ir	**ve**
poner	**pon**
salir	**sal**
ser	**sé**
tener	**ten**
venir	**ven**

Ejercicio:

Combine cualquier elemento de la primera columna con los infinitivos de la segunda columna para formar el imperativo singular afirmativo y negativo. (Véase el modelo.)

en seguida
Habla con ella en seguida.

hablar con ella
No hables con ella en seguida.

1. ahora mismo
2. por la tarde
3. después
4. mañana
5. pronto
6. esta noche
7. ahora
8. en seguida

salir con ella
hacer la tarea
decírmelo
poner la mesa
venir
tener cuidado (no tener miedo)
ser sentimental
irse

IV. El imperativo <u>plural afirmativo</u>   *(often just the infin. is used)*

A. Para formar el imperativo plural afirmativo (**vosotros**), se sustituye la **r** del infinitivo por **d**.

	comprad esas botas.	*Buy those boots.*
María y Carmen,	**comed** esa carne.	*Eat that meat.*
	escribid esas cartas.	*Write those letters.*

B. Los pronombres complementarios y reflexivos siguen al imperativo afirmativo y se unen a él. Si el verbo es reflexivo, se suprime la **d** delante del pronombre reflexivo.

	comprad esos discos.	*Buy those records.*
Luis y Andrés,	**compradlos.**	*Buy them.*
	levantaos ahora.	*Get up now.*

C. Los verbos que terminan en **-ir** requieren un acento escrito sobre la **i** cuando se añade el pronombre reflexivo **os**.

Ramón y José,	**divertíos.**	*Have a good time.*
	vestíos.	*Get dressed.*

Nota: El imperativo plural afirmativo del verbo **irse** es la única excepción.

Idos.	*Go away.*

V. El imperativo plural negativo

A. Para formar el imperativo plural negativo (**vosotros**), se emplea la segunda persona plural del presente de subjuntivo.

	no compréis el disco.	**Don't buy** the record.
Carlos y Arturo,	**no comáis** esa carne.	**Don't eat** that meat.
	no escribáis esas cartas.	**Don't write** those letters.

B. Los pronombres complementarios y reflexivos preceden al imperativo negativo.

	no compréis el disco.	**Don't buy** the record.
Carlos y Arturo,	**no lo compréis.**	**Don't buy it.**
	no os levantéis ahora.	**Don't get up** now.

Ejercicios:

A. Cambie los infinitivos al imperativo plural (afirmativo y negativo) según el modelo.

decirlo
Decidlo.
No lo digáis.

1. cerrarlo
2. pedirlo
3. acostarse

4. servirlas
5. castigarlos
6. colgarlos

B. Cambie según el modelo.

bajar
Baja.   **No bajes.**
Bajad.   **No bajéis.**

1. lavarse la cara
2. traer los discos
3. casarse pronto

4. dormir bien
5. volver en seguida
6. decidir ahora

C. Traducción
   1. Anita, come early.
   2. Juan, be careful.
   3. Children, don't get dressed yet.

4. Mother, sit down.
5. Elena, don't set the table.
6. Felipe and Ramon, go away.

D. Composición

Have a Nice Time Today!

(Mrs. Rojas is talking to her children.)

—Ramon, get up, get dressed, and come downstairs for breakfast!
—Rosalinda, wash your hands and don't forget to brush your teeth.
—Pepe, don't eat so fast—drink your orange juice!
—Anita, it's raining. Don't put on your new shoes this morning!
—Carlos, take your umbrella and your raincoat!
—Roberto, hurry up—take your little sister to school! Be careful and don't drive too fast! Come back with the car at noon!
—Carlos, be quiet! I can't hear what your brother is saying.
—Roberto, don't say that to your mother! I'm never bossy!

APARTADO DOS: MANDATOS CON *USTED* Y *USTEDES*

Compre usted ese traje.
Compren ustedes ese traje.   *Buy that suit.*

Coma usted a la una.
Coman ustedes a la una.   *Eat at one.*

Escriba usted* una página.
Escriban ustedes* una página.   *Write a page.*

Ejercicios:

A. Cambie usted las oraciones tal como se indica en el modelo.

   Quiero hablar con Pepe.
   Hable usted con Pepe.

1. Quiero comer ahora.
2. Queremos sentarnos.

*El uso de los pronombres **usted** y **ustedes** no es obligatorio.

Se emplea la tercera persona singular o la tercera persona plural del presente de subjuntivo para formar los mandatos con **usted** y **ustedes**. El afirmativo y el negativo de los mandatos tienen la misma forma. Los pronombres complementarios y los pronombres reflexivos siguen al mandato afirmativo y van unidos a él. Preceden al mandato negativo.

Compre usted ese traje.   *Buy that suit.*
Cómprelo usted.   *Buy it.*
No lo compre usted.   *Don't buy it.*

    3. Queremos bailar.
    4. Quiero tocar el piano.
    5. Quiero almorzar.
    6. Queremos dormir.

B. Forme usted los mandatos afirmativos y negativos según el modelo.

> **Nos gustaría estudiar las lecciones.**
> **Estúdienlas ustedes. No las estudien ustedes.**

    1. Nos gustaría comprar unos regalos.
    2. Nos gustaría escribir unas líneas.
    3. Nos gustaría mover el sofá.
    4. Nos gustaría divertirnos.
    5. Nos gustaría despertarnos temprano.
    6. Nos gustaría devolver el dinero.

C. Traduzca al español, usando el mandato en forma plural.
    1. Turn on the lights.
    2. Don't laugh.
    3. Don't lose them.
    4. Follow them.
    5. Ask me for it.
    6. Don't tell it to her.

APARTADO TRES: MANDATOS CON *NOSOTROS* (*LET'S*)

A. Para formar los mandatos afirmativos y negativos, se emplea la primera persona plural del presente de subjuntivo. Los pronombres complementarios y reflexivos siguen al mandato afirmativo y van unidos a él. Preceden al mandato negativo.

Compremos estos zapatos.	*Let's buy these shoes.*
Comamos en aquel restaurante.	*Let's eat in that restaurant.*
Escribamos una página.	*Let's write a page.*

No compremos estos zapatos.	*Let's not buy these shoes.*
No comamos allí.	*Let's not eat there.*
No escribamos eso ahora.	*Let's not write that now.*

Nota: Antes de añadir el pronombre reflexivo a un verbo reflexivo, se omite la s final de la primera persona plural.

Sentemos	nos	Sentémonos.	*Let's sit down.*
Divirtamos	nos	Divirtámonos.	*Let's enjoy ourselves.*

Durmamos	nos	Durmámonos.	*Let's go to sleep.*
Vamos*	nos	Vámonos.	*Let's go.*

B. Es posible usar la construcción **vamos a** + infinitivo para expresar el mandato afirmativo. (A veces se omite la forma **vamos**.)

Vamos a comer.   o   **Comamos.**   *= much more popular choice*

o

A comer.

Ejercicios:

A. Conteste según el modelo.

¿ Pondremos las cosas aquí ?
Sí, pongámoslas aquí.

1. ¿ Venderemos el sillón?
2. ¿ Nos acostaremos temprano esta noche?
3. ¿ Tomaremos un cafecito?
4. ¿ Elegiremos a Roberto?
5. ¿ Traeremos las tazas?
6. ¿ Serviremos la comida ahora?

B. Conteste negativamente tal como se indica en el modelo.

¿ Enviaremos las tarjetas ahora ?
No, no las enviemos ahora.

1. ¿ Guardaremos el dinero en el banco?
2. ¿ Buscaremos a nuestras primas?
3. ¿ Lavaremos el coche ahora?
4. ¿ Incluiremos una tarjeta?
5. ¿ Suspenderemos la reunión?
6. ¿ Nos levantaremos ahora?

C. Conteste según el modelo.

¿ Quieres bailar ?
Sí, bailemos.
Vamos a bailar.   — *best choice*

1. ¿ Quieres dormir ahora?
2. ¿ Quieres traer los discos?
3. ¿ Quieres quedarte en casa?
4. ¿ Quieres volar a Europa?
5. ¿ Quieres jugar a las cartas?
6. ¿ Quieres ver una película?

*Se emplea la forma **vamos** en vez de **vayamos** para expresar el mandato afirmativo del verbo **ir**.

D. Traducción
1. Let's catch the bus on this corner.
2. Let's follow that car.
3. Let's not move that chair.
4. Let's serve dinner now.
5. Let's sit down here.
6. Let's not get up early tomorrow.
7. Let's return on Sunday.
8. Let's change clothes.

APARTADO CUATRO:
MANDATOS INDIRECTOS

Los mandatos indirectos tienen la misma forma que la tercera persona del presente de subjuntivo.

Que Juan **escriba** la carta.	*Let John write the letter.*
Que **salgan** ellos primero.	*Let them go first.*
Que **traiga** Ana los billetes.	*Let Anna bring the tickets.*

Nota: Los pronombres complementarios y reflexivos preceden al mandato indirecto.

Que lo **haga** Enrique.	*Let Henry do it.*
Que se **quede** en casa.	*Let him stay at home.*

Ejercicio:

Conteste según el modelo.

¿ **Quién lo leerá ? ¿ Juan ?**
Sí, que lo lea Juan.

1. ¿ Quién traerá las servilletas? ¿ Clara?
2. ¿ Quién recogerá la ropa? ¿ Luisa?
3. ¿ Quién buscará los cheques? ¿ el señor Gómez?
4. ¿ Quién apagará la luz? ¿ Pepe?
5. ¿ Quiénes le regalarán los juguetes? ¿ sus hermanos?
6. ¿ Quiénes prepararán el desayuno? ¿ los chicos?
7. ¿ Quiénes resolverán el problema? ¿ los políticos?
8. ¿ Quién comprará la cerveza? ¿ José?

APARTADO CINCO:
MANDATOS IMPERSONALES

Para dar instrucciones, se usan frecuentemente mandatos impersonales, construidos con la tercera persona singular y plural del presente de subjuntivo y el pronombre **se**.

Llénense los espacios en blanco. *The blank spaces are to be filled in.*

Tradúzcase al español el párrafo que sigue. *The following paragraph is to be translated into Spanish.*

Composición

Take a Trip to Mexico!

Come to Mexico now and visit the floating gardens of Xochimilco and the famous pyramids. Fly to Acapulco and spend a week resting at the beautiful beaches. Swim in the Pacific Ocean or, if you prefer, go fishing and, in the evenings, dine and dance at one of the luxurious hotels.

Enjoy life for a week in old Mexico. Don't delay. Visit your travel agent today. Buy your ticket in advance and save money.

Let's see each other in Mexico this December!

Repaso

A. Haga los cambios necesarios según las indicaciones.
  1. No les interesarían a ustedes los cambios. (el cambio)
  2. A él no le gustarán los discos. (el disco)
  3. A mis abuelos les encanta pasearse. (echar una siesta)
  4. No te importa mi opinión. (mis opiniones)
  5. No me duelen las piernas. (la pierna)
  6. Nos quedan diez pesos. (un peso, nada más)
B. Traducción
  1. Is she generous? Yes, she is.
  2. She is explaining it to them now.
  3. We saw each other in the mirror.
  4. They want everything (**todo lo que**) they see.
  5. We're going to give them the tape recorder.
  6. I introduced myself to the two women.
C. Escriba la primera persona singular y plural del presente de subjuntivo de los verbos que siguen.
  1. comenzar
  2. vencer
  3. jugar
  4. buscar
  5. coger
  6. tocar
  7. dormir
  8. preferir
  9. escoger
  10. llegar
  11. entender
  12. averiguar

7

El preterito indefinido de indicativo

El pretérito indefinido de indicativo (*simple past tense*) expresa lo que pasó, lo que fue o lo que estuvo en el pasado. Al emplear este tiempo del verbo, el que habla o escribe expresa el principio o la terminación de la acción o del estado.

Asistí a un concierto magnífico anoche.	*I attended a magnificent concert last night.*
Estuve cansadísima ayer, pero hoy me siento mucho mejor.	*I was very tired yesterday, but today I feel much better.*
¿Quién fue el candidato del Partido Socialista en la última elección?	*Who was the Socialist Party's candidate in the last election?*

Para expresar acciones y estados continuos o habituales en el pasado, hay que usar el pretérito imperfecto (*imperfect tense*) de indicativo. En estos casos, el que habla o escribe se refiere a acciones y estados en el pasado sin fijar la atención en su principio o terminación.

Asistía a los conciertos todas las semanas.	*I attended (used to attend) the concerts every week.*
Siempre estaba cansada. No sé lo que tenía.	*I was always tired. I don't know what was the matter with me.*
El señor Fernández era el candidato que despertaba el mayor entusiasmo.	*Mr. Fernandez was the candidate who aroused (used to arouse) the greatest enthusiasm.*

I. Formación del pretérito indefinido

A. Verbos regulares. (Véase el capítulo 1.)
B. Verbos irregulares.
    1. Los verbos **ir, ser** y **dar**

IR y SER		DAR	
fui	fuimos	di	dimos
fuiste	fuisteis	diste	disteis
fue	fueron	dio	dieron

    2. El verbo **tener**

TENER	
tuve	tuvimos
tuviste	tuvisteis
tuvo	tuvieron

Como se ve, el verbo **tener** emplea un radical irregular en todas las formas del pretérito indefinido y terminaciones irregulares en la primera y segunda persona singular. (Las otras terminaciones son las que usan los verbos regulares que terminan en **-er** o **-ir**.)

3. Verbos que siguen el modelo de **tener**: Cada uno de estos verbos tiene un radical irregular en el pretérito indefinido al cual se agregan, con unas pocas excepciones indicadas abajo, las terminaciones del verbo **tener**.

INFINITIVO

tener	tuve	tuviste	tuvo	tuvimos	tuvisteis	tuvieron
andar	anduve					
caber	cupe					
estar	estuve					
haber	hube					
poder	pude					
poner	puse					
saber	supe					
hacer	hice		hizo*			
querer	quise					
venir	vine					
decir	dije					dijeron**
traer	traje					trajeron**
conducir	conduje					condujeron**
producir	produje					produjeron**
traducir	traduje					tradujeron**

Ejercicios:

A. Formule preguntas según el modelo usando el pretérito indefinido.

Usted/traducir/carta
¿Usted tradujo una carta?

1. Tú/estar/conmigo
2. Yo/ir/teatro/Ernesto
3. Usted/saber/verdad
4. Ustedes/hacer/viaje/San Antonio
5. Nosotros/decir/eso/hace mucho
6. Ellos/no/querer/decir/nada
7. Yo/tener/oportunidad/semana pasada
8. Cuánto trigo/producir/los Estados Unidos

B. Cambie los verbos siguientes al pretérito indefinido.

1. El mecánico quiere arreglarlo, pero no puede.
2. ¿Quién le trae las flores?
3. Sus nietos se las traen.
4. ¿Hay fiesta el diez y seis?
5. ¿Por qué no vienen Alicia y su novio?
6. ¿Dónde ponéis los platos?

****hizo** se escribe con **z** para mantener el sonido en la forma escrita.
Los verbos cuyo radical termina en **j usan la terminación **-eron** en la tercera persona plural. (Los verbos cuyo infinitivo termina en **-ducir** forman el pretérito indefinido como **conducir**.)

7. ¿Por qué hace Jacinto tantas preguntas?
8. Los dos dan un paseo por el parque.
9. Como nosotros no tenemos prisa, caminamos lentamente.
10. ¿Quiénes son los primeros en llegar?

C. Verbos que cambian de radical
Los verbos con cambio de radical que terminan en **-ir** son regulares en todas las formas del pretérito indefinido excepto en la tercera persona singular y plural. En estas formas, hay el mismo cambio que ocurre en el plural de la primera y segunda persona del presente del subjuntivo.

SENTIRSE (ie) (i)		DORMIR (ue) (u)		PEDIR (i) (i)	
me sentí	nos sentimos	dormí	dormimos	pedí	pedimos
te sentiste	os sentisteis	dormiste	dormisteis	pediste	pedisteis
se sintió	se sintieron	durmió	durmieron	pidió	pidieron

Nota especial: Los verbos con cambio de radical que terminan en **-ar** y **-er** son regulares en todas las formas del pretérito indefinido.

Ejercicio: Lea cada oración y después cambie según las indicaciones.
1. Repetí la pregunta. (usted, el profesor, ellos)
2. La chica sonrió. (nosotros, ustedes, yo, ellas)
3. Ellos se sintieron muy cansados. (yo, Roberto, tú, nosotros)
4. Te divertiste mucho, ¿no? (los dos, mi madre, nosotros)
5. Muchos se convirtieron al catolicismo. (Margarita, yo no, ¿quiénes?)
6. No dormí bien anoche. (los niños, nosotros, Rafael, ¿tú?)
7. El pobre murió joven. (tu primo, los nativos, la princesa)
8. Conseguimos empleo ayer. (mi hermano, Miguel y Ricardo, yo)
9. Volvimos temprano. (yo, usted no, tú, ellos)
10. Les conté una historia. (su madre, nuestra prima, tú no)
11. Nos sentamos. (yo, los invitados, Manuel)

D. Verbos con cambios ortográficos.
1. Verbos cuyo infinitivo termina en **-car, -gar, -zar** y **-guar** sufren un cambio ortográfico en la primera persona singular.

tocar	**toqué**
llegar	**llegué**
comenzar	**comencé**
averiguar	**averigüé** (El cambio consiste en el uso del diéresis.)

2. Verbos que terminan en **-aer** (excepto **traer** y sus compuestos), **-oer** y **-eer** sufren un cambio ortográfico en la tercera persona singular y plural. (Debe notarse también el uso del acento escrito sobre la letra **i** de las demás terminaciones.)

CAER		LEER	
caí	caímos	leí	leímos
caíste	caísteis	leíste	leísteis
cayó	cayeron	leyó	leyeron

ROER (to gnaw)

roí	roímos
roíste	roísteis
royó	royeron

3. <u>Verbos que terminan en **-uir** sufren un cambio ortográfico en la tercera persona singular y plural.</u>

atribuir	atribuyó	atribuyeron
constituir	constituyó	constituyeron
contribuir	contribuyó	contribuyeron

Nota: <u>Los verbos que terminan en **-guir** no cambian, por ser muda la **u**.</u>   ?

seguir (i)	siguió	siguieron
distinguir	distinguió	distinguieron
	pero	
argüir	arguyó	arguyeron

4. <u>Verbos que terminan en **-llir** o **-ñir** eliminan la **i** de las terminaciones de la tercera persona singular y plural.</u>

bullir	bulló	bulleron
bruñir	bruñó	bruñeron

Nota especial: Es de suma importancia aprender bien las formas del pretérito indefinido, muchas de las cuales son irregulares en su radical o en sus terminaciones u ortografía. Sin saber la forma de la tercera persona plural del verbo en el pretérito indefinido, es imposible construir el imperfecto de subjuntivo—tiempo de uso frecuente en español. Si hay duda, consúltese un diccionario español–inglés.

Ejercicio: Verbos con cambios ortográficos.

Escriba la forma apropiada del verbo en el pretérito indefinido según las indicaciones.

buscar	(yo) _____	(nosotros) _____	(ellos) _____
jugar	(yo) _____	(vosotros) _____	(ustedes) _____
empezar	(yo) _____	(usted) _____	(ellas) _____
averiguar	(yo) _____	(él) _____	(nosotros) _____
construir	(tú) _____	(usted) _____	(ellos) _____
atribuir	(yo) _____	(ella) _____	(ustedes) _____
perseguir	(yo) _____	(usted) _____	(ellos) _____
argüir	(yo) _____	(él) _____	(ellas) _____
caerse	(yo) _____	(nosotras) _____	(los dos) _____
bullir	(ellas) _____		
bruñir	(él) _____		

II. Los verbos *tener, conocer, saber, querer, poder*

Estos verbos tienen un significado especial cuando se usan en el pretérito indefinido. Para comprender la diferencia de significado entre el uso de estos verbos en el pretérito indefinido y en el pretérito imperfecto, estudie las oraciones que siguen.

A. conocer

Lo conocimos recientemente.	*We met him (for the first time) recently.*
Lo conocíamos muy bien.	*We knew him very well.*

B. saber

Al hablar con sus hijos, supieron la verdad.	*When they talked with their children, they found out the truth.*
Hacía mucho que sabían la verdad.	*They had known the truth for a long time.*

C. tener

Tuve tres cartas de México el mes pasado.	*I had (received) three letters from Mexico last month.*
Tenía las tres cartas de México. ¿Dónde estarán?	*I had (in my possession) the three letters from Mexico. Where do you suppose they are?*

D. querer y poder — tried

Quiso arreglarlo pero no pudo.	*He tried to fix it, but he couldn't (didn't succeed).*
Quería arreglarlo pero no podía.	*He wanted (had the desire) to fix it, but he couldn't (wasn't capable of doing it).*

E. No querer — refused

No quiso acompañarme al teatro.	*He refused to go to the theater with me.*
No quería acompañarme al teatro.	*He didn't want to go to the theater with me.*

El uso de estos verbos en el pretérito indefinido indica que una acción tuvo lugar. Su uso en el pretérito imperfecto indica más bien que un estado existía.

Ejercicios:

A. Complete usted las oraciones siguientes usando la forma apropiada del verbo en el pretérito indefinido. Después, traduzca las oraciones al inglés.

    1. (querer)   Aunque estaba enfermo, mi padre no *quiso* consultar al médico.

    2. (querer) (poder)   Nosotros *quisimos* abrir la ventana pero no *pudimos*

    3. (saber)   —¿Cuándo *supiste* (tú) que Isabel estaba casada?

       (saber)   —Lo *supe* ayer. Roberto me lo dijo.

    4. (conocer)   —¿*Conoció* usted a la profesora Ramírez?

       (conocer)   —Sí, la *conocí* la semana pasada.

    5.   —¿Cómo está Rosita?

       (tener)   —Muy bien. Nosotros *tuvimos* dos cartas anteayer. Dijo que no sabía cuándo volvería a casa.

    6. (querer) (poder)   La vieja tenía miedo. *Quería* cerrar la puerta con llave pero no *pudo*. No sabía qué hacer.

B. Cámbiense los verbos al pretérito indefinido.

    1. Nunca me dice nada.
    2. Mi hermano conduce rápidamente.
    3. Hay mucho tráfico hoy.
    4. Están en el almacén.
    5. El mecánico me da la cuenta.
    6. ¿Cuándo van ustedes al lago?
    7. Venimos corriendo.
    8. Traigo las bebidas.

C. Cámbiense los verbos en el singular al plural, y los verbos en el plural al singular.

    1. Hice un viaje a Inglaterra.
    2. Produjimos mucho trigo.
    3. No quiso hacerlo.
    4. Estuvo en la última fila.
    5. No pudieron resistirlo.
    6. Se cayó y se lastimó.
    7. Tocamos el violín.

D. Traducción

    1. Who was the first president of the country?
    2. She had two calls from her boyfriend yesterday.

3. They slept like a log last night.
4. She followed me to school.
5. When did he die?
6. Did they have a good time?
7. I began to sing.
8. I played cards last night.
9. When did they find out about it?
10. It didn't fit in the box.
11. —Did the alarm clock ring?
   —Yes, but I didn't hear it. My mother had to wake me up.

E. Aplicación personal
1. ¿Tuvo usted clases ayer?
2. ¿Fue usted a la biblioteca anoche? ¿a la librería? ¿al gimnasio?
3. —¿Se divirtió usted un poco ayer?
   —¿Sí? ¿Qué hizo?
   —¿No? ¿Por qué no? ¿Tuvo que trabajar? ¿Tuvo que estudiar?
4. ¿Estuvo muy cansado(a) ayer?
5. ¿A qué hora se despertó esta mañana?
6. ¿Se levantó en seguida?
7. ¿Se desayunó antes de salir de casa esta mañana?
8. ¿A qué hora llegó usted a la universidad?
9. ¿Llegó usted a tiempo?
10. ¿Cuál fue su primera clase?
11. ¿Cuántos ejercicios tuvo usted que preparar para esta clase hoy?
   ¿muchos? ¿pocos? ¿demasiados?

F. Composición

The Football Game

Isabel: There was a football game yesterday, wasn't there?
Rafael: Yes, and it was a wonderful day for our team.
Isabel: What happened?
Rafael: We defeated the Bears by three points—24 to 21.
Isabel: That's great! By the way, did Ignacio play?
Rafael: Yes, and as always, he was the hero of the day.
Isabel: Did Esteban participate too?
Rafael: Poor Esteban! He received a tremendous blow on the head and had to leave the game.
Isabel: Did he hurt himself badly?
Rafael: It seems not. I saw him after the game and he told me that he was O.K. He was lucky.

Repaso

A. Traducción
   1. She has one dollar left.
   2. Robert isn't interested in poetry.
   3. My arms were hurting me.
   4. I don't like to take (**llevar**) an umbrella.
   5. Doesn't music interest your brothers?
   6. I need three more.
   7. It didn't matter to us what he said.

B. Sustituya los infinitivos por la forma apropiada del verbo en el presente de subjuntivo o indicativo.
   1. ¿Quiere usted que los muchachos (lavarse) _____ las manos ahora?
   2. Prefiero que (tú) (sentarse) _____ aquí.
   3. Creemos que los niños (decir) _____ la verdad.
   4. Espero que (nevar) _____ mañana.
   5. Me alegro de que la comida no (costar) _____ demasiado.
   6. ¡Ojalá que no lo (encontrar) _____ (ustedes) difícil!
   7. No dudan que la situación _____ (empeorarse).

C. Exprese negativamente.
   1. Démelos.   4. Entreténgase con la televisión.
   2. Tráigalos.   5. Acostémonos.
   3. Cómanlas.   6. Devuélvemelos.

D. Cambie los infinitivos al imperativo singular (formas afirmativas y negativas).
   1. esperarme   4. perderse
   2. criticarlo   5. hacerlo
   3. mandársela   6. irse

8

El imperfecto de subjuntivo

I. Formación del subjuntivo

No hay irregularidades en la formación del tiempo imperfecto de subjuntivo. Hay, sin embargo, dos modos de construirlo.

A. Se elimina **-on** de la tercera persona plural del pretérito indefinido y se agregan las terminaciones que siguen.

- a	- ´amos
- as	- ais
- a	- an

COMPRARON (comprar)		VENDIERON (vender)	
comprara	compráramos*	vendiera	vendiéramos*
compraras	comprarais	vendieras	vendierais
comprara	compraran	vendiera	vendieran

RECIBIERON (recibir)		HICIERON (hacer)	
recibiera	recibiéramos*	hiciera	hiciéramos*
recibieras	recibierais	hicieras	hicierais
recibiera	recibieran	hiciera	hicieran

B. Se elimina **-ron** de la tercera person plural del pretérito indefinido y se agregan las terminaciones indicadas.

- se	- ´semos
- ses	- seis
- se	- sen

SE LAVARON (lavarse)		ENTENDIERON (entender)	
me lavase	nos lavásemos*	entendiese	entendiésemos*
te lavases	os lavaseis	entendieses	entendieseis
se lavase	se lavasen	entendiese	entendiesen

*Nótese que la pronunciación de la primera persona plural del verbo exige el uso del acento escrito.

	SINTIERON (sentir)		**FUERON (ser) (ir)**	
	sintiese	sintiésemos*	fuese	fuésemos*
	sintieses	sintieseis	fueses	fueseis
	sintiese	sintiesen	fuese	fuesen

Ejercicios:

A. Escriba la tercera persona plural del verbo en el pretérito y luego la forma indicada del verbo en el imperfecto de subjuntivo. Emplee usted las terminaciones **-a**, **-as**, **-a**, etc.

HABLAR	**HABLARON**	**QUE YO HABLARA**
deber	_____	que yo _____
omitir	_____	que yo _____
hacer	_____	que yo _____
contar	_____	que tú _____
querer	_____	que tú _____
aprender	_____	que tú _____
servir	_____	que (usted, él, ella) _____
comprender	_____	que (usted, él, ella) _____
decir	_____	que (usted, él, ella) _____
ir	_____	que nosotros _____
ser	_____	que Clara y yo _____
tener	_____	que nosotras _____
cantar	_____	que Federico y yo _____
dar	_____	que vosotros _____
comer	_____	que vosotras _____
sentirse	_____	que Rosa y tú _____
comenzar	_____	que (ustedes, ellos, ellas) _____
saber	_____	que Pedro y usted _____
poder	_____	que los niños _____
haber	_____	que _____ mucha gente allí
haber	_____	que _____ muchos estudiantes allí

B. Emplee usted las terminaciones **-se**, **-ses**, **-se**, etc.

HABLAR	**HABLARON**	**QUE YO HABLASE**
ir	_____	que yo _____
ser	_____	que yo _____
sentarse	_____	que tú _____
estar	_____	que (usted, Juan, Ana) _____
dormirse	_____	que Elena y yo _____
pedir	_____	que vosotros _____
mentir	_____	que (ustedes, ellos, ellas) _____

*Nótese que la pronunciación de la primera persona plural del verbo exige el uso del acento escrito.

II. Selección del tiempo de subjuntivo en oraciones subordinadas

La selección del tiempo de subjuntivo en oraciones subordinadas depende del tiempo, o forma, del verbo en la oración principal y, también, de la idea que desea comunicar el que habla o escribe.

Los tiempos del subjuntivo son los siguientes:

  el presente
  el pretérito perfecto (*present perfect*)*
  el imperfecto
  el pluscuamperfecto (*pluperfect* or *past perfect*)*

SECUENCIA DE TIEMPOS

ORACION PRINCIPAL	ORACIÓN SUBORDINADA
Verbo en forma de mandato directo o indirecto	Presente de subjuntivo
Presente de indicativo	Presente de subjuntivo
Futuro de indicativo	Pretérito perfecto de subjuntivo
Pretérito perfecto de indicativo	Imperfecto de subjuntivo
Imperfecto de indicativo	Imperfecto de subjuntivo
Pretérito de indicativo	
Condicional	
Pluscuamperfecto de indicativo	Pluscuamperfecto de subjuntivo

never jump from past in main claus to present in subordinate

Dígale que venga.	*Tell him to come.*
Me alegro de que venga.	*I'm glad he's coming.*
Me alegro de que haya venido.	*I'm glad he has come.*
Me alegro de que viniera.	*I'm glad he came.*
Me alegraba de que hubiera venido.	*I was glad he had come.*
Arturo me pide que lo acompañe de vez en cuando.	*Arthur asks me to go with him from time to time.*
Arturo nunca me pedirá que lo acompañe.	*Arthur will never ask me to go with him.*
Mi hermano no me pediría nunca que lo acompañara.	*My brother would never ask me to go with him.*
Mi hermano me pidió que lo acompañara.	*My brother asked me to go with him.*
Nunca me ha pedido que lo acompañe.	*He has never asked me to go with him.*
Nunca me había pedido que lo acompañara.	*He had never asked me to go with him.*

*Una explicación detallada del pretérito perfecto y del pluscuamperfecto de subjuntivo—los tiempos compuestos del subjuntivo—se presenta en el capítulo 11.

III. Usos del subjuntivo

A. <u>Siempre</u> se emplea el subjuntivo en la oración subordinada después de las conjunciones siguientes:

> **a menos que**   unless
> **con tal que**   provided that
> **antes (de) que**   before
> **sin que**   without
> **en caso de que**   in case
> **para que (de modo que, de manera**
>   **que, a fin de que)**   so that, in order that

A menos que se la explique, la pobre no comprenderá la situación.	*Unless he explains it to her, the poor woman won't understand the situation.*
La señora Ramírez preparará la comida antes que lleguen los invitados.	*Mrs. Ramirez will fix the meal before the guests arrive.*
Con tal que dijeran la verdad, no castigábamos a nuestros hijos.	*Provided that they told the truth, we used not to punish our children.*
En caso de que olvide la fecha de la reunión, le mandaremos una invitación escrita.	*In case he forgets the date of the get-together, we'll send him a written invitation.*
Hice unas investigaciones para que supieras la verdad.	*I did some investigating so you might find out the truth.*
Salieron sin que los viéramos.	*They left without our seeing them.*

Ejercicio:

Teniendo en cuenta la importancia de seleccionar el tiempo apropiado del verbo en subjuntivo, traduzca usted al español las oraciones siguientes.

1. Unless Alicia earns money, she will not be able to attend the university next semester.
2. Unless he earned a thousand dollars, he would not be able to attend the university next year.
3. We are going to do it before they leave for Guatemala.
4. We did it before they arrived.
5. In case Mr. Lopez comes, tell him that we'll be back soon.
6. We stayed at home until eight o'clock, in case he phoned.
7. Provided that there is work for everyone (**todos**), the public will be content.
8. Provided that there were no strikes, the public didn't protest.
9. My aunt will loan me five hundred dollars, so that I can take a trip to Spain in July.

10. Her father asked them for a loan (**pedir un préstamo**), so that she might finish her studies.
11. We'll buy it without his knowing it.
12. She rented the apartment without her fiancé's having a chance to see it.

B. Se emplea el subjuntivo en oraciones temporales, si se refiere a tiempo futuro.

CONJUNCIONES DE TIEMPO

cuando	when
hasta que	until
después (de) que	after
mientras (que)	while, as long as
en cuanto (tan pronto como, luego que, así que)	as soon as

Tan pronto como sepamos la verdad, les avisaremos.
As soon as we find out the truth, we'll let you know.

Cuando vengan, les diré lo que ha pasado.
When they come, I'll tell them what has happened.

Me quedo aquí hasta que se arregle el asunto.
I'll stay here until the matter is settled.

Se lo explicaré después (de) que salgas.
I'll explain it to him after you leave.

Mientras (que) estudie, aprenderá.
As long as you study, you will learn.

En cuanto me devuelva el libro, se lo prestaré a Enrique.
As soon as he returns the book to me, I'll loan it to Henry.

pero

Tan pronto como llegaron, comieron.
They ate as soon as they arrived.

Cuando Roberto dijo eso, nos pusimos a reír.
When Robert said that, we began to laugh.

Nos quedamos allí hasta que Rosa nos telefoneó.
We stayed there until Rosa phoned.

Después que habíamos escrito los ejercicios, el profesor nos permitió salir.
After we had written the exercises, the professor allowed us to leave.

Mientras que estudió, sacó buenas notas.
As long as he studied, he got good grades.

En cuanto me devolvió el libro, se lo presté a Enrique.
As soon as he returned the book to me, I loaned it to Henry.

↘ **Ejercicio:**

Lea cada oración y luego cámbiela para indicar una acción en el futuro.
1. Mientras él leía el periódico, ella preparaba la comida.
2. En cuanto volvió Manuel, nos acostamos.
3. Cuando Raúl se graduó, sus padres le regalaron un nuevo coche.
4. Después que habían salido los invitados, María e Isabel lavaron los platos y pusieron en orden la sala.
5. Su nieta se quedó con ellos hasta que regresaron de México sus padres.

C. Oraciones subordinadas introducidas por **aunque** (*although, even though*):

Subjunctive in unreal conditions

$$\textbf{Aunque} + \text{oración subordinada} \quad \genfrac{}{}{0pt}{}{\text{en indicativo}}{\text{o}}{\text{en subjuntivo}} \quad + \text{oración principal.}$$

Una oración subordinada introducida por **aunque** indica la existencia (real o posible) de una condición que tenga relación con las ideas expresadas en la oración principal. Si la condición existe o ha existido, se usa el modo indicativo en la oración subordinada. Si es posible que exista o haya existido, se usa el modo subjuntivo en la oración subordinada.

Aunque hacía mal tiempo, fuimos a la reunión.	*Although the weather was bad, we went to the meeting.*
Aunque está cansada, insiste en ayudarme.	*Although she is tired, she insists on helping me.*
Aunque está nevando, vamos a dar un paseo.	*Even though it's snowing, we are going to take a walk.*

pero

Aunque hiciera mal tiempo, iríamos a la reunión.	*Even though the weather might be (were) bad, we would go to the meeting.*
Aunque esté cansada, insistirá en ayudarme.	*Even though she may be tired, she'll insist on helping me.*
Aunque nieve, vamos a dar un paseo.	*We're going to take a walk, even though it may snow.*

↘ **Ejercicio:**

Tradúzcase al español.
1. Although she is intelligent, she is lazy.
2. Even though she may be intelligent, she is lazy.
3. Although it was raining, he wasn't wearing a raincoat.
4. Even though it might rain, he wasn't wearing a raincoat.
5. Although we have time, we won't do it.
6. Even though we may have time, we won't do it.

7. We wouldn't do it even though we might have time.
8. Although they are good friends, they don't see each other often.
9. Although they may be good friends, they don't see each other often.
10. Although they were good friends, they didn't see each other often.

D. El uso del subjuntivo después de la expresión **como si** (*as if*): La selección del verbo que sigue a **como si** se limita a dos tiempos de subjuntivo— el imperfecto o el pluscuamperfecto.

Vive como si fuera pobre, pero en realidad es rico.	*He lives as if he were poor, but he's actually wealthy.*
Al oír eso, comencé a reír. El profesor me miró como si hubiera cometido algún crimen.	*When I heard that, I began to laugh. The teacher looked at me as if I had committed some crime.*

✗ **Ejercicio:** I

Tradúzcase al español.
1. He talks as if he were the only person capable of doing it.
2. You (**tú**) walk as if your feet were hurting you.
3. They looked at me as if I were a ghost.
4. She treated us as if we had done something terrible.

✗ E. **Por** + adjetivo o adverbio + que + verbo en subjuntivo: Una oración de esta clase indica oposición a la acción o estado descrito en la oración principal sin influir en la realización de la acción o la existencia del estado.

Por cansados que estén, nos ayudarán.	*However tired they may be, they will help us.*
Por mucho que gane, no va a ahorrar nada.	*However much he may earn, he's not going to save anything.*

✗ **Ejercicio:** II

Tradúzcase al español.
1. However rich they may be, they will never be content.
2. Robert says that however much he studies, he will never be a good student.
3. They insist on buying it however much it may cost.

F. El uso del subjuntivo en una oración subordinada si se niega la existencia del antecedente o si no se ha establecido su existencia.

No hay nadie que lo comprenda todo.	*There is no one who understands it all.*
No hay nada que me guste más.	*There is nothing I like more.*

Buscaba un apartamento que diera al parque.	*I was looking for an apartment that overlooked the park.*
¿Conoce usted a alguien que estuviera allí durante la huelga?	*Do you know anyone who was there during the strike?*
¿No había nadie allí que supiera escribir a máquina?	*Wasn't there anyone there who knew how to type?*

pero

Según el presidente, el señor González es el hombre que lo comprende todo.	*According to the president, Mr. Gonzalez is the man who understands it all.*
Había dos personas allí que sabían escribir a máquina.	*There were two people there who knew how to type.*
Voy a alquilar el apartamento que da al parque.	*I'm going to rent the apartment that overlooks the park.*
Mi hermana conoce a alguien que estaba allí durante la huelga.	*My sister knows someone who was there during the strike.*
Hay dos cosas que me gusta hacer—dormir y comer.	*There are two things I like to do—sleep and eat.*

Como se ve, una vez establecida la existencia del antecedente, se utiliza el modo indicativo en la oración subordinada.

Ejercicios:

A. Traducción
1. I was looking for the raincoat you wanted me to buy.
2. Mrs. Rojas says that there is a store nearby where they sell stamps.
3. Didn't she know anyone who had visited Cuernavaca recently?
4. Do you know some restaurant where they serve tacos?
5. There isn't anything that bothers me more.
6. We rented an apartment that had air conditioning.
7. They wanted to buy a house that had four bedrooms.
8. I bought the book that you recommended.
9. They didn't show me any shirts that I liked.

B. Aplicación personal
1. ¿Hay alguien aquí que quiera hacer preguntas?
2. ¿Qué prefiere usted? ¿vivir en un apartamento que esté cerca de la universidad o lejos de ella?
3. ¿Conoce usted a alguien que sepa hablar japonés? ¿chino? ¿ruso?
4. ¿Conoce usted a alguien que haya recibido una beca?
5. ¿Había otro miembro de su familia que estudiara en esta universidad?

6. ¿Hay algún deporte que le guste más que el fútbol americano?
7. ¿Tiene usted amigos que hayan estado en México? ¿en España? ¿en el Ecuador? ¿en la Unión Soviética?
8. ¿Tiene usted un coche que funcione bien o uno que funcione mal?
9. Por mucho que duerma, ¿se siente usted cansado(a) al levantarse?
10. ¿Le gusta dar un paseo todos los días, aunque haga mal tiempo?

C. Composición

A Disagreeable Experience

José.   Hi, Eduardo! Are you in a hurry?
Eduardo: Yes, I'm going to pick up Guillermo. He told me to go by his house at eleven. We're going to have lunch together.
José: Where?
Eduardo: It doesn't matter to me—just so it's cheap.
José: Well, don't eat at that new restaurant near the university.
Eduardo: Why?
José: I ate there yesterday, but it would have been better to eat at home.
Eduardo: What happened?
José: I asked the waitress to bring me scrambled eggs, and she brought me fried eggs. Then I told her to bring me a glass of milk, and she brought me coffee.
Eduardo: What did you do?
José: I asked her to exchange everything, naturally.
Eduardo: I hope you left her a big tip.
José: No, I didn't leave her anything.
Eduardo: Did you leave without anyone's seeing you?
José: I couldn't. Someone stole my jacket.
Eduardo: Maybe it was the waitress.
José: I doubt it, because she told me to leave my name with her.

Repaso

A. Cambie los infinitivos al imperativo plural (formas afirmativas y negativas).
   1. decírmelo
   2. lavarse ahora
   3. dárselo en seguida
   4. venir el jueves
   5. salir pronto
   6. preparar la comida

B. Sustituya el infinitivo por el mandato de cortesía (forma singular y plural).
   1. escoger una revista
   2. dejarla salir
   3. asistir a la conferencia
   4. encender las luces
   5. felicitarme
   6. comprármelo

C. Sustitúyanse las formas verbales en negrita por las formas correspondientes del pretérito indefinido.
   1. ¿Cuándo nos lo **mandarás**?
   2. **Llego** a casa a eso de las ocho.
   3. Los niños **duermen** bien.
   4. ¿**Jugaban** ustedes al tenis?
   5. ¿Los **venderéis** todos?
   6. Aquella joven **hace** muchas preguntas.
   7. **Saco** buenas notas en la clase de química.
   8. Elena **sirve** de secretaria.
   9. **Comemos** bien en aquel restaurante.
   10. **Volverán** temprano.

D. Sustituya el infinitivo por la forma apropiada del verbo en el presente de subjuntivo o indicativo.
   1. Es imposible que ellos (volver) _____ el jueves.
   2. Creo que Antonio (salir) _____ para Vera Cruz mañana.
   3. No niego que Isabel (tener) _____ mala suerte.
   4. Es lástima que nuestros padres no (ir) _____ de vacaciones este año.
   5. Tememos que ella no (mejorarse) _____.
   6. No es verdad que (ser) _____ imposible aprender otra lengua.
   7. Siento mucho que no (haber) _____ tiempo.
   8. Dudo que nosotros lo (hacer) _____ para mañana.
   9. Es verdad que (haber) _____ demasiados estudiantes en la clase de geología.
   10. Mi padre insiste en que Pepe y yo le (decir) _____ lo que pasó anoche.

9

El preterito imperfecto de indicativo

En general, el pretérito imperfecto se usa para referirse a acciones y estados en el pasado sin fijar la atención en su principio o terminación. (El pretérito indefinido, en cambio, se emplea para expresar el principio o terminación de la acción o del estado.)

Hay varios modos de traducir el pretérito imperfecto al inglés:

Trabajaba en la oficina del señor López.	*I used to work in Mr. Lopez' office.* (**acción habitual en el pasado**)
Todas las mañanas, trabajaba hasta las doce.	*I worked (would work*) every morning until twelve.* (**acción habitual**)
Trabajaba cuando recibí la noticia.	*I was working when I received the news.* (**acción en desarrollo**)

I.   Formación del pretérito imperfecto

A.   Verbos regulares (Véase el capítulo 1.)

B.   Verbos irregulares

SER		VER	
era	éramos	veía	veíamos
eras	erais	veías	veíais
era	eran	veía	veían

IR	
iba	íbamos
ibas	ibais
iba	iban

Ejercicio:

Sustituya el infinitivo por la forma apropiada del verbo en el pretérito imperfecto.

1. (yo)   tener hambre, dormir, ir a casa, verlo, ser joven
2. (tú)   quererla, cantar bien, pedirme mucho dinero, ser bueno
3. (usted, él, ella)   describirlo mal, hablarle poco, verlos, ser artista
4. (nosotros)   no tomar cerveza, ir al cine, ser estudiantes, escribirse
5. (vosotros)   acostarse tarde, ser malos, comer mucho, vestirse
6. (ustedes, ellos, ellas)   estar de pie, tener miedo, verse de vez en cuando, pedírnoslo

*No debe confundirse el uso de *would work* para expresar una acción en el pasado con la forma en condicional *would work.*

II. Usos específicos del pretérito imperfecto

A. Para expresar acciones habituales o repetidas en el pasado.

Muchas veces cenábamos a las diez.	We often ate dinner at ten o'clock.
Los veía de vez en cuando.	I saw them from time to time.
Siempre sabías lo que ocurría.	You always used to know what was going on.

Ejercicio:

Tradúzcanse al español las oraciones que siguen.
1. We used to hear the same noise every day.
2. They ate together every Saturday. *una nueva coche = another car (not necessarily new)*
3. He used to buy a new car every year. *todos los años*
4. Every four years (**cada cuatro años**) he would present himself as a presidential candidate.
5. She seldom came to see me. *Rara vez (Pocas veces)*
6. I almost always ate breakfast at eight.

B. Para indicar una acción que ocurría, o un estado que existía en el pasado sin hacer referencia a su principio o terminación:

Los perros ladraban.	The dogs were barking.
Las líneas estaban ocupadas.	The lines were busy.
Los dos estudiantes eran buenos amigos.	The two students were good friends.

Ejercicio:

Llénense los espacios en blanco con la forma apropiada del verbo en pretérito imperfecto.

1. (hacer) —¿Qué _____ (tú)?
   (buscar) — _____ otro lápiz.
2. (ir) —¿Adónde _____ ustedes?
   (ir) —María y yo _____ a la librería.
3. (gritar) —¿Por qué _____ el niño?
   (tener) —El pobre _____ miedo del gato.
4. (decir) —¿Qué _____ usted?
   (expresar) — _____ mi opinión, nada más.
5. (estar) —¿Dónde _____ ustedes?
   (estar) — _____ en el cuarto de Rafael.

C. Para describir dos acciones que ocurrían simultáneamente en el pasado:

Nosotros estudiábamos mientras ellos charlaban.	*We were studying while they were chatting.*
Yo descansaba mientras los niños jugaban.	*I was resting while the children were playing.*

Ejercicio:

Sustituya usted los infinitivos por las formas apropiadas de los verbos en pretérito imperfecto.
1. (bailar) (cantar)   Juan y yo _____ mientras los demás _____.
2. (trabajar) (dormir)   Miguel _____ mientras ustedes _____.
3. (vestirse) (afeitarse)   Yo _____ mientras mi esposo _____.
4. (mirar) (tocar)   ¿_____ (tú) la televisión mientras ella _____ el piano?
5. (mover) (colgar)   Ellos _____ los muebles mientras nosotros _____ los cuadros.

D. Para expresar una acción que ocurría en el pasado cuyo desarrollo fue interrumpido por otra acción (expresada en el pretérito indefinido).

Salía para la universidad cuando sonó el teléfono.	*She was leaving for the university when the phone rang.*
Hablaba con el gerente cuando ellos me interrumpieron.	*I was talking with the manager when they interrupted me.*
Poníamos la mesa cuando llegaron los invitados.	*We were setting the table when the guests arrived.*

Ejercicio:

Tradúzcanse al español las oraciones que siguen.
1. I was writing the invitations when I received the news.
2. He was opening the bottle when he cut his finger.
3. She was carrying the packages to her room when she fell down.
4. They were counting the money when they discovered the error.
5. We were living in Santa Rosa when she was born.

E. En descripciones en el pasado.

Los edificios eran altos e imponentes.	*The buildings were tall and imposing.*
La conferencia era muy pesada.	*The lecture was very dull.*

Nota: En narraciones, el pretérito imperfecto le sirve de fondo (*background*) a la acción principal.

Llovía cuando llegué al pueblo. Eran las tres de la mañana y las calles estaban desiertas . . .	*It was raining when I reached the village. It was three o'clock in the morning, and the streets were deserted . . .*

Ejercicio:

Llénense los espacios en blanco con la forma apropiada del verbo en pretérito imperfecto.

1. (ser) (tener) Isabel _____ pelirroja y _____ los ojos verdes.
2. (haber) Cuando llegaron, no _____ nadie en la casa.
3. (estar) Las mesas de la cafetería _____ sucias.
4. (hacer) (brillar) _____ mucho frío cuando salí. Las estrellas _____.
5. (ser) —¿Cómo _____ la señora García?
   (tener) —Muy simpática. _____ una sonrisa irresistible.

F. Para indicar la hora o tiempo en el pasado.

—¿Qué hora era cuando te acostaste?	*What time was it when you went to bed?*
—Eran las once más o menos. No era tarde.	*It was about eleven o'clock. It wasn't late.*

G. Para expresar emociones, pensamientos, creencias, estados físicos, etc. (Lo importante es la duración del estado— no tiene importancia su principio o terminación.)

   1. Verbos comunes que expresan emociones: **querer, desear, alegrarse de, sentir, temer, esperar, gustar, estar contento,** etc.

Lo sentíamos mucho.	*We were very sorry about it.*
Deseaba vivir en el campo.	*He wanted to live in the country.*
Me alegraba de saberlo.	*I was glad to know it.*

   2. Verbos comunes que expresan pensamientos: **saber, creer, suponer, imaginarse, pensar,** etc.

No lo sabía.	*I didn't know it.*
Creían que su hijo iba a volver pronto.	*They thought their son was going to return soon.*

   3. Verbos comunes que indican estados físicos: **sufrir, dolerle a uno, estar enfermo (mal), estar cansado,** etc.

Me dolían los pies.	*My feet hurt.*
La pobre sufría mucho.	*The poor woman really suffered.*
Mi hijito tenía dolor de muelas.	*My little son had a toothache.*

Ejercicios:

A. Cambie los verbos de las oraciones siguientes al pretérito imperfecto.

1. Mi padre no quiere consultar al médico.
2. Nosotros no deseamos visitar el museo.
3. Ellos no se sienten bien.
4. Yo me alegro de oír la noticia.
5. ¿Tienes miedo de eso?
6. Yo espero que sí.
7. ¿No lo cree usted?
8. ¿Sabéis quiénes vivían allí?

B. Complete las oraciones siguientes con la forma apropiada de los verbos en negrita.

¿Qué hacía usted cuando estaba en Nueva York?
Cuando estaba en Nueva York, yo . . .

1. **ir** al centro cada viernes.
2. **comer** en los mejores restaurantes.
3. **ver** buenos programas en la televisión.
4. **dar** un paseo por el parque todos los domingos.
5. **visitar** el jardín zoológico cada mes.

H. Los verbos **tener, conocer, saber, querer, poder**: Para comprender la diferencia de significado entre el uso de estos verbos en el pretérito indefinido y en el pretérito imperfecto, véase el capítulo 7.

III. Comparación del pretérito imperfecto y el pretérito indefinido

A. Estudie con cuidado las oraciones que siguen.

PRETERITO INDEFINIDO	PRETERITO IMPERFECTO
Pagué los impuestos ayer. (*I paid the taxes yesterday.*)	Siempre pagaba los impuestos a tiempo. (*I always paid the taxes on time.*)
¿Le escribiste una carta anoche? (*Did you write him a letter last night?*)	¿Le escribías de vez en cuando? (*Did you write him from time to time?*)
Salimos mal en el examen de biología. (*We did poorly in the biology exam.*)	Por lo general, salíamos bien en los exámenes de biología. (*We generally did well in the biology exams.*)
Dorotea perdió los aretes. (*Dorothy lost her earrings.*)	Siempre los perdía. (*She was always losing them.*)

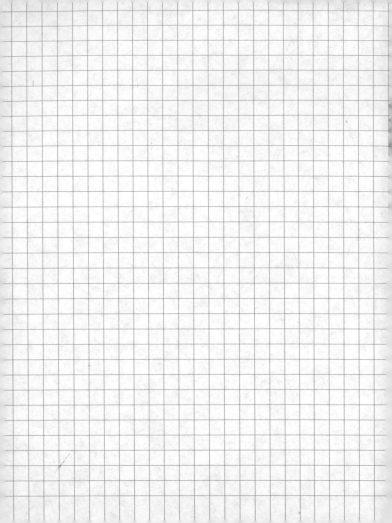

B. Una conversación entre el señor García y uno de sus profesores:

Profesor: Señor García, ¿para quién trabajó usted el verano pasado?

Sr. García: Trabajé para el director de la compañía González e hijos—son importadores de vinos españoles y portugueses.

Profesor: ¿Cómo era su jefe?

Sr. García: Pues, era un hombre muy amable, pero el pobre siempre estaba ocupado—tenía demasiado que hacer.

Profesor: ¿Cuáles eran algunas de las tareas de usted?

Sr. García: Primero, al llegar a la oficina, ponía en orden el escritorio del Sr. González. Luego escribía a máquina las cartas que quedaban por terminar. Algunas veces buscaba datos para ayudarle a formular planes para ampliar el negocio. De vez en cuando redactaba anuncios para los diarios. En realidad, el trabajo era sumamente interesante.

Profesor: ¿Cuánto tiempo trabajó usted allí?

Sr. García: Tres meses. Quería seguir trabajando pero tuve que volver a la universidad.

Ejercicios:

A. Aplicación personal

1. ¿Era tarde cuando cenó usted anoche?
2. ¿Qué hacían ustedes cuando entré en el aula?
3. ¿Almorzaba usted frecuentemente en la cafetería?
4. ¿No quería usted venir a la universidad hoy?
5. ¿Llovía cuando salió usted de casa esta mañana?
6. ¿Miraba la televisión mientras que se vestía esta mañana?
7. ¿Qué hacía usted ayer a las seis?
8. ¿Qué hora era cuando regresó usted a casa ayer?
9. ¿Dormía usted esta mañana cuando sonó el despertador?
10. ¿Cuándo conoció a su profesor(a) de español? ¿el primer día del semestre?
11. ¿Conocía a algunos de sus compañeros de clase antes de asistir a la universidad?
12. ¿Estaba muy cansado(a) cuando se acostó anoche?

B. Composición

Our Days in the Country

When we visited our cousins in the country, we used to enjoy ourselves very much. Every morning we got up early and ate an enormous breakfast. After breakfast we would go to get the mail. When it was nice weather, we went fishing or swimming in the river, and then, when we got hungry, we sat down to eat sandwiches and drink Coca-Cola. Afterwards, we would take a nap in the sun. We went back home about five o'clock to help our aunt fix dinner.

When it rained we didn't go out. We played cards, watched television, or listened to our favorite records. We were never bored.

Repaso

A. Sustituya los infinitivos por el imperativo singular (formas afirmativas y negativas).
   1. hacer la tarea
   2. decirlo todo
   3. ser bueno (no ser malo)
   4. sentarse en esta silla
   5. venir por la tarde
   6. ponerlo aquí
   7. salir temprano
B. Traduzca usted al español, usando el mandato de cortesía.
   1. Don't drive too fast. (singular)
   2. Hand in the exercises by Thursday. (plural)
   3. Don't ask them for money. (plural)
   4. Don't put your feet on the table. (singular)
   5. Put on your gloves, children.
C. Traduzca usted al español los mandatos siguientes.
   1. Let John pay the bill.
   2. Don't let them say such things.
   3. Let's sit down here.
   4. Let's not go to bed now.
   5. Let them eat early today. *Que ellos comen temprano hoy*
   6. Let's leave now.
D. Escriba la forma apropiada del verbo en pretérito indefinido.
   1. (pedir) Yo _____ una Coca-Cola. Miguel _____ una cerveza.
   2. (sentir) El hombre _____ un dolor agudo en el pecho.
   3. (caerse) (hacerse) Desgraciadamente el niño _____ y _____ daño.
   4. (empezar) (Yo) _____ a sonreír.
   5. (dar) Linda y yo no les _____ nada.
   6. (tratar) Los ladrones _____ de abrir la ventana.
E. Traduzca al español las oraciones que siguen.
   1. I got three packages from my family yesterday.
   2. Didn't they want to go to the movies?
   3. She met him for the first time last week.
   4. We tried to finish the work on time, but we couldn't.
   5. They found out that she had lost all her money.
   6. He refused to say any more.
   7. They knew them well.
F. Llénense los espacios en blanco con la forma apropiada del verbo en indicativo o subjuntivo.
   1. Dudábamos que él (venir) _____.

2. Era imposible que ellos lo (hacer) _____ para el sábado.
3. ¡Ojalá que _____ (ser) posible hacer el viaje!
4. Me alegraba de que (tú) (estar) _____ allí también.
5. Creemos que todo (salir) _____ bien.
6. Quería comprar una chaqueta que me (sentar) _____ bien.
7. No negaron que nosotros (tener) _____ el derecho a votar.
8. Ayer no encontramos nada que nos (gustar) _____.
9. Es cierto que María (cantar) _____ mal.

10

El futuro y el condicional

APARTADO UNO: EL FUTURO

*problamente —
not used w/
verb*

I. Formación del futuro

A. Verbos regulares: Para formar el futuro de verbos regulares se añaden las terminaciones siguientes al infinitivo:

-é	-emos
-ás	-éis
-á	-án

Estas terminaciones son idénticas para las tres conjugaciones. (Véase el capítulo 1)

B. Verbos irregulares: Los verbos que siguen tienen radicales irregulares en el futuro. Las terminaciones, sin embargo, son regulares.

caber	cabré, cabrás, cabrá, etc.
decir	diré
haber	habré
hacer	haré
poder	podré
poner	pondré
querer	querré
saber	sabré
salir	saldré
tener	tendré
valer	valdré
venir	vendré

*probably —
I will prob. see you
shall*

II. Usos del futuro

A. Se emplea para expresar una acción futura.

| Mañana iremos juntos a la playa. | *Tomorrow we'll go to the beach together.* |
| La semana entrante lo arreglarán todo. | *Next week they'll arrange everything.* |

B. El futuro indica conjetura o probabilidad en el presente.

| ¿Será Carmen? | *Can it be Carmen?* (*I wonder*) |
| ¿Dónde estarán mis gafas? | *Where do you suppose my glasses are?* |

Nota especial:

1. Para expresar voluntad se emplea **querer**. (*present*)

| ¿Quiere usted enviarme un cheque? | *Do you want to (will you) send me a check?* |

2. Para indicar el futuro se puede emplear **ir a**.

| Voy a hacer las maletas esta noche. | *I'm going to pack my bags tonight.* |

Ejercicios:

A. Conteste las preguntas siguientes tal como se indica en el modelo.

—¿ **Qué hará usted mañana por la mañana?** (ir de compras)
—**Mañana por la mañana iré de compras.**

1. ¿ Qué harán ustedes el año que viene? (graduarse de la universidad)
2. (A partir de hoy,) ¿ qué hará Elena? (asistir a todas sus clases)
3. ¿ Qué hará usted mañana por la tarde? (colgar el espejo)
4. ¿ Qué harán ellos de ahora en adelante? (encargarse del trabajo)
5. ¿ Qué tendrá lugar mañana? (celebrarse una reunión)
6. ¿ Qué haremos mañana por la noche? (jugar a las cartas)

B. Exprese en español usando el futuro de probabilidad.

1. She probably has it at home.
2. I wonder where they are.
3. It must be five o'clock.
4. What can María be doing?
5. The boys must know him.
6. I wonder how old she is.

C. Exprese en español.

1. Will you turn off the light?
2. Will you open the drawer?
3. Will you go with me?
4. Will you turn on the television?

D. Conteste las preguntas, escogiendo siempre la primera alternativa.

1. ¿ Harás los preparativos o insistirás en que los haga ella?
2. ¿ Hará escala en Tejas el avión o irá directamente a México?
3. ¿ Habrá profesores en la reunión o solamente estudiantes?
4. ¿ Querrás marcharte temprano o te quedarás hasta las once?
5. ¿ Vendrán ustedes solos o esperarán hasta que lleguen los demás?
6. ¿ Se lo dirá usted a Manolo o prefiere que se lo diga yo?
7. ¿ Sabrá Roberto si están (de vuelta) o debemos llamar a Ana?

E. Aplicación personal

1. Muchos de los estudiantes se prepararán muy pronto para los exámenes de mediados de curso, ¿ y usted?
2. ¿ Dará usted una fiesta este sábado?
3. ¿ Nos reuniremos este viernes?
4. ¿ Me invitará a su casa este fin de semana?
5. ¿ Estudiará con sus amigos esta noche?
6. ¿ Asistirá a la universidad el verano que viene?
7. ¿ Almorzará en casa mañana?
8. Si usted tiene el sábado libre, ¿ irá al cine?

9. Si llueve esta noche, ¿se pondrá usted el impermeable?
10. ¿Habrá clase pasado mañana?
11. Si hay algo que no entienda, ¿me lo dirá?
12. ¿Quién tendrá que preparar la comida esta noche? ¿usted?

APARTADO DOS: <u>EL CONDICIONAL</u>

I. Formación del condicional

A. Verbos regulares: Para formar el condicional se añaden las terminaciones siguientes al infinitivo:

-ia	-íamos
-ías	-íais
-ía	-ían

Estas terminaciones son idénticas para las tres conjugaciones. (Véase el capítulo 1.)

B. Verbos irregulares: Los verbos siguientes tienen radicales irregulares (como en el futuro). Las terminaciones, sin embargo, son regulares.

caber	cabría, cabrías, cabría, etc.
decir	diría
haber	habría
hacer	haría
poder	podría
poner	pondría
querer	querría
saber	sabría
salir	saldría
tener	tendría
valer	valdría
venir	vendría

II. Usos del condicional

A. El condicional indica <u>una acción probable</u>.

A ella le gustaría quedarse un mes.	*She would like to stay a month.*
Pablo me dijo que me llamaría mañana.	*Paul said he would call me tomorrow.*

B. El condicional expresa <u>conjetura o probabilidad en el pasado</u>.

¿Serían los chicos?	*Do you suppose it was the boys?*
¿Dónde estaría Pepe?	*Where do you suppose Joe was?*

= The result of a subj. "if" clause

C. El condicional indica la "consecuencia" en una oración condicional.

Yo lo visitaría, si pudiera.   *I would visit him if I could.*
Si yo fuera Juan, no devolvería   *If I were John, I would not return*
el dinero.   *the money.*

D. El condicional expresa cortesía.

¿Podría usted mandarme un   *Could you send me a catalogue?*
catálogo?
¿Podría usted ayudarlo?   *Would you be able to help him?*
                            (Could you help him?)

Ejercicios:

A. Complete usted las oraciones siguientes usando el condicional, tal como se indica en el modelo.

        Te prometí que . . . no trabajar toda la tarde. (ella)
        Te prometí que no trabajaría toda la tarde.

   1.   . . . no discutir la política contigo esta noche. (mis padres)
   2.   . . . apagar la luz antes de salir. (yo)
   3.   . . . no interrumpir la conversación. (nosotros)
   4.   . . . encargarse de los boletos. (Roberto)
   5.   . . . salir temprano. (vosotros)
   6.   . . . no comer sin ti. (yo)
   7.   . . . mostrarte las fotos. (mi hermana)

B. Complete las oraciones siguientes según el modelo.

        ¿Qué haría usted si fuera posible? Yo (ir) al centro.
        Si fuera posible, iría al centro.

   1.   Si fuera necesario, yo (vivir) en un apartamento pequeño.
   2.   Si fuera necesario, nosotros (reunirse) en seguida.
   3.   Si fuera posible, mis padres (pagar) todos los gastos.
   4.   Si fuera posible, Alicia (acostarse) muy temprano.
   5.   Si fuera posible, ¿(hacer) ustedes un viaje a Chile?

C. Complete las oraciones siguientes según el modelo.

        ¿Qué le dijo a usted ayer? El (escribirme) una tarjeta postal.
        Me dijo que me escribiría una tarjeta postal.

   1.   Me dijo que él (apagar) la televisión en seguida.
   2.   Me dijo que ellos no (ir de paseo) porque hacía mucho frío.
   3.   Me informó que ustedes me (sorprender) con una visita.
   4.   Nos informó que ellos nos (seguir) en su coche.

5. Nos explicó que vosotros (estudiar) el asunto a fondo. *the matter thoroughly*
6. Me explicó que nosotros la (recoger) a eso de las cinco. *pick up* ?

D. Exprese en español.
1. It must have been three o'clock.
2. Where do you suppose your brother was?
3. I wonder where the newspaper was.
4. What do you suppose their names were?
5. What do you suppose she was doing?

E. Conteste afirmativa o negativamente, según su gusto.
1. ¿Cabríamos los dos en el asiento trasero?) *back seat*
2. ¿Podrías prestarme todo el dinero?
3. Al saberlo, ¿pondrían tus padres el grito en el cielo?
4. ¿Querría usted marcharse temprano? ✗
5. En su opinión, ¿valdría la pena regresar a ese lugar?
6. ¿Tendría usted miedo de quedarse solo(a)?
7. Si fuera posible, ¿saldría Roberto para Londres el lunes?
8. ¿Vendrían ellos, si fuera necesario?

F. Aplicación personal
1. ¿Me haría usted el favor de prestarme cien dólares?
2. ¿Podría usted escribir todos los ejercicios esta noche?
3. ¿Tendría usted miedo de pasar la noche en una casa abandonada?
4. Si fuera posible, ¿haría usted un viaje por mar?
5. ¿Qué prefería usted hacer esta noche? ¿estudiar o divertirse?
6. ¿Le gustaría pasar las vacaciones en Europa?
7. Si fuera posible, ¿se levantaría tarde todas las mañanas?
8. Si fuera necesario, ¿les pediría dinero a sus amigos?
9. Si fuera posible, ¿se compraría un Cadillac o un Jaguar?

III. Oraciones condicionales   *= clausula*

Estas oraciones consisten en una oración subordinada introducida por **si** que expresa la condición y una oración principal que indica el resultado. El tiempo y el modo de los verbos usados en estas oraciones dependen del grado de posibilidad de que se realice una acción o que exista un estado.

de jure

ORACION PRINCIPAL	ORACION SUBORDINADA INTRODUCIDA POR *SI*
A futuro	presente de indicativo *Possibility of realizing*
B condicional	imperfecto de subjuntivo *un real condition or much doubt*
C condicional perfecto	pluscuamperfecto de subjuntivo " "

A. Cuando es evidente o seguro que la condición va a existir, se emplea el presente de indicativo en la oración subordinada y el futuro en la oración principal.

Ejemplos de "A" probability

Si llueve mañana, no iremos.	*If it rains tomorrow, we won't go.*
Nos veremos si usted visita a su hermano en Florida.	*We'll see each other if you visit your brother in Florida.*

B.   Si la condición no existe o si hay duda de que exista en el futuro, se emplea el imperfecto de subjuntivo en la oración subordinada y el condicional en la oración principal que indica el resultado.

de "B" improbability

Si me lo pidieras, te lo daría.	*If you were to ask me for it, I would give it to you.*
Yo lo entendería, si me lo explicara bien.	*I would understand it, if you would explain it to me well.*

C.   Si se refiere a una condición pasada contraria a la realidad, se emplea el pluscuamperfecto de subjuntivo en la oración subordinada y el condicional perfecto en la oración principal.

unreal

Si ustedes lo hubieran sabido, habrían venido más temprano.	*If you had known it, you would have come earlier.*
Los habríamos encontrado, si los hubiéramos buscado.	*We would have found them, if we had looked for them.*

de "C"

Nota especial: Cuando si significa *whether*, se emplea el indicativo en español.

Quiero saber si ella viene.	*I want to know if (whether) she is coming.*
Me preguntó si estaban descansando o durmiendo.	*He asked me if (whether) they were resting or sleeping.*

Debe notarse el uso del modo indicativo en las oraciones que siguen.

Si viene, la ve.	*If she comes, he sees her.* (*Whenever she comes, he sees her.*)
Si vino, la vio.	*If she came, he saw her.* (*It's a fact that he saw her if she came.*)

Ejercicios:

A.   Forme usted oraciones empleando el presente de indicativo en las oraciones que comienzan con **si** y el futuro en las oraciones que indican resultado. Siga el modelo.

> **Si él (tener) el día libre / él me (acompañar)**
> **Si él tiene el día libre, me acompañará.**

1.   Si yo (tener) bastante dinero / yo (comprar) los boletos
2.   Si ellos (tener) la oportunidad / ellos me (avisar)
3.   Si yo le (traer) mi portapapeles / usted me lo (guardar)
4.   Si Pablo nos (devolver) el dinero / nosotros (ir) de vacaciones
5.   Si (hacer) buen tiempo mañana / tú (salir) para el lago
6.   Si ustedes (negarse) a visitarnos / nosotros (quedarse) muy desilusionados

B. Forme usted oraciones con el imperfecto de subjuntivo en las oraciones que comienzan con **si** y el condicional en las oraciones que indican resultado. Siga el modelo.

> **Si yo (tener) el día libre / yo no (levantarse) hasta las doce**
> **Si yo tuviera el día libre, no me levantaría hasta las doce.**

1. Si yo (tener) un millón de dólares / yo no (trabajar) un día más
2. Si usted (tener) la oportunidad / usted me lo (decir)
3. Si ellos me (acompañar) / yo (estar) muy contento
4. Si Roberto (ser) más simpático / todo el mundo lo (ayudar)
5. Si mis padres nos (dar) permiso / nosotros lo (hacer) en un santiamén (twinkling of an eye)
6. Si tú (cooperar) con tus amigos / ellos te (sacar) de tu dilema

C. Tradúzcanse al español las oraciones siguientes.

1. If she can, she'll come.
2. If she were able to, she'd come.
3. If I were you (**tú**), I wouldn't go.
4. If I had been you, I wouldn't have gone.
5. We don't know whether you (**usted**) can do it or not.
6. If Richard does it well, his teacher congratulates him; if he does it badly, the professor gets furious.
7. If it's possible, we'll leave at six.
8. If it were possible, we would leave at four.
9. If it had been possible, we would have left yesterday.

D. Aplicación personal

1. Si tuviera libre este fin de semana, ¿qué haría usted?
2. Si fuera necesario, ¿me prestaría diez dólares?
3. Si tuviera bastante dinero, ¿iría de vacaciones a fines del semestre?
4. Si fuera millonario(a), ¿qué haría usted?
5. Si no hay clase mañana, ¿qué hará?
6. Si hace buen tiempo mañana, ¿jugará al tenis?
7. Si pudiera, ¿se compraría una motocicleta?
8. Si hiciera mal tiempo esta noche, ¿se quedaría en casa?
9. Si fuera necesario, ¿podría usted levantarse a las cinco?
10. Si estuviera cansado(a), ¿se acostaría temprano esta noche?

E. Composición

My Inheritance

What am I going to do with all the money I have just inherited from my rich uncle? First, I think I'll buy a little Italian car, and then I'll take a drive in the country and park it in front of the big house I bought this morning. If it isn't too cold, I'll take a swim in the swimming pool. Would you like to go with me? If you went, we could play a game of tennis before dinner, and afterwards we could fish in the river near the house. There would be many things to do and . . .

What's happening? Did the alarm go off? I can hear my mother's voice from the kitchen: "If I were you, Charles, I would get up immediately, or you'll be late for your classes at the university. Your brother left the house more than an hour ago."

Repaso

A. Cambie los verbos en las oraciones siguientes a la forma apropiada del pretérito indefinido.
   1. Margarita no repite su error.
   2. ¿Adónde vais?
   3. Me divierto mucho.
   4. Los dos hermanos contribuyen mucho al proyecto.
   5. Papá se siente muy cansado.
   6. No hago ningún ruido.
   7. Los niños duermen bien.
   8. ¿Oyen ustedes la música?
   9. Doy de comer al gatito.
   10. No sé lo que pasó.

B. Llénense los espacios en blanco con las formas apropiadas.
   1. (*unless*) _____ vuelvan pronto, no podremos ir al cine.
   2. (*before*) _____ salga María, vamos a comer.
   3. (*until*) Nos quedamos en casa _____ lleguen.
   4. (*although*) _____ tengo paraguas, no voy a llevarlo.
   5. (*after*) _____ coman ustedes, vamos a dar un paseo.
   6. (*I hope that . . .*) ¡_____ llueva pronto!

C. ¿Pretérito imperfecto o pretérito indefinido? Lea cada oración con cuidado y luego emplee usted la forma apropiada del verbo en pretérito imperfecto o pretérito indefinido.
   1. Ahora me siento perfectamente bien, pero la semana pasada (estar) _____ enfermo.
   2. Cuando mamá estaba en el hospital, sus amigas la (visitar) _____ frecuentemente.
   3. Ayer Juan y José me (traer) _____ una botella de vino tinto.
   4. Sí, señor, siempre (tener) _____ usted razón.
   5. (ser) _____ un día cálido cuando (dar) _____ (nosotros) un paseo por el parque.
   6. Elena y yo las (ver) _____ tres veces la semana pasada.
   7. (haber) _____ una conferencia interesantísima anoche.
   8. ¿Qué hora (ser) _____ cuando salieron tus padres?
   9. Los niños (estar) _____ jugando cuando llegaron sus abuelos.
   10. ¿A qué hora (volver) _____ Manuel?
   11. Cuando (yo) (llegar) _____ a la ciudad, (haber) _____ muchos soldados en las calles.
   12. De repente, la vieja (sentarse) _____ y (decir) _____, "No me siento bien."

11

Los tiempos compuestos

En su formación y uso los tiempos compuestos en español son más o menos similares a los tiempos compuestos en inglés. Se construyen con la forma apropiada del verbo **haber** y el participio pasivo (*past participle*). (En inglés, se usa la forma apropiada del verbo *to have* y el participio pasivo.)

I. Formación del participio pasivo

A. Participios pasivos regulares
   1. Verbos que terminan en **-ar**: Sustitúyase la terminación **-ar** por **-ado**.

hablado	spoken	**bailado**	danced

   2. Verbos que terminan en **-er** o **-ir**: Sustitúyase la terminación **-er** o **-ir** por **-ido**.

bebido	drunk	**repetido**	repeated
		reído	laughed

Nota: Si una vocal precede a la terminación **-ido**, se usa el acento escrito sobre la **i** para indicar que las dos vocales no forman diptongo.

caer	**caído**	**roer**	**roído**
leer	**leído**	**argüir**	**argüído**
sonreír	**sonreído**	**oír**	**oído**

B. Participios pasivos irregulares de uso frecuente

abrir	**abierto** opened
cubrir	**cubierto** covered
descubrir	**descubierto** discovered
decir	**dicho** said
escribir	**escrito** written
describir	**descrito** described
freír	**frito, freído** fried
hacer	**hecho** made, done
imprimir	**impreso** printed
morir	**muerto** dead
poner	**puesto** put
componer	**compuesto** composed
disponer	**dispuesto** disposed
resolver	**resuelto** solved, resolved
romper	**roto, rompido** broken
satisfacer	**satisfecho** satisfied
ver	**visto** seen
volver	**vuelto** returned, gone back
devolver	**devuelto** returned (something)

II. Cuadro de los tiempos compuestos*

TIEMPOS COMPUESTOS DEL MODO INDICATIVO

TIEMPO	PRIMERA PERSONA SINGULAR
pretérito perfecto	**he hecho** *I have done*
pluscuamperfecto	**había hecho** *I had done*
futuro perfecto	**habré hecho** *I will have done*
condicional perfecto	**habría hecho** *I would have done*
pretérito anterior	**hube hecho** *I had done*

TIEMPOS COMPUESTOS DEL MODO SUBJUNTIVO

TIEMPO	PRIMERA PERSONA SINGULAR
pretérito perfecto	**haya hecho** *I have done*
pluscuamperfecto	**hubiera hecho** *I had done*

III. Construcción de oraciones que contienen verbos en forma compuesta

A. En español, ninguna palabra debe ponerse entre la forma conjugada de **haber** y el participio pasivo. (La construcción en inglés sí lo permite.)

¿Han estado ustedes alguna vez en Guatemala?	*Have you ever been in Guatemala?*
No he escrito la carta todavía.	*I have not yet written the letter.*
¿No han llegado todavía los invitados?	*Haven't the guests arrived yet?*

B. Además de los tiempos compuestos, hay dos formas compuestas adicionales.

1. El infinitivo compuesto:

haber + participio pasivo = **to have** + *past participle*

2. El gerundio compuesto:

habiendo + participio pasivo = **having** + *past participle*

En estas construcciones, los pronombres usados como complementos del verbo siguen a **haber** y **habiendo** y se unen a ellos.

Habiéndoles explicado la situación, se sentó.	*Having explained the situation to them, he sat down.*
Después de habernos despedido de todos, salimos.	*After we had said good-bye to everyone, we left.*
Por haberme acostado tan tarde, no pude levantarme temprano.	*Because of having gone to bed so late, I couldn't get up early.*

*Hay una descripción detallada de la formación de los tiempos compuestos en el capítulo 1.

Ejercicio:

Haga todos los cambios indicados para formar nuevas oraciones.

1. Creo que lo hemos explicado bien. (yo, usted, el maestro, ellos)
2. Yo había cerrado las puertas antes de salir. (nosotros, mi hermana, tú, ellas)
3. Lo habremos hecho para el lunes. (yo, usted, los estudiantes, tú)
4. María tiene miedo de quedarse sola. Habrá puesto todas las luces. (nuestras tías, mi abuela, tú, vosotras)
5. ¿Le habrías dicho eso? Yo no. (usted, su consejero, tus padres)
6. ¿Por qué habría escrito Juan tal carta? (ellos, tú, nosotros, su sobrina)
7. Ellos habrán ido de vacaciones. (mi primo, la secretaria, ese oficial, los García)
8. Es imposible que lo hayas comido todo. (los muchachos, yo, nosotros, Alfredo y tú)
9. Roberto no creía que yo hubiera dicho eso. (tú, nosotros, mamá, el jefe)

IV. Usos de los tiempos compuestos del modo indicativo

A. En general, los tiempos compuestos del español corresponden a los del inglés y se utilizan de la misma manera.

¡En mi vida he visto tal cosa! *I have never seen such a thing in my life!*

(pretérito perfecto en español y en inglés)

Nos habíamos acostado ya *We had already gone to bed*
cuando llamó Raúl. *when Raoul called.*

(pluscuamperfecto en español y en inglés)

La familia Salcedo habrá salido *The Salcedo family will have left*
para Venezuela cuando lleguen *for Venezuela when their*
sus parientes. *relatives arrive.*

(futuro perfecto en español y en inglés)

Yo lo habría hecho antes, pero *I would have done it before, but*
había estado enferma. *I had been ill.*

(condicional perfecto en español y en inglés)

Ejercicio:

Aplicación personal

1. ¿Se ha desayunado usted? ¿Ha almorzado?
2. ¿Tiene usted un perro o un gato? ¿Sí? ¿Le(s) ha dado de comer antes de venir a la universidad?
3. ¿Había cerrado las puertas con llave antes de salir de casa?
4. ¿Había estudiado español u otra lengua extranjera antes de asistir a esta universidad? ¿Le había gustado?

5. Si hubiera sido posible, ¿habría pasado el verano estudiando en el extranjero (*abroad*)?
6. ¿Habrá terminado sus estudios en esta universidad en mayo o junio? ¿No? ¿Cuándo los habrá terminado?
7. ¿Ha consultado recientemente al dentista?
8. ¿Ha hecho alguna vez un viaje en avión? ¿en tren? ¿en barco?

B. El uso del futuro perfecto y del condicional perfecto para expresar probabilidad

    1. El futuro perfecto expresa lo que, en toda probabilidad, ha pasado pero es ignorado por el que habla.

¿Qué habrán hecho?	*What do you suppose they've done?*
¿Adónde habrá ido su hermana?	*Where do you suppose your sister has gone?*

    2. El condicional perfecto expresa lo que había pasado probablemente.

¿Por qué habría dicho eso José, si no fuera verdad?	*Why do you suppose Joe said that, if it weren't true?*
Juan habría vuelto a casa temprano.	*John had probably gone back home early.*

Ejercicio:

Conteste usando las respuestas sugeridas en oraciones completas.

1. ¿Dónde habrán estado los niños? (dando un paseo con su tía, durmiendo la siesta)
2. ¿Adónde habrán ido tus primas? (de compras, al nuevo restaurante mexicano)
3. ¿Qué habrá comprado Elena? (unos zapatos nuevos, un regalo para su madre)
4. ¿Con quién se habrá casado Ana? (con aquel joven argentino, con un hombre mucho mayor que ella)
5. No pude encontrar los documentos. ¿Dónde los habría metido? (en el cajón, en el estante)
6. ¿Adónde habrían ido después de la reunión? (a algún restaurante, al nuevo bar cerca de la universidad)

V. Usos de los tiempos compuestos del subjuntivo y la selección del tiempo apropiado

Como ya hemos visto en los capítulos sobre el presente e imperfecto de subjuntivo, el uso de ciertos verbos o ciertas construcciones en la oración principal exige el uso del subjuntivo en la oración subordinada. En estos casos es importante saber qué tiempo del verbo debe usarse. Cuando el que habla expresa su punto de vista o juicio con respecto a acciones o estados acabados antes del momento de hablar, utiliza uno de los tiempos compuestos del subjuntivo en la oración subordinada. Los cuadros que siguen, y los ejemplos dados aquí, servirán para ayudarle al estudiante a seleccionar el tiempo compuesto apropiado.

ORACION PRINCIPAL	ORACION SUBORDINADA
Tiempo del indicativo	**Tiempo del subjuntivo**
Presente	
Futuro	Pretérito perfecto
Pretérito perfecto	

Siento que mi esposo no haya tenido tiempo de arreglar el motor.	*I'm sorry my husband hasn't had time to fix the motor.*
Es lástima que tu madre no te haya explicado la situación.	*It's a pity your mother hasn't explained the situation to you.*
A menos que ustedes hayan salido bien en los exámenes, no podrán graduarse.	*Unless you have passed your exams, you won't be able to graduate.*
Nunca he conocido a nadie que haya hecho eso.	*I've never known anyone who has done that.*

ORACION PRINCIPAL	ORACION SUBORDINADA
Tiempo del indicativo	**Tiempo del subjuntivo**
Imperfecto	
Pretérito	
Condicional	Pluscuamperfecto
Condicional perfecto	
Pluscuamperfecto	

No estábamos seguros de que hubieras ido de vacaciones.	*We weren't sure you had gone on vacation.*
En caso de que no hubiera recibido el recado, lo llamamos otra vez.	*In case he hadn't received the message, we called him again.*
Si hubieran ahorrado más dinero, no tendrían tantas dificultades ahora.	*If they had saved more money, they wouldn't have so much trouble now.*
Si hubieras salido a las seis, habrías llegado a tiempo.	*If you had left at six, you would have arrived on time.*

Nota gramatical: En oraciones condicionales, es posible utilizar el pluscuamperfecto de subjuntivo (**hubiera, -as**, etc. + participio pasivo) en la oración principal lo mismo que en la oración subordinada.

Si hubiéramos sabido eso, no
hubiéramos (habríamos) dicho
nada.

*If we'd known that, we wouldn't
have said anything.*

Si yo hubiera llegado antes, la
hubiera (habría) visto.

*If I had arrived earlier, I would
have seen her.*

Ejercicio:

Complétense las oraciones siguientes.

1. Me sorprende que _____ (*they haven't received the package*).
2. ¿Es posible que _____ (*she has gone shopping*)?
3. ¿Hay alguien aquí que _____ (*has been in Vera Cruz*)?
4. No hay nada que _____ (*has interested me more*).
5. Siempre les ha parecido increíble que Roberto _____ (*has never gotten married*).
6. Nos alegrábamos de que _____ (*they had come to see us*).
7. (*If you had told the truth before*) _____, no habría problemas ahora.
8. Negaron que el incidente _____ (*had occurred*).

Ejercicio:

Constrúyanse oraciones según el modelo.

> **Si puede, Manolo lo arreglará.**
> **Si pudiera, Manolo lo arreglaría.**
> **Si hubiera podido, Manolo lo habría (hubiera) arreglado.**

1. Si tienen sueño, se acostarán temprano.
2. Si consulto al médico, me aconsejará que descanse más.
3. Si servimos jamón con huevos fritos, todos estarán contentos.
4. Si hay una reunión de los dos grupos, será posible resolver el problema.
5. Si ganamos el partido, habrá una gran celebración.

VI. Expresiones temporales con *hace* (*hacía*), *desde hace* (*hacía*), *desde,* y *acabar de* + infinitivo

Hay algunas expresiones temporales que se forman en inglés con los tiempos compuestos pero que tienen estructuras completamente diferentes en español. Estas construcciones deben notarse con cuidado.

A. Para indicar la duración de una acción o estado que comenzó en el pasado y que continúa hasta el presente, el español emplea uno de las construcciones siguientes.

    1. **Hace** + duración de tiempo + **que** + verbo en presente

Hace tres meses que vivo aquí.   *I've been living here for three
months.*

ADJ
Indefinite person.

Hace un año que estudian en esta universidad.	*They have been studying in this university for a year.*

Nota: La forma interrogativa

¿Cuánto tiempo hace que vive usted aquí?	*How long have you been living here?*
¿Cuánto tiempo hace que estudian alemán?	*How long have they been studying German?*

2. Verbo en presente + **(desde) hace** + duración de tiempo

Hablamos (desde) hace una hora.	*We've been talking for an hour.*
Somos amigos (desde) hace mucho.	*We have been friends for a long time.*

Nota: La forma interrogativa

¿Desde cuándo hablan ustedes?	*Since when have you been talking?*
¿Desde cuándo son ustedes amigos?	*Since when have you been friends?*

3. Verbo en presente + **desde** + el momento en que comenzó la acción o estado

Trabajamos desde las seis.	*We've been working since six.*
Están en Alemania desde abril.	*They've been in Germany since April.*

Nota: La forma interrogativa

¿Desde cuándo trabajan ustedes?	*Since when have you been working?*
¿Desde cuándo están en Alemania?	*Since when have they been in Germany?*

Ejercicio:

Conteste las preguntas siguientes, según las indicaciones. Al contestar, emplee usted oraciones completas.

1. ¿Cuánto tiempo hace que la conoces? (hace mucho, hace poco, hace tres años, hace un mes)
2. ¿Cuánto tiempo hace que me esperan ustedes? (hace media hora, hace unos pocos minutos, hace más de una hora)
3. ¿Desde cuándo estudia Roberto para abogado? (desde hace dos años, desde septiembre, desde el año pasado)
4. ¿Desde cuándo está enfermo tu padre? (desde hace mucho, desde el sábado pasado, desde ayer por la noche)

B. Para indicar la duración de una acción o estado que comenzó en el pasado y que continuó hasta otro momento en el pasado, el español emplea las construcciones arriba indicadas pero con verbos en el pretérito imperfecto.

1. **Hacía** + duración de tiempo + **que** + verbo en imperfecto

Hacía dos años que se conocían cuando se casaron.	*They had known each other two years when they got married.*

2. Verbo en imperfecto + (**desde**) **hacía** + duración de tiempo

Estaban enamorados desde hacía mucho.	*They had been in love for a long time.*

3. Verbo en imperfecto + **desde** + el momento en que comenzó la acción o estado

Estaba esperándome desde las once.	*He had been waiting for me since eleven.*

Nota: Las formas interrogativas

¿Cuánto tiempo hacía que se conocían?	*How long had they known each other?*
¿Desde cuándo estaban enamorados?	*How long had they been in love?*

C.   **Hace** + tiempo transcurrido = *time ago*

Hace poco que la vi.	*I saw her a little while ago.*
La vi hace poco.	*I saw her a little while ago.*
Conocí al señor Martínez hace dos años.	*I met Mr. Martinez two years ago.*
Hace dos años que conocí al señor Martínez.	*I met Mr. Martinez two years ago.*

Ejercicios:

A.   Cambie para expresar una acción o estado que comenzó en el pasado y continuó hasta otro momento en el pasado.
1.   El niño está dormido desde hace cuatro horas.
2.   Hace mucho que no veo a mis padres.
3.   Hace más de dos horas que Pablo mira la televisión.
4.   Los dos están sentados allí desde hace una hora.
5.   ¿Cuánto tiempo hace que estudia francés en París?
6.   ¿Desde cuándo trabaja su hermana en esa oficina?
7.   Pepe y yo somos compañeros de cuarto desde enero.

B.   Traducción
1.   We met each other for the first time a year ago.
2.   The children ate half an hour ago.
3.   Her grandfather died many years ago.
4.   Antonio finished his studies six months ago.

D. El uso de **acabar de** + infinitivo en expresiones temporales.

1. Para referirse a una acción que ocurrió poco antes del momento de hablar, se utiliza el verbo **acabar** en tiempo presente + **de** + infinitivo. (Esta expresión es el equivalente de *have (has) just* + *past participle* en inglés.)

Acabamos de despertarnos.	*We have just woken up.*
Enrique acaba de decirme lo que le pasó anoche.	*Henry has just told me what happened to him last night.*

2. Para referirse a una acción que ocurrió poco antes de otra acción en el pasado, se emplea el verbo **acabar** en tiempo pretérito imperfecto + **de** + infinitivo. (El equivalente en inglés es *had just* + *past participle.*)

Acababan de sentarse a la mesa cuando llegamos.	*They had just sat down at the table when we arrived.*
¿Acababas de levantarte cuando te llamé?	*Had you just gotten up when I called?*

Ejercicios:

A. Traducción

1. We have just seen John's new car.
2. I've just sent her a letter.
3. Have you (**tú**) just finished eating?
4. He had just dressed himself when the doorbell rang.
5. Mrs. Gomez has just told me that her husband is ill.
6. I'm sorry, but Mr. Lopez and his daughter have just left for Los Angeles.
7. She had just closed the windows when it began to rain.
8. They have just explained the situation to me. It's unbelievable!

B. Composición

Questions, Questions, Questions

Have you ever thought about the astronomical amount of questions that are asked every day?

Every morning when he gets up, my father asks my mother questions like these: "Have you washed the blue socks?" "Have you ironed the white shirt?" "Have you bought more toothpaste?" Generally my mother answers "yes," but sometimes she gets annoyed and instead of answering him, she asks, "Why haven't you cut the grass?" "Why haven't you fixed the car?" "Why haven't you written to your mother?"

When Paul and I leave for school, mother asks *us* questions. "Have you made your bed?" "Have you straightened up your room?" "Have you cleaned your teeth?" "Have you put on your sweater? It's cold today." We always answer "yes" and escape from the house. (We don't want to lie, but we're in a hurry.)

When I reach the university, I listen to the questions of my teachers. "Señorita _____, haven't you prepared the exercises for today?" "Have you forgotten your textbook again?" "Señorita _____!! Didn't you hear what I just said?"

Questions, questions, questions. . . . Who do you suppose invented the question?

Repaso

A. Lea bien las oraciones que siguen y luego sustituya los infinitivos por la forma apropriada del verbo en pretérito indefinido o pretérito imperfecto.
   1. (vivir) (conocer) Nosotros _____ en Florida cuando lo _____ .
   2. Ayer por la tarde yo (encontrarse) _____ con Marta.
   3. (cenar) Frecuentemente mi hermana y yo _____ en aquel restaurante.
   4. (comprar) Mis padres _____ esta casa hace doce años.
   5. (tener) (matricularse) ¿Cuántos años _____ usted cuando _____ en la universidad?
   6. (tener) Mi abuela _____ los ojos verdes.
   7. (tener) ¿_____ ustedes la oportunidad de hacerlo?
   8. (romperse) Desgraciadamente, yo _____ la raqueta.
B. Traducción
   1. We are sure that they are coming on Friday.
   2. My French teacher told me to hand in the exercises tomorrow.
   3. Did you (**usted**) ask me to repeat the question?
   4. I was looking for a restaurant that served **paella**.
   5. They allowed us to leave early.
   6. There was no one who knew her, but there were several people that knew him.
C. Cambie las oraciones al futuro.
   1. Es cartero.
   2. No queríamos regresar.
   3. No tienen ganas de jugar.
   4. No hubo clases esta mañana.
   5. ¿Puede usted hacerlo para el viernes?
   6. No hicimos muchas preguntas.
D. Llene usted los espacios en blanco con la forma apropiada de los verbos en el condicional.
   1. Si pudiera, Pedro (conducir) _____ su auto.
   2. Yo (hacer) _____ escala en Mallorca, si pudiera.
   3. Si pudieran, los oficiales (explicar) _____ el asunto.
   4. Pablo (gozar) _____ de la vida, si pudiera.
   5. Juan y yo (comer) _____ más, si pudiéramos.

Macchu Pichu, *Peru*

12

La negación y sus formas

I. No

A. La forma negativa de uso más frecuente en español es el adverbio **no**. Significa en inglés *no* y *not*.

No quiero acompañarte.	*I don't want to go with you.*
—¿Vas a comer ahora?	*Are you going to eat now?*
—No, voy a comer más tarde.	*No, I'm going to eat later.*
—¿Estudia usted para médico?	*Are you studying to be a doctor?*
—No, para abogado.	*No, to be a lawyer.*

B. En una oración negativa, **no** siempre precede al verbo. Las únicas formas que pueden ponerse entre **no** y el verbo son los pronombres usados como complementos del verbo.

No la conozco muy bien.	*I don't know her very well.*
No le hables así.	*Don't talk to him like that.*
No nos los devolvieron ayer.	*They didn't return them to us yesterday.*

II. ¿No? ¿No es verdad?

El uso de ¿**no**? o ¿**no es verdad**? al final de una oración afirmativa convierte la declaración en pregunta. En tales casos, el que habla generalmente espera recibir una respuesta afirmativa. (El inglés emplea una construcción semejante, al agregar *isn't it? haven't you? didn't they?* etc., a una frase afirmativa.)

María es muy simpática, ¿no?	*Mary is very nice, isn't she?*
Llegarán pronto, ¿no?	*They'll come soon, won't they?*
Estamos muy contentos aquí, ¿no es verdad?	*We're very happy here, aren't we?*
Ricardo se graduó hace dos años, ¿no?	*Richard graduated two years ago, didn't he?*

Ejercicio:

Traducción
1. The new Spanish teacher is very good-looking, isn't he?
2. He ate before he left, didn't he?
3. She has written you a lot of letters, hasn't she?
4. You (**tú**) know Miss Fuentes, don't you?
5. We'll go to bed early, won't we?
6. He would like to go with us, wouldn't he?
7. I have made a mistake, haven't I?
8. Skating is dangerous, isn't it?
9. He hasn't given me good advice, has he?
10. They did turn out the lights, didn't they?

III. Otras formas negativas

A. El adverbio **no** puede ser sustituido por otras palabras de significación negativa que siempre preceden al verbo.

Nadie lo sabe.	*Nobody knows.*
Ninguno lo ha visto.	*None of them has seen him.*
Nunca dije tal cosa.	*I never said such a thing.*
Ni siquiera lo conozco.	*I don't even know him.*

B. Negación doble (o reforzada): Cuando hay negación doble la forma que refuerza la negación va después del verbo.

No he visto a nadie.	*I haven't seen anyone.*
No lo cree ninguno.	*None of them believes it.*
No les hemos escrito nunca.	*We have never written to them.*

C. El indefinido **alguno, alguna,** etc., puede reforzar la negación si va pospuesto al sustantivo.

No oí ruido alguno.	*I didn't hear any noise.*

D. En la negación que enlaza dos oraciones, la forma más usada es **ni** precedida de **no** o duplicada.

No ocurrió tal cosa ni ocurrirá.	*Such a thing did not happen, nor will it happen.*
Ni voté a favor ni me abstuve.	*I didn't vote for nor did I abstain.*

En inglés, aunque hay variaciones posibles en la formación de una oración negativa, no se puede usar más que una sola forma negativa.

I saw no one.	*I didn't see anyone.*
Is there nothing to do?	*Isn't there anything to do?*

En español, al contrario, todas las palabras que se asocian con una idea negativa se expresan en forma negativa. Aunque es posible variar la posición de estas formas, es necesario que una palabra negativa preceda al verbo.

Nadie me ha dicho nada.

No one told me anything.

No me ha dicho nada nadie.

IV. Formas negativas—su posición en la oración

DELANTE DEL VERBO	NO DELANTE DEL VERBO, OTRA FORMA NEGATIVA DESPUES DEL VERBO	
nada	no . . . nada	*nothing*
nadie	no . . . nadie	*no one, nobody*
ni . . . ni	no . . . ni . . . ni	*neither . . . nor*
ni siquiera	ni . . . siquiera	*not even*

133

ningún, ninguna (adjetivo)	**no . . . ningún (a)**	*no* + noun, *not . . . any* + noun
ninguno (a) (pronombre)	**no . . . ninguno (a)**	*no one* (of a group)
nunca (jamás)	**no . . . nunca (jamás)**	*never*
tampoco	**no . . . tampoco**	*not either*
todavía no (aún no)	**no . . . todavía (aún)**	*not yet, still . . . not*
ya no	**no . . . ya**	*no longer*

No lo haré nunca (jamás).	*I'll never do it.*
No he regalado nada a nadie.	*I haven't given anything to anyone.*
—¿Han llegado los invitados?	*Have the guests arrived?*
—No, todavía no ha llegado ninguno.	*No, none of them has arrived yet.*
Ni sus padres ni sus hermanos saben lo que le ha pasado.	*Neither his parents nor his brothers know what has happened to him.*
Ni el uno ni el otro tienen la culpa.	*Neither the one nor the other is at fault.*
Ya no está aquí el señor Aguirre. Ha salido para Nueva York.	*Mr. Aguirre is no longer here. He has left for New York.*
¿Ni siquiera vas a saludarnos?	*Aren't you even going to say "hello"?*
No oímos a nadie. (A nadie oímos.)	*We didn't hear anyone.*
—El tocadiscos está descompuesto.	*The record player is broken.*
—¿Sí? ¡Qué lástima! ¡Tampoco funciona el radio!	*Is that so? What a shame! The radio isn't working either!*
Ningún hombre me habla así.	*No man talks to me like that.*
¿No has encontrado ninguna camisa que te guste?	*Haven't you found any shirt that you like?*

Notas:

1. La preposición **a** precede a **nadie** y, también, a **ninguno** y **ninguna** (si se refieren a personas) cuando estas formas se emplean como complementos directos.

No he visto a nadie.	*I haven't seen anyone.*
No conocemos a ninguno de ellos.	*We don't know any of them.*
No llevé a ninguna de ellas al concierto.	*I didn't take any of them to the concert.*

2. Cuando dos sujetos en forma singular unidos por **ni . . . ni** preceden al verbo, el verbo se usa en forma plural.

Ni Enrique ni Dorotea quieren casarse.	*Neither Henry nor Dorothy wants to get married.*

Ejercicio:

Traducción
1. No one wants to tell me the truth.
2. They didn't understand anything.
3. Haven't you (**tú**) written to anyone?
4. None of them wants to dance with him.
5. We had never earned a lot of money until then.
6. It's possible that they haven't received the package yet.
7. They are no longer friends.
8. You (**ustedes**) haven't even washed your faces!
9. He doesn't hate anyone and no one hates him.
10. No contemporary writer interests me more. He's fantastic!
11. Neither John nor Robert would do such a thing.

V. Formas negativas y afirmativas

FORMAS NEGATIVAS	FORMAS AFIRMATIVAS
nada *nothing*	**algo** *something*
nadie *no one, nobody*	**alguien** *someone*
ni... ni *neither... nor*	**o... o** *either... or*
ningún, ninguna (adj.) *no*	**algún, alguna** (adj.) *some*
ninguno (pronombre) *no one* (of a group)	**alguno** (pronombre) *someone* (of a group)
nunca (jamás) *never*	**alguna vez** ever, at some time or other
	jamás (usado después del verbo) ever
	siempre always
tampoco not... either	**también** also, too
todavía no (aún no) not yet	**ya** already, now
ya no no longer	**todavía, aún** still

Alguien llama a la puerta.	*Someone is knocking at the door.*
Vimos a alguien en la casa abandonada.	*We saw someone in the abandoned house.*
—¿Has leído las tragedias de Shakespeare?	*Have you read Shakespeare's tragedies?*
—Sí, algunas.	*Yes, some.*
Ya me voy.	*I'm coming now.*
Todos se han acostado ya.	*They've all gone to bed already.*
Algún día, voy a hacer un viaje a Egipto y a la India también.	*Some day I'm going to take a trip to Egypt and to India, too.*
¿Han estado ustedes alguna vez (jamás) en España?	*Have you ever been in Spain?*
O ella o él están equivocados.	*Either she or he is mistaken.*

—¿Piensa Roberto en Elena todavía?	*Does Robert still think about Helen?*
—De vez en cuando. No puede olvidarla.	*From time to time. He can't forget her.*

Notas:

1. La preposición **a** precede a **alguien**, y, también a **alguno, alguna,** etc. (si se refieren a personas), cuando estas formas se emplean como complementos directos.

Diego acaba de llamar a alguien por teléfono.	*James has just called someone on the phone.*
—¿Conoce usted a todos los empleados?	*Do you know all the employees?*
—Conocí a algunos de ellos anoche.	*I met some of them last night.*

2. Cuando dos sujetos en forma singular unidos por **o . . . o** preceden al verbo, el verbo se usa en forma plural.

O Antonio o Ernesto tienen que hacerlo.	*Either Anthony or Ernest has to do it.*

VI. Expresiones útiles

algo + *adjetivo*   rather (somewhat) + *adjective*
  algo interesante   rather interesting
nada + *adjetivo*   not at all + *adjective*
¡Claro que no!   Of course not!
¡Claro que sí!   Of course!
¿Cómo no?   Why not?
Creo que no.   I don't think so.
Creo que sí.   I think so.
de alguna manera (de algún modo)   in some way
de ninguna manera (de ningún modo)   in no way
a alguna parte   (go) somewhere
en alguna parte   (be) somewhere
a ninguna parte   (go) nowhere
en ninguna parte   (be) nowhere
en (a, por) todas partes   everywhere
De nada.   You're welcome; don't mention it.
¡Desde luego!   Of course!
¡Desde luego que no!   Of course not!
¡En mi vida . . .!   Never in my life . . .!
  ¡En mi vida he oído tal cosa!   I've never heard such a thing!
más que nada (nadie)   more than anything (anyone)
más que nunca   more than ever
¡Ni yo (tú, él, ella, *etc.***) tampoco!**   I (you, he, she, etc.) don't either!
No hay de qué.   You're welcome; it's nothing.
No hay más remedio.   It can't be helped.
no . . . más que   only
  No tenemos más que un auto.   We have only one car.
no . . . sino   *no* . . . but instead (rather)
  No voy al cine sino al teatro.   I'm not going to the movies but to the theater.
no sólo . . . sino también   not only . . . but also

Ejercicios:

  A. Escríbanse las formas apropiadas en los espacios en blanco.

    1. —¿Has visto mi cuaderno _____ (*anywhere*)?

        —No, no lo he visto _____ (*anywhere*).

    2. —¿Tiene usted amigos en México?

        —Sí, _____ (*some*).

    3. —¿Has planchado la blusa de algodón?

        —(*Not yet*) _____.

    4. —¿Habrá pagado una multa Rafael?

        —(*I don't think so*) _____. No tiene la culpa.

    5. —¿Tienes suéteres de lana?

        —No, no tengo _____ (*any*).

    6. —¿Ha salido _____ (*already*) Consuelo?

        —(*I think so*) _____. Iba a salir a las siete.

    7. —Margarita es _____ (*rather*) atractiva.

        —Sí, pero (*not . . . at all*) _____ es _____ inteligente.

    8. —¿Conoces a _____ (*anyone*) aquí?

        —(*no one*) No, _____ conozco a _____.

    9. —¿(*Still*) _____ me quieres?

        —(*More than ever*) _____, querida.

    10. (*Not . . . either*) _____ lo han oído cantar _____.

    11. (*Not . . . anyone*) _____ hay _____ que sepa arreglarlo.

    12. (*Neither . . . nor*) _____ sus padres _____ sus amigos se dan cuenta de lo difícil que es.

    13. (*Either . . . or*) _____ Arturo _____ ella lo sabrán.

  B. Composición

Of Course Not!

Rafael: Do you like detective movies?

Juana: Some. They're rather interesting.

Rafael: I was very impressed with the last one I saw at the University Center.

Juana: Really? Well, I wasn't impressed with it at all.

Rafael: Do you like to travel?

Juana: More than anything.

Rafael: Would you like to go to Europe this summer?

Juana: I can't go anywhere this summer, not even to the lake. I have to go to summer school.

Rafael: Have you ever been in Spain?

Juana: Yes, once.

Rafael: Do you feel like going back?

Juana: Yes, more than ever. I had a very good time.

Rafael: I don't like to travel alone.

Juana: I don't either.
Rafael: I don't like to go anywhere alone.
Juana: I don't either.
Rafael: Would you like to go out with me tonight?
Juana: Of course I would. To the concert?
Rafael: No, to a lecture on whales.
Juana: Of course not. I'm too busy. I have to study for two exams tomorrow. (*to herself*) I've never heard of such a thing in my life!

Repaso

A. Cámbiense las formas verbales, tal como se indica en el modelo.

Dice que me enviará una tarjeta.
Dijo que me enviaría una tarjeta.

1. Dice que volará al Oriente Medio.
2. Dice que me comprará un collar de perlas.
3. Dicen que continuarán luchando.
4. Dicen que será el candidato del partido republicano.
5. Dice que me advertirá.
6. Dice que dormirán hasta las doce.

B. Traducción

1. They will not tell us when they are coming.
2. I will get the mail.
3. Teresa and I will not go out with you tonight.
4. Will you (**ustedes**) come as soon as possible?
5. This gift will not fit in the box.
6. When will you (**tú**) find out the truth?
7. I gave it to you a week ago.
8. She was wearing a blue dress when I met her.
9. Didn't you know that she sold the house?
10. How long had you been waiting for us?
11. Margarita had two brothers and three sisters—they all had blond hair.
12. Have they been living there for a long time?

C. Llénense los espacios en blanco con los participios pasivos apropiados.

1. (poner) Ella había _____ los plátanos sobre la mesa.
2. (resolver) No habrán _____ todos los problemas.
3. (morir) Su mejor amigo se ha _____.
4. (volver) Mis abuelos habrán _____ para el sábado.
5. (descubrir) ¿Lo has _____?
6. (imprimir) El manuscrito está _____.

D. Traducción

1. We know a boy who plays on that team.
2. There isn't anyone I like better.
3. Do you (**usted**) know someone who can help me?
4. If they had the money, they would buy it.
5. We didn't see anything we liked.
6. I wouldn't have given it to them if I had known that.
7. He bought something he liked.

139

13

Ser y estar

Hay dos verbos españoles, **ser** y **estar**, que significan *to be*. Se explican aquí abajo los usos específicos y distintos de los dos verbos.

I. Usos específicos del verbo *ser*

A. Con adjetivos para indicar cualidades permanentes (o inherentes) del sujeto.

La vida es dura.	*Life is difficult.*
Ricardo era bajo y moreno.	*Richard was short and dark.*
María es pálida.	*Mary is pale* (by nature).
Los dos hermanos son altos y guapos.	*Both brothers are tall and handsome.*

Nota: Generalmente se usa el verbo **ser** con los adjetivos **joven, viejo, rico** y **pobre.**

Ejercicio:

Estudie la lista de antónimos que sigue.

alto	bajo	*tall*	*short*
bueno	malo	*good*	*bad*
delgado	gordo	*slender*	*heavy, fat*
diligente	perezoso	*hard-working*	*lazy*
divertido	aburrido	*enjoyable*	*boring*
fácil	difícil	*easy*	*difficult*
guapo	feo	*good-looking*	*ugly*
moreno	rubio	*dark-haired*	*blond*
pesimista	optimista	*pessimistic*	*optimistic*
simpático	antipático	*nice*	*not nice*

Ahora, conteste usted negativamente a las preguntas que siguen, usando en sus respuestas el antónimo del adjetivo usado en las preguntas.

—**¿Son ricos sus tíos?**
—**No, no son ricos, son pobres.**

1. ¿Cómo fue el examen? ¿fácil?
2. ¿Son rubias tus primas?
3. ¿Es pesimista el padre de Miguel?
4. ¿Serán buenos los resultados?
5. ¿Eran perezosos los estudiantes?
6. ¿Son feos los dos hermanos?
7. ¿Es guapo el novio de Isabel?
8. ¿Cómo fue la representación? ¿divertida?
9. Por lo general, ¿cómo son los suecos? ¿bajos y gordos?
10. ¿Cómo es Rosa? ¿simpática?

141

B.   Para enlazar el sujeto y el predicado* cuando el predicado es un sustantivo, un pronombre o un adjetivo no calificativo (numeral, posesivo, etc.).

Su hermana es enfermera.	*Her sister is a nurse.*
Ese cuaderno no es tuyo, es mío.	*That notebook isn't yours, it's mine.*
¿Cuántos son dos y dos?	*How many are two and two?*
Aquel hombre es un científico famoso.	*That man over there is a famous scientist.*
Eres un ángel.	*You're an angel.*
Este dinero no es mucho.	*This isn't much money.*

Nota: Estas oraciones contestan a las preguntas ¿Qué es? ¿Cuál es? ¿Quién es? ¿De quién es? ¿Cuánto es? etc.

Ejercicio:

Conteste a las preguntas siguientes.
1.   ¿Quién es el padre de mi padre?
2.   ¿Qué es el hombre que maneja camiones?
3.   ¿Cuántos son cuarenta y treinta?
4.   ¿De quién es el cuaderno que tengo en la mano?
5.   ¿Cómo fue la fiesta? ¿divertida o aburrida?
6.   ¿De quiénes son estos libros? ¿de Miguel y Antonio?

C.   Con ciertas expresiones de tiempo (fechas, partes del día, horas, etc.).

Era la una en punto.	*It was exactly one o'clock.*
Pasado mañana será martes.	*The day after tomorrow will be Tuesday.*
Mañana es el 21 de mayo.	*Tomorrow is May 21st.*
Deben ser las cuatro de la mañana.	*It must be four in the morning.*

Ejercicio:

Aplicación personal.
1.   ¿Qué hora será?
2.   ¿Qué hora era cuando se levantó usted?
3.   ¿Qué día fue ayer?
4.   ¿Qué día fue anteayer?
5.   ¿Eran las nueve cuando vino usted a la universidad?
6.   ¿Serían las diez cuando entró usted en la clase?

*El predicado = lo que se dice del sujeto en una oración.

7. ¿Qué hora era cuando se acostó usted anoche?
8. ¿Es tarde o temprano para ir al cine?

D. Con significado de **ocurrir, tener lugar, celebrarse** (en inglés, *to take place*).

La reunión será esta noche a las siete y media.	*The meeting will take place tonight at seven-thirty.*
La conferencia no es aquí sino en la sala de al lado.	*The lecture is not here but in the room next door.*

Ejercicio:

Conteste a las preguntas, según las indicaciones.
1. ¿Dónde será la reunión? (en la oficina del decano)
2. ¿Cuándo fue el concierto? (anoche)
3. ¿Cuándo es el cumpleaños de usted? (la semana que viene)
4. ¿Cuándo fueron los exámenes? (la semana pasada)

E. En oraciones impersonales

Es necesario estudiar más.	*It's necessary to study more.*
Es importante que me digas la verdad.	*It's important that you tell me the truth.*
¿Es posible que lo hayan hecho?	*Is it possible that they have done it?*

Ejercicio:

Traducción
1. Is it necessary for me to repeat the question?
2. It's very important to remember what I have just said.
3. Will it be hard to say "no"?
4. It's good to rest once in a while.
5. It wasn't possible to arrive on time every day.

F. **Ser de** para indicar el origen de una persona o cosa

—¿De dónde es su novia? ¿de Panamá o de Costa Rica?	*Where is your fiancée from, Panama or Costa Rica?*
—Es de Costa Rica.	*She's from Costa Rica.*
—¿De dónde son esos zapatos?	*Where are those shoes from?*
—Son de España.	*They're from Spain.*
Mis padres son de Nuevo México pero ahora viven en Colorado.	*My parents are from New Mexico but they live in Colorado now.*

Ejercicio:

Aplicación personal
1. ¿De dónde es su padre? y su madre, ¿de dónde es?
2. ¿De dónde es usted?
3. ¿De dónde fue el pintor Velázquez?
4. ¿De dónde es Fidel Castro?
5. ¿De dónde fue el generalísimo Franco?
6. ¿De dónde fue Winston Churchill?
7. ¿De dónde es el presidente de los Estados Unidos?

G. **Ser de** para indicar la materia de que están hechas las cosas

Esta mesa no es de madera; es de plástico.	*This table is not made of wood; it's plastic.*
¿Son de cuero esos zapatos?	*Are those shoes made of leather?*
¿De qué es este pijama? ¿de seda o de nilón?	*What are these pyjamas made of, silk or nylon?*

H. **Ser de** para indicar posesión

El regalo es de Juan.	*It's John's gift.*
¿Es tuya esta pelota?	*Is this ball yours?*
Los guantes serán de Marta.	*The gloves are probably Martha's.*

Ejercicio:

Conteste a las preguntas según las indicaciones.
1. ¿De qué es su casa? (*It's made of stone.*)
2. ¿De qué son los vestidos? ¿de algodón o de nilón? (*They're cotton.*)
3. ¿De qué son los vasos? (*They're glass.*)
4. ¿De qué era la silla? (*It was aluminum and wood.*)
5. ¿De qué son las servilletas? (*They're paper.*)
6. ¿De quién serán estas revistas? (*They're probably Joe's.*)
7. ¿De quiénes son estos abrigos? (*They belong to the guests.*)
8. ¿De quiénes era aquella casa grande? (*It was Mr. Blanco's.*)

I. **Ser para** para indicar fin o propósito

—¿Para quién es esta taza de café? ¿para mí?	*Whose cup of coffee is this? mine?*
—Sí, es para ti.	*Yes, it's for you.*
—¿Para qué es este plato? ¿para los sandwiches o para la torta?	*What is this dish for, the sandwiches or the cake?*
—Es para los sandwiches.	*It's for the sandwiches.*

Ejercicio:

Traducción
1. These flowers are for the office.
2. This sweater is not for you; it's for your brother.
3. The money will be for a new television set.
4. —Are these magazines for us?
   —No, they are for your grandfather.

J.   **Ser** + *el participio pasivo* para formar la voz pasiva

La carta fue escrita por la secretaria del señor Ramos	*The letter was written by Mr. Ramos' secretary.*
La novela será publicada el año que viene.	*The novel will be published next year.*
Todas las comidas fueron preparadas por las dos hermanas.	*All the meals were prepared by the two sisters.*

Nota: En esta construcción, el participio pasivo concuerda en género y número con el sujeto. (Véase el capítulo 17.)

Ejercicio:

Llénense los espacios en blanco con las formas apropiadas de **ser** y el participio pasivo.
1. La puerta _____ (*was opened*) por su hijo.
2. ¿Cuándo _____ (*will be elected*) el nuevo presidente?
3. Estos edificios _____ (*were constructed*) por los hermanos Rodríguez.
4. La reina _____ (*is loved*) de todos.
5. El problema _____ (*was solved*) por mi padre.

K.   En muchas frases de uso común

Eso es.	*That's it.*
Sea lo que sea . . .	*Be that as it may . . .*
Eso no es nada.	*That's nothing.*
Es que . . .	*The fact is that . . .*
Es que no quiero hacer un viaje ahora.	*The fact is that I don't want to take a trip now.*
De no ser así . . .	*If it were not so . . .*
ser igual	*to be one and the same*
Nos es igual.	*It's all the same to us.*

II. Usos específicos del verbo *estar*

A. Para indicar situación (permanente o transitoria).

El sillón estaba cerca de la ventana.	*The armchair was near the window.*
—¿Dónde estarán mis gafas?	*Where do you suppose my glasses are?*
—Aquí están.	*Here they are.*
—¿Dónde está Sevilla?	*Where is Seville?*
—Está en el sur de España.	*It's in the south of Spain.*

Ejercicio:

Conteste según las indicaciones.
1. ¿Dónde está el diccionario? (*in the bookcase*)
2. ¿Dónde está Alejandro? (*in front of the window*)
3. ¿Dónde estaba el perro? (*near the door*)
4. ¿Dónde está Egipto? (*in Africa*)
5. ¿Dónde está la India? (*in Asia*)
6. ¿Dónde está Alemania? (*in Europe*)
7. ¿Dónde estarán los gatos? (*under the table*)
8. ¿Dónde está Juanita? (*behind you*)

B. Para indicar cualidades y estados transitorios

—¿Cómo estás?	*How are you?*
—Muy bien, gracias, ¿y tú?	*Fine, thanks, and you?*
—Así, así. Estoy algo cansado.	*So-so. I'm rather tired.*
María está muy pálida hoy, ¿no?	*Mary looks very pale today, doesn't she?*
Los dos estaban muy contentos.	*They were both very happy.*
¿Estará enfermo Roberto?	*I wonder if Robert is ill.*
La sopa está fría. ¡Qué lástima!	*The soup is cold. What a pity!*
La niña estaba de rodillas jugando en la arena.	*The child was on her knees playing in the sand.*

Nota: El verbo **estar** expresa frecuentemente la idea de *to look, to seem, to appear, to act, to feel, to taste*.

Ejercicio:

Traducción
1. —How is your sister?
   —She was ill yesterday, but today she's much better.

2. The coffee is hot, isn't it?
3. Mrs. Lopez was very happy, wasn't she?
4. Isabel looks sad, doesn't she?
5. When I entered the classroom, all the students were standing up.
6. John was in a bad mood—he was very busy and very tired.
7. Mr. Sanchez looks old.
8. Why is Henry angry?

C. Con participios pasivos para expresar situaciones o estados que existen como resultado de una acción previa

Las camas están hechas.	*The beds are made.*
Todas las puertas y ventanas estaban abiertas.	*All the doors and windows were open.*
Los niños estarán dormidos.	*The children are probably asleep.*

Nota: En esta construcción, el participio pasivo concuerda en género y número con el sujeto. (Véase el capítulo 17.)

Ejercicio:

Llénense los espacios en blanco con la forma apropiada del verbo **estar** y del participio pasivo, según las indicaciones.
1. Los ejercicios _____ (*are written*).
2. La botella azul _____ (*is broken*).
3. Sus abuelos _____ (*are probably dead*).
4. Los cajones _____ (*are shut*).
5. El problema _____ (*is solved*).
6. La moto _____ (*was fixed*).

D. **Estar + el gerundio** para expresar acciones en desarrollo

—¿Estaba lloviendo cuando llegaste?	*Was it raining when you arrived?*
—No, estaba nevando.	*No, it was snowing.*
—¿Qué estás leyendo?	*What are you reading?*
—Una novela de Juan Rulfo titulada *Pedro Páramo.*	*A novel by Juan Rulfo entitled Pedro Paramo.*
—¿Qué está haciendo María?	*What is Mary doing?*
—Está bañándose. (Se está bañando.)	*She's taking a bath.*

Nota: Una descripción detallada del uso de **estar** + *el gerundio* se encuentra en el capítulo 17.

Ejercicio:

Aplicación personal
1. ¿Ya estaba preparado el desayuno cuando te levantaste esta mañana?
2. ¿Está rodeada de árboles tu casa?
3. ¿Están resueltos todos los problemas del Oriente Medio?
4. ¿Estaba lloviendo (nevando) cuando salieron ustedes de casa esta mañana?
5. ¿Está cubierto de papeles su escritorio?
6. ¿Estabas muy cansado(a) cuando te acostaste anoche?

III. Cambios en el significado de ciertos adjetivos

SER	ESTAR
alegre gay, light-hearted (by nature)	**alegre** gay (at the moment)
bueno good	**bueno** well, in good health
callado silent (by nature)	**callado** not talking
cansado tiresome	**cansado** tired
enfermo sickly (an invalid)	**enfermo** ill
listo clever, intelligent	**listo** ready to do something
malo bad (in character or behavior)	**malo** ill, not well
tonto not bright, dull-witted	**tonto** silly
verde green (in color)	**verde** green (not ripe)
vivo lively, bright in color	**vivo** alive, living

Notas:

estar muerto significa *to be dead.*
estar vivo significa *to be alive.*
ser aburrido significa *to be boring.*
aburrirse significa *to get bored, to be bored.*
ser divertido significa *to be amusing.*
divertirse significa *to be amused.*

Ejercicios:

A. Complete usted las oraciones que siguen usando las formas apropiadas de **ser** o **estar**.
 1. (*will be*) La novela _____ traducida por un amigo mío.
 2. (*do you suppose they are?*) ¿Dónde _____?
 3. (*It was probably*) _____ importante.
 4. (*is made of*) El escritorio _____ _____ madera, ¿no?
 5. (*were*) Los futbolistas _____ cansadísimos.
 6. (*are*) ¿De dónde _____ aquellas jóvenes?
 7. (*has been*) Hace mucho que el pobre Miguel _____ enfermo.

8. (*was*) (*were*) Aunque _____ lloviendo, todas las ventanas _____ abiertas.

9. (*had been*) El señor Ramírez _____ _____ elegido presidente del club dos veces.

B. Composición

San Francisco

Last month I went to San Francisco for the first time. I can't tell you how happy I was there—I didn't want to come back home. Why? In the first place, I like to be near the sea. Besides, San Francisco is a picturesque city.

The inhabitants of San Francisco are a mixture of many races and cultures. There are people whose families are from the Orient, especially from Japan and China; others come from Mexico and other Latin American countries, and, of course, there are emigrants of European and African origin.

Life in San Francisco is very pleasant. No one is in a hurry. Everyone (*todos*) is courteous. Everyone (*todos*) seems happy. The city's inhabitants like flowers and bright colors. Life is beautiful!

The bad thing is the weather. Fog is a problem, and the rain, too. Don't go to San Francisco without a raincoat or umbrella!

Repaso

A. Traducción
1. Will you call Mrs. Gonzalez?
2. Where do you suppose I have left my keys?
3. Would your brother like to work next month?
4. It must be six-thirty.
5. Will they put it under the door?
6. They wouldn't have to leave so early.

B. Complete las oraciones siguientes.
1. El canario había _____ (morir).
2. ¿Quién ha _____ (romper) el espejo?
3. Hubiera sido más conveniente si su hermana hubiera _____ (volver) más temprano.
4. ¿Quién ha _____ (ver) mis gafas?
5. ¿Dónde habré _____ (poner) mi portapapeles?
6. Dijeron que lo habrían _____ (hacer) gratis.

C. Traducción
1. We hadn't met any of them.
2. Neither my mother nor my sister understands it.
3. No person has the right to do that.
4. Mr. Abreu is no longer the owner of the company.
5. We didn't see anyone that we knew.
6. Do you (pl.) still play tennis?

D. Llénense los espacios en blanco, usando la conjunción indicada.
1. No me lo dirá, (*although*) _____ lo sabe.
2. (*As long as*) _____ trabajes mucho, ganarás bastante dinero.
3. (*After*) _____ la llames, salgamos.
4. (*As soon as*) _____ salió, comimos.
5. (*Before*) _____ alquiláramos el apartamento, mi hermana vivía con nosotras.

14

Los pronombres relativos

Un pronombre relativo introduce una oración subordinada que completa el significado del antecedente expresado o sobreentendido. El sustantivo o pronombre a que se refiere se llama el antecedente. (Frecuentemente, se omite el pronombre relativo en inglés, sobre todo en la lengua hablada. No debe omitirse en español.)

La chica que conocí ayer es Luisa.	*The girl (that) I met yesterday is Louise.*

Oración principal: **La chica es Luisa**
Oración subordinada: **que conocí ayer**
Antecedente: **chica**
Pronombre relativo: **que**

El artista con quien hablaba es de Italia.	*The artist with whom you were speaking is from Italy.*

Oración principal: **El artista es de Italia**
Oración subordinada: **con quien hablaba**
Antecedente: **artista**
Pronombre relativo: **quien**

I. Cuadro de los pronombres relativos

que	who, whom, which, that
el (la, los, las) que	who, whom, which; he (she) who, those who, those that; the one(s) who, the one(s) that
el (la) cual; los (las) cuales	who, whom, which
quien, quienes	who, whom; he (she) who; the one(s) who
lo que	which
lo cual	which
cuanto, -a, -os, -as	all that, all those who, all those that; as much (many) as
cuyo, -a, -os, -as	whose

II. Usos de los pronombres relativos

A. El pronombre **que** (*who, whom, which, that*)

1. Se utiliza como sujeto o complemento directo de la oración subordinada. Puede referirse a personas o cosas.

El sofá que compraste es muy cómodo.	*The sofa you bought is very comfortable.*
Los niños que están jugando allí son mis sobrinos.	*The children who are playing there are my nephews.*

2. Puede usarse después de las preposiciones **a, de, en** y **con** cuando uno se refiere a cosas. En este caso, tiene el significado de *which*.

El apartamento en que vivíamos no tenía patio.	*The apartment in which we lived didn't have a patio.*

152

El problema a que me refiero fue
resuelto ayer.

*The problem to which I refer was
solved yesterday.*

Nota: **Que**, que es invariable, es el pronombre relativo más usado en español.

Ejercicios:

A. Unanse las dos oraciones con el pronombre relativo **que** para formar
una sola oración, tal como se indica en el modelo.

> **Aquí está la señora Fernández. Acaba de mudarse de casa.**
> **Aquí está la señora Fernández que acaba de mudarse de casa.**

1. Ayer compré ese coche. A usted le gustó mucho.
2. Escribieron los ejercicios. Les costaron mucho trabajo.
3. Aquella muchacha es mi prima. Está haciendo gimnasia.
4. No vi la señal de alto. Se había caído al suelo.
5. Aquel hombre es de Tejas. Lleva un sombrero grande.
6. El tren era muy cómodo. Viajábamos en él.
7. Alicia me trajo unos claveles. Alegran la casa.
8. El plan tuvo mucho éxito. Usted se refirió a él.

B. Aplicación personal
1. ¿Han sido interesantes hasta ahora los cursos que estudia usted
este año?
2. ¿Cómo es la casa o la residencia en que vive usted? (pequeña,
grande, moderna, vieja)
3. ¿Le gustó la película que vio recientemente?
4. ¿Cómo se llaman las personas que están sentadas cerca de usted?
5. ¿Son caros los libros que compraron este semestre?
6. En la opinión de usted, ¿son buenos o malos los programas que
se presentan ahora en la televisión?
7. ¿Cómo es la ciudad en que vive?
8. ¿Son sabrosas las comidas que se sirven en la cafetería?

B. Los pronombres **quien** y **quienes**

quien who, whom, he [she] who, the one who
quienes who, whom, those who, the ones who

1. Se utiliza **quien** o **quienes** después de preposiciones para referirse
a personas.

Es la señora de quien hablé.

She is the woman I spoke about.

Los abogados para quienes
trabajo son simpáticos.

The lawyers I work for are nice.

¿A quién llamaste?

Whom did you call?

2. Se puede utilizar **quien** o **quienes** para indicar *who* o *whom* cuando la oración subordinada se separa de la oración principal por una coma.

Esa señora, quien es muy atractiva, es la esposa del alcalde.	*That woman, who is very attractive, is the mayor's wife.*
Miguel fue con Anita, quien nunca llega a tiempo.	*Michael went with Anita, who never arrives on time.*

Nota: En esta construcción, se puede usar también el relativo **que**.

Mi hermano, que trabaja en Lima, vendrá a visitarme.	*My brother, who works in Lima, will come to visit me.*

Ejercicios:

A. Unanse con **que** o **quien** las oraciones que siguen para formar una sola oración, tal como se indica en el modelo.

> **Conozco a esa chica. José acaba de sentarse con ella.**
> **Conozco a esa chica con quien acaba de sentarse José.**

1. Aquella joven es Teresa. Teresa trabaja en el extranjero.
2. Mi hermano volverá pronto. Echo de menos a mi hermano.
3. Los señores Fernández tienen una grabadora portátil. Los Fernández asistirán a la conferencia.
4. Aquel señor es el doctor Gómez. Quiero hablar con él.
5. Quiero presentarle al señor Pérez. Trabajé para él el año pasado.
6. Las muchachas estarán sentadas en la primera fila. Son de otra ciudad.

B. Traducción
1. The girl that you like didn't come to class yesterday.
2. This is Pilar, the girl I introduced you to last night.
3. The man I know is not the man who was working in the drugstore.
4. The tree that is on our patio already has leaves.
5. We sat down with Charles, who always makes us laugh.
6. I have never seen the building in which they work.
7. My cousin, who plays the violin, has traveled a lot.
8. The ones who work hard have better jobs.
9. He who studies, learns.

C. Los pronombres **el (la) que** y **los (las) que**

el (la) que the one who, the one that (which); (*después de preposiciones*) whom, which

los (las) que the ones who, the ones that (which); (*después de preposiciones*) whom, which

1.   Para expresar *he who, she who, those who,* se pueden emplear
el (la) que, los (las) que, o **quien, quienes.**

El que (quien) no estudia, saldrá mal en este examen.	*He who does not study, will not do well in this exam.*
Más hace el que quiere que no el que puede.	*Where there's a will there's a way. (The one who wants to does more than the one who can.)*

2.   Se emplean estos relativos después de las preposiciones **tras,
por** y **sin** y después de las preposiciones de más de una sílaba.

Esta es la puerta por la que tuvimos que entrar.	*This is the door we had to go through.*
La casa hacia la que caminaba la vieja era de Pepe.	*The house toward which the old woman was walking was Pepe's.*

D.   Los pronombres **el (la) cual** y **los (las) cuales**

el (la) cual   who, which, whom
los (las) cuales   who, which, whom

1.   Se emplean estos relativos después de las preposiciones **tras,
por** y **sin,** y después de las preposiciones largas. En este caso, son
intercambiables con **el que, la que,** etc.

Este es el hotel detrás del cual hay una piscina enorme	*This is the hotel in back of which there is a huge swimming pool.*
La puerta delante de la cual estaba sentado el viejo era de caoba.	*The door in front of which the old man was seated was mahogany.*

Nota: En oraciones explicativas (las que se separan por comas de la oración
principal) se usan **el (la) que,** etc., y **el (la) cual,** etc., para evitar una posible confusión de antecedentes.

Visité al hermano de Carolina, el que canta tan bien.	*I visited Caroline's brother, the one who sings so well.*
Tropezó con la madre de Juan, la cual la saludó cordialmente.	*She ran into John's mother, who greeted her cordially.*

Ejercicio:

Llénense los espacios en blanco según las indicaciones.
1.   (*the one that*)   Esa novela, _____ se publicó el año pasado,
le hizo famoso.
2.   (*which*)   Vivíamos en una casa grande alrededor de _____
había una cerca de madera.
3.   (*the one who*)   Recibí una carta de la hermana de Arturo, _____
_____ vive en Panamá.

4. (*who*) El padre de la Sra. Gómez, _____ está de vacaciones, va a visitarnos la semana que viene.
5. (*which*) Esta es la casa detrás de _____ hay un jardín bellísimo.
6. (*who*) Le presenté a la prima de Roberto, _____ se casó con un ingeniero.
7. (*which*) Las fotos del paisaje francés, _____ me impresionaron mucho, se incluirán en el libro que voy a publicar.

E. Los pronombres **lo que** y **lo cual** (*which*): Las formas neutras **lo que** y **lo cual** se refieren a una idea o acción expresada anteriormente.

Compramos muchos regalos, lo que enojó a nuestros padres.	*We bought many gifts, which angered our parents.*
Todos los invitados llegaron tarde, lo cual nos disgustó.	*All the guests arrived late, which displeased us.*

Nota: No debe olvidarse de que **lo que** significa también *that which* y *what*.

Ejercicios:

A. Unase cada par de oraciones empleando **lo que** o **lo cual**, tal como se indica en el modelo.

> **Llovió ayer.**
> **Eso me disgustó.**
> **Llovió ayer, lo que me disgustó.**

1. Le recorté el artículo. Eso le agradó.
2. Pablo se enamoró de Rosita. Eso nos hizo feliz.
3. Roberto no se llevó bien con su padre. Eso me inquietó.
4. El tiempo aclaró. Eso me alegró.
5. Es aficionado a los deportes. Eso le agrada mucho a su padre.
6. Salió muy mal en el examen. Eso le entristeció.

B. Traducción
1. What we like is to travel by plane.
2. They criticized what they didn't understand.
3. Everything depends on what he said.
4. We didn't know what they had done.
5. They sold everything that (**todo lo que**) they had inherited from their grandparents.
6. Didn't they eat what I prepared?

C. Aplicación personal
1. ¿Le gustó lo que hicimos en la clase la última vez que nos reunimos?

2. ¿Entiende usted lo que acabamos de estudiar?
3. ¿Puede usted ocultar lo que siente en el fondo de su corazón?
4. ¿Sabe usted lo que va a hacer esta noche?
5. ¿Critica usted lo que no comprende?
6. ¿Le gusta todo lo que ve en la televisión?
7. ¿Recuerda usted todo lo que aprendió el año pasado?
8. ¿Le importa lo que dicen los demás?

F. Los pronombres **cuanto (-a)** y **cuantos (-as)**

cuanto (-a) all that, as much as
cuantos (-as) all those who, all those that, as many as

Cuanto, cuanta, cuantos y **cuantas** equivalen a **todo el (la) que** y **todos los (las) que**. La forma neutra **cuanto** tiene como equivalente **todo lo que**.

Cuantos vengan serán bienvenidos.	*All who come will be welcome.*
Cuantos asistieron a la fiesta se divirtieron mucho.	*All those who attended the party had a good time.*
Cuanto (todo lo que) tengo debo a mi familia.	*All that I have I owe to my family.*

G. Los pronombres **cuyo (-a)** y **cuyos (-as)** (*whose*): **Cuyo, cuya, cuyos, cuyas** son relativos que indican posesión. Concuerdan en género y número con el sustantivo que modifican.

Esa señora, cuyo nombre no puedo recordar, trabaja en nuestra oficina.	*That woman, whose name I don't remember, works in our office.*
Esa señora, cuyos muebles compramos, se mudó de casa ayer.	*That lady, whose furniture we bought, moved yesterday.*

Ejercicios:

A. Complete las oraciones que siguen con una forma de **cuyo**.
1. Allí está el cantante _____ voz siempre me encanta.
2. No vi al hombre _____ modales admiro tanto.
3. Vivíamos en un apartamento _____ paredes eran de papel.
4. Anoche conocí a la chica _____ hermanas llegaron a ser famosas.
5. Visitamos al autor _____ novelas leímos el semestre pasado.
6. Conozco al joven mexicano _____ madre llegó a ser una escritora célebre.

B. Complete las oraciones que siguen usando un pronombre relativo apropiado.
   1. El perro se me murió, _____ me entristece mucho.
   2. Carmen, _____ llegó temprano, es la hija del senador.
   3. Le presté todas las novelas _____ tenía en mi biblioteca.
   4. Este es el artículo por _____ recibí cien dólares.
   5. Conchita es la muchacha _____ baila bien.
   6. ¿Tiene usted el abrelatas con _____ abrí la botella?
   7. El señor García, _____ había trabajado en la fábrica, cayó enfermo.
   8. Ramón tiene que vender la finca de su abuelo, _____ es triste.
   9. He perdido las gafas sin _____ no puedo leer.
   10. Tenía un apartamento grande enfrente de _____ había una fuente.

C. Aplicación personal
   1. ¿Fue fácil o algo difícil la lección que acabamos de estudiar?
   2. ¿Están llenas de coches las calles por las cuales tienes que pasar para llegar a tu casa?
   3. ¿Le gusta el barrio en que vive o prefiere vivir en otro lugar?
   4. ¿Puede usted nombrar algunas cosas sin las cuales no podemos sobrevivir en una sociedad tal como la nuestra?
   5. ¿Echa usted de menos a los profesores con quienes estudió el año pasado o se ha olvidado de ellos?
   6. Las personas de quienes no quejamos más son, a veces, nuestros mejores amigos. ¿Está de acuerdo o no?
   7. En su opinión, ¿qué tiene más importancia? ¿el dinero que ganamos o el trabajo que hacemos?
   8. ¿Cuáles son algunos de los problemas de importancia mundial que existen hoy?

D. Composición

A Good Bargain!

Sr. García: Mr. Ramirez, you are the man I want to speak to. Do you remember the car I bought from you last week—the one I paid seven hundred and fifty dollars for? Well, I have to talk to you because . . .

Sr. Ramírez: Just a moment, sir. I'm afraid I don't remember the car, and I don't remember you either. Nor do I want to hear your complaints.

Sr. García: As you wish, Mr. Ramirez. But I know you are the man whose car I bought. However, if you say no, I won't object. I cleaned the car that I bought from you last week, and I lifted the carpet, underneath which I found fifty dollars. But if you don't remember . . . many thanks!

Repaso

A. Llene los espacios en blanco con las formas apropiadas de los verbos en el futuro.
1. (llegar) Nosotros _____ a tiempo.
2. (pedir) ¿_____ vosotros un horario?
3. (hacer) ¿_____ ustedes dos escalas?
4. (poder) (**Tú**) no _____ hacerme reír.
5. (valer) En dos años eso no _____ nada.
6. (traer) (**Yo**) _____ mi propio instrumento.

B. Cambie las oraciones del singular al plural o del plural al singular.
1. No me despediría de ellos.
2. No tendríais razón.
3. No podrías verme.
4. El niño no haría el trabajo.
5. Mis primos no vendrían sin su perro.
6. Usted no iría sin mí, ¿verdad?

C. Traducción
1. She would have returned the typewriter yesterday, wouldn't she?
2. They had put out all the lights before they left.
3. John will have made all the arrangements.
4. She had not yet received the package.
5. I have already had breakfast.
6. We have had a good time.
7. Have you seen the boys? I haven't seen any of them.
8. No one has told me anything. They haven't even mentioned what happened.

D. Llene los espacios en blanco con una forma apropiada de **ser** o **estar** en el presente de indicativo.
1. (Alguien llama a la puerta.)
   —¿Quién _____?
   —_____ yo.
2. ¿Dónde _____ la oficina de Sánchez e hijos?
3. En realidad, los señores Pérez _____ jóvenes.
4. El cielo _____ muy nublado.
5. Catalina y yo _____ leyendo tu carta.
6. Este pastel _____ muy rico.
7. Los Suárez no _____ pobres, ¿verdad?
8. ¿De dónde _____ estas rosas? ¿de tu jardín?

E. Traduzca al español, empleando las formas apropiadas del indicativo o subjuntivo.
1. I know someone who has won three prizes.

2. Is there a store around here that sells records?
3. There isn't any doubt that he will buy the car.
4. Felipe advised me to sell the painting.
5. I found a scarf that matched my coat.
6. We didn't know anyone who lived in that town.

15

Los adjetivos

APARTADO UNO:
LA CONCORDANCIA (*AGREEMENT*)

Los adjetivos concuerdan en género y número con los sustantivos.

I. En el singular

A. Si la forma masculina singular termina en **-o**, la correspondiente forma femenina termina en **-a**.

un día lluvioso   a rainy day
una mañana lluviosa   a rainy morning

B. Los adjetivos que terminan en **-or, -ón, -án, -ín** agregan una **-a** para formar el femenino singular.

un grupo conservador   a conservative group
una mujer conservadora   a conservative woman
un estudiante holgazán   a lazy student
una secretaria holgazana   a lazy secretary
un sonido chillón   a shrill sound
una voz chillona   a shrill voice
un perrito chiquitín   a tiny puppy
una gatita chiquitina   a tiny kitten

Excepciones: Los adjetivos que siguen tienen una sola forma singular.

mayor	**inferior**	**anterior**
menor	**superior**	**posterior**
mejor	**interior**	**ulterior**
peor	**exterior**	**marrón**

C. Los adjetivos de nacionalidad (y los que se refieren a regiones geográficas) cuya forma masculina singular termina en consonante agregan una **-a** en la forma femenina singular.

el dramaturgo inglés   the English dramatist
la arquitectura inglesa   English architecture
el poeta alemán   the German poet
la ciudad alemana   the German city
el vals vienés   the Viennese waltz
la cocina vienesa   Viennese cooking

D. Los adjetivos cuya forma masculina singular termina en **-ote** utilizan la terminación **-ota** en la correspondiente forma femenina.

un libro grandote   a huge book
una mujer gordota   a very obese woman

E.   Los adjetivos que no pertenecen a uno de los grupos arriba mencionados utilizan la misma forma singular para los dos géneros.

al día siguiente   on the following day
a la mañana siguiente   on the following morning
un candidato liberal   a liberal candidate
una plataforma liberal   a liberal platform
el programa socialista   the Socialist program
una organización socialista   a Socialist organization

F.   Formas apocopadas (*shortened forms*).
1.   La forma masculina singular de ciertos adjetivos pierde la **-o** cuando el adjetivo precede al sustantivo.

DELANTE DEL SUSTANTIVO	DESPUES DEL SUSTANTIVO
algún	alguno some
ningún	ninguno no, not any
un	uno one
primer	primero first
tercer	tercero third
buen	bueno good
mal	malo bad

2.   La forma singular masculina y femenina del adjetivo **grande** se reduce a **gran** cuando precede al sustantivo.

el gran compositor finlandés   *the great Finnish composer*
la gran orquesta sinfónica   *the great symphonic orchestra*

3.   El adjetivo **cualquiera** (*any*) pierde la **-a** cuando precede a un sustantivo masculino o femenino.

Cualquier hombre de negocios se   *Any businessman will tell you so.*
  lo dirá.
Cualquier mujer lo sabrá.   *Any woman will know.*

4.   El adjetivo **Santo** se reduce a **San** cuando precede a un nombre masculino, con la excepción de uno que comienza con **To-** o **Do-**.

San Miguel de Allende   San Juan de Capistrano

                    pero

Santo Tomás   Santo Domingo

II.   En el plural

A.   Si la forma singular del adjetivo termina en vocal, se agrega una **-s** para formar el plural.

el importante documento político
los importantes documentos políticos

B.   Si la forma singular del adjetivo termina en consonante, se agrega
la sílaba **-es** para formar el plural.

mi mejor amigo	**el rey francés**
mis mejores amigos	**los reyes franceses**
	el perro feroz
	los perros feroces

Notas: 1.   El uso del acento escrito: Tenga en cuenta las reglas que gobiernan
el uso del acento escrito. La adición de **-a, -es** o **-as** a la forma masculina singular
del adjetivo que lleva acento sobre la última sílaba hace innecesario su uso.

preguntón inquisitive		**preguntones**
preguntona		**preguntonas**
	pero	
ridículo		**ridículos**
ridícula		**ridículas**

2.   El cambio de **z** en **c**: Un adjetivo que termina en **z** en forma singular cambia
la **z** en **c** cuando se agrega la terminación plural **-es.**

feliz happy		**felices**
veloz swift		**veloces**

Ejercicio:

Llénense los espacios en blanco con la forma apropiada del adjetivo.

1.   (sabroso) Voy a prepararles una _____ tortilla a la
española.
2.   (diligente) (inteligente) Dolores es una estudiante _____
e _____.
3.   (Cualquiera) _____ muchacho sabrá lo que es.
4.   (Santo) _____ Salvador es la capital de El Salvador.
5.   (Santo) (Menor) _____ Tomás, isla que forma parte de las
Antillas _____, pertenece a los Estados Unidos.
6.   (Mayor) (Santo) Entre las islas que forman parte de las Antillas
_____ se encuentran Cuba, Jamaica, Puerto Rico y _____
Domingo.
7.   (difícil) (aburrido) Estos ejercicios no son _____, pero son
_____.
8.   (grande) (nacional) ¿Quiénes son los _____ héroes ____
de Francia?
9.   (grande) (mayor) Esto se debe en _____ parte a la in-
fluencia de su hermana _____.
10.   (holandés) (canadiense) La madre de Rafael es _____; la
esposa de él es _____.

11. (capaz) A veces, los seres humanos son _____ de gran ternura; a veces, de gran crueldad.
12. (fuerte) (liberal) Es muy _____ la tradición _____.
13. (alto) (delgado) Los dos eran _____ y _____.

APARTADO DOS:
LOS ADJETIVOS CALIFICATIVOS

Los adjetivos calificativos son los que indican una característica o un estado del sustantivo. Sirven para describir de un modo objetivo o subjetivo personas, lugares, cosas y conceptos.

El café está caliente.	*The coffee is hot.* (**estado**)
los hermosos jardines de la Alhambra	*the beautiful gardens of the Alhambra* (**característica**)
los grandes héroes nacionales	*the great national heroes* (**característica**)
la ropa sucia	*the dirty clothes* (**estado**)

I. La colocación del adjetivo calificativo

A. Es difícil formular reglas para la posición del adjetivo calificativo. Depende de varias cosas—el uso tradicional, el estilo literario, el efecto psicológico que quiera producir el que habla o escribe. Es posible, sin embargo, hacer unas generalizaciones que servirán de guía al estudiante.

   1. Cuando el adjetivo calificativo sirve solamente para separar a una persona (cosa, idea, etc.) de otras, va pospuesto al sustantivo. En este caso, el adjetivo tiene carácter objetivo.

la mesa redonda the round table
las flores marchitas the faded flowers
un hombre alto y delgado a tall, slender man
un tema filosófico a philosophical theme

     Están incluidos entre estos adjetivos los que se refieren a colores, nacionalidad, religión y ciencias.

el cielo gris the gray sky
los líderes protestantes the Protestant leaders
las teorías económicas economic theories
los atletas canadienses Canadian athletes

   2. Los adjetivos modificados por adverbios siguen al sustantivo.

un problema bastante complejo quite a complex problem
unas decisiones muy importantes some very important decisions

3. El adjetivo calificativo precede al sustantivo si se refiere a una cualidad inherente del sustantivo.

el negro carbón   the black coal
la blanca nieve   the white snow
el árido desierto   the arid desert

4. El adjetivo calificativo precede al sustantivo cuando el que habla o escribe desea dar énfasis a la cualidad poseída por el sustantivo o expresar un juicio personal con respecto a ella. En este caso el adjetivo tiene carácter subjetivo.

el distinguido autor peruano   the distinguished Peruvian author
las majestuosas montañas noruegas   the majestic Norwegian mountains
la magnífica Sinfonía Número 1 de Brahms   Brahms' magnificent Symphony Number 1

5. La conjunción **y** sirve para unir dos adjetivos de igual valor (o los dos últimos adjetivos en una serie).

los programas sociales y económicos del país   the social and economic programs of the country
un hombre bajo, moreno y no muy guapo   a short, dark and not very handsome man

Ejercicio:

Complétense las frases siguientes, usando las formas apropiadas de los adjetivos y colocándolas en la posición apropiada.

1. una reacción _____ (químico)
2. un estilo _____ (imaginativo) (expresivo)
3. los reyes _____ (católico)
4. las regiones _____ (geográfico)
5. las cualidades _____ (físico) (espiritual)
6. una política _____ (desastroso) (económico)
7. una blusa _____ (blanco) (azul)
8. el pintor Goya _____ (famoso) (español)
9. la actriz _____ (hermoso) (francés)
10. una lección _____ (bastante largo) (complicado)

B. Ciertos adjetivos tienen diferencias de significado según su posición delante o después del sustantivo.

	DELANTE DEL SUSTANTIVO	DESPUES DEL SUSTANTIVO
cierto	a certain, some	certain (sure)
antiguo	former	old in years, ancient
dichoso	annoying, bothersome	happy, lucky
diferente	various (used in plural form)	different

grande	great	large
medio	half a, a half	average, middle
mismo	same	himself, herself, itself, etc. (used for emphasis)
nuevo	new (in the sense of "another")	brand-new
pobre	unfortunate, to be pitied	without money, penniless
propio	own (after possessive adjective)	of oneself
puro	sheer (nothing but)	pure (unadulterated)
raro	rare (not frequent)	strange
único	only (occurring once)	unique (uncommon)
viejo	former, of long standing	old in years

Ejercicio:

Emplee usted en las oraciones que siguen la forma apropiada del adjetivo, según las indicaciones. Después, traduzca las oraciones al inglés.

1. (Cierto) _____ mujer me lo preguntó pero no sé como se llama.
2. (cierto) Siempre llegan tarde _____ estudiantes.
3. (puro) Todos sabemos que el agua _____ es saludable.
4. (mismo) (mismo) Héctor y Juan van a vivir en la _____ casa. Juan _____ me lo dijo.
5. (antiguo) Río de Janeiro es la _____ capital del Brasil.
6. (viejo) Nuestro _____ profesor de español acaba de casarse por segunda vez.
7. (nuevo) Acabamos de alquilar un _____ apartamento.
8. (cierto) Es una cosa _____.
9. (raro) En _____ ocasiones nos llama por teléfono.
10. (grande) La _____ obra de Pierre y Marie Curie fue el descubrimiento del radio (*radium*) a fines del siglo XIX.
11. (antiguo) Atenas fue el centro de la civilización de la Grecia _____.
12. (grande) No vivían en una casa muy _____.
13. (pobre) Los _____ estudiantes estaban nerviosísimos.
14. (nuevo) Roberto está en la luna. Ha comprado una moto _____.
15. (pobre) (nuevo) Hay demasiadas familias _____. Tenemos que iniciar _____ programas para ayudarlas.
16. (dichoso) ¡Este _____ coche! No puedo ponerlo en marcha.
17. (viejo) La mujer, _____ y confundida, no comprendía lo que le decían.
18. (dichoso) Esta es una ocasión _____. Vamos a celebrar el nacimiento de nuestro primogénito.
19. (único) Es la _____ oportunidad que hemos tenido de hablarles francamente.

20. (único)   Han descubierto un ejemplo _____ del arte maya—
un pito (*whistle*) hecho de terracota que data del siglo VIII después de
Jesucristo.
21. (propio) (propio)   Su éxito es el resultado de sus _____
esfuerzos. Por eso, tiene el derecho a hablar en defensa _____.

APARTADO TRES: LOS ADJETIVOS DETERMINATIVOS Y LOS PRONOMBRES CORRESPONDIENTES

Se emplean estos adjetivos y pronombres para indicar a cual o a cuantos
se refiere el que habla. Incluidos en este grupo están los posesivos, demostrativos, indefinidos, interrogativos, exclamativos, y los numerales y otros
adjetivos que expresan cantidad.

Cuadro de los adjetivos determinativos

Los adjetivos demostrativos

ESTE		ESE		AQUEL	
(this)		(that)		(that over there)	
este	estos	ese	esos	aquel	aquellos
esta	estas	esa	esas	aquella	aquellas

Los adjetivos posesivos

DELANTE DEL SUSTANTIVO	DESPUES DEL SUSTANTIVO
mi my	**mío, -a** my, of mine
tu your	**tuyo, -a** your, of yours
su his, her, your, its	**suyo, -a** his, her, your, its, of his, of hers, of yours
nuestro, -a our	**nuestro, -a** our, of ours
vuestro, -a your	**vuestro, -a** your, of yours
su their, your	**suyo, -a** their, your, of theirs, of yours

Los adjetivos interrogativos

¿**qué**...?   What...?
(forma exclamativa) ¡**qué**...!   What a...! What...!
¿**cuál**...?   Which...?
¿**cuáles**...?   Which...?

Los adjetivos numerales

doble, triple, cuadruple   double, triple, quadruple
medio, -a (la mitad de)   half, half a
uno, dos, tres, etc.   (cardinales)
primero, segundo, tercero, etc.   (ordinales)

Otros adjetivos determinativos de uso frecuente

SINGULAR	PLURAL
bastante enough	**bastantes** enough
demasiado, -a too much	**demasiados, -as** too many
mismo, -a same	**mismos, -as** same
mucho, -a much, a lot of	**muchos, -as** many, lots of
poco, -a not much, little	**pocos, -as** few, not many
suficiente enough	**suficientes** enough
tanto, -a so much	**tantos, -as** so many
todo, -a the whole, all the	**todos, -as** all, every
más more	**más** more
menos less	**menos** less
mayor greater, greatest	**mayores** greater, greatest
menor lesser, least	**menores** lesser, least
	ambos, -as both
	sendos, -as one for each
cada each	
	los demás, las demás the others, the rest of
tal such a	**tales** such
otro, -a another	**otros, -as** other
cierto, -a a certain, some	**ciertos, -as** certain, some
cualquier (a) any... at all	**cualesquier (a)** any... at all
algún, alguno, alguna some	**algunos, algunas** some
ningún, ninguno, ninguna no	**ningunos, ningunas** no

I.   Los adjetivos demostrativos

este cuento	this story	**ese árbol**	that tree
esta comedia	this comedy	**esa planta**	that plant
estos cuentos	these stories	**esos árboles**	those trees
estas comedias	these comedies	**esas plantas**	those plants

aquel reloj	that clock over there
aquella pintura	that painting over there
aquellos relojes	those clocks over there
aquellas pinturas	those paintings over there

A.   Los adjetivos demostrativos concuerdan en género y número con los sustantivos que modifican.

B.   Los adjetivos demostrativos se sitúan delante del nombre que modifican y se repiten delante de cada nombre.

Estos lápices y estos papeles son míos.	*These pencils and papers are mine.*

C. **Ese, esa, esos** y **esas** se refieren a personas o cosas que están cerca de la persona a quien se habla. **Aquel, aquella, aquellos** y **aquellas** se emplean para referirse a personas o cosas que están lejos de ambas personas en el tiempo o en el espacio.

Ese traje te cae bien.
Aquellos hombres, ¿quiénes serán?

That suit looks well on you.
Those men over there, who do you suppose they are?

Ejercicios:

A. Cambie las oraciones siguientes según el modelo. Haga todos los cambios necesarios.

Estos hombres vienen del campo. (señoras)
Estas señoras vienen del campo.

1. Este ensayo es interesante. (anécdota)
2. Aquella niña es muy delgada. (niño)
3. Estas camas son cómodas. (asientos)
4. Ese comedor es muy pequeño. (alcoba)
5. Aquel estante contiene muchas novelas policíacas. (biblioteca)
6. Aquel escritor fue muy famoso. (escritora)

B. Conteste según su gusto.

1. ¿Debo comprar este suéter o aquella chaqueta?
2. ¿Cuáles cuestan más? ¿esas rosas o aquellos claveles?
3. ¿Prefería María estos pañuelos o aquella bufanda?
4. ¿Cuál de las dos le gusta más? ¿esta estatua o aquella pintura?
5. ¿Vamos a usar estos tenedores o esas cucharillas?

II. Los pronombres demostrativos

éste* / ésta	this, this one	ése / ésa	that, that one
éstos / éstas	these	ésos / ésas	those

| aquél / aquélla | that one (over there or far away) |
| aquéllos / aquéllas | those (over there or far away) |

A. Los pronombres demostrativos tienen la misma forma que los adjetivos demostrativos.

Este paquete es mío, y éste es mío también.

This package is mine, and this one is mine, too.

*Ya no es obligatorio emplear el acento ortográfico para distinguir los pronombres demostrativos de las formas adjetivales.

B. Los pronombres demostrativos concuerdan en género y número con la persona o cosa que representan.

Estas cajas son suyas, y ésas son   *These boxes are yours, and those*
mías.   *are mine.*

Ejercicios:

A. Complete las oraciones siguientes tal como se indica en el modelo.

He traído tres cuadernos.   *I've brought three notebooks.*
Éste es mío, ése es tuyo,   *This one is mine, that one is yours, and that*
y aquél es de Ricardo.   *one over there is Richard's.*

1. _____ vestido cuesta poco, _____ cuesta más y _____ cuesta un dineral.
2. _____ senador es de Tejas, _____ es de Nuevo México y _____ es de Colorado.
3. _____ testigos permanecieron en casa, _____ cogieron sarampión y _____ se negaron a testificar.
4. _____ carteras son de becerro, _____ de lagarto y _____ de ante.
5. _____ cepillos son para los dientes, _____ para las uñas y _____ para la ropa. Son todos muy útiles.

B. Aplicación personal
1. Tengo tres lápices. ¿Cuál prefiere usted? ¿éste, ése, o aquél?
2. Le prestaré una pluma. ¿Cuál prefiere usted? ¿ésta, ésa, o aquélla?
3. Voy a prestarle unos libros. ¿Cuáles prefiere usted? ¿éstos o aquéllos?
4. ¿Qué zapatos le gustan menos? ¿éstos o ésos?
5. Tenemos muchas revistas. ¿Cuáles prefiere usted? ¿éstas o aquéllas?

C. **Este, ésta, éstos** y **éstas** significan *the latter*, y **aquél, aquélla, aquéllos** y **aquéllas** significan *the former*. En una oración, a diferencia del inglés, **éste** va primero.

El Sr. Vargas y la Srta. García se   *Mr. Vargas and Miss Garcia got*
casaron. Esta ha vivido en   *married. The former has lived in*
California, y aquél en Nueva   *New York, and the latter in*
York.   *California.*

Ejercicio:

Complete las oraciones que siguen con una forma de **éste** o **aquél**.
1. María y Juan no vinieron a la fiesta. ~Este~ fue al partido de fútbol, y ~aquella~ fue de compras.
2. Victor y Teresa son gemelos, pero ~esta~ es rubia, y es moreno.

3. Manuel e Isabel fueron a Europa. *Está* _____ fue a Italia, y
   aquel _____ a Alemania a comprar maquinaria.
4. Los señores Martínez y los señores Jones son vecinos. *Estos* _____
   son de la Gran Bretaña, y *aquellos* _____ son de España.

D. Las formas neutras de los pronombres demostrativos son:

esto	this
eso	that
aquello	that

Estas formas neutras se utilizan para referirse a una cosa desconocida y también para referirse a una idea o a una acción.

—¿Qué es eso?	*What's that?*
—¿Esto? Es un abrelatas.	*This? It's a can opener.*
Eso es mentira.	*That's a lie.*
Mi familia me regaló un nuevo coche. Eso me hizo feliz.	*My family gave me a new car. That made me happy.*
Aquello fue un desastre.	*That was a disaster.*

Ejercicios:

A. Complete las oraciones con la palabra indicada.
   1. Ella apagó la televisión. (*That*) *eso* _____ me molestó.
   2. Hace veinte años que asesinaron al presidente. (*That*) ¡ *eso*
      fue horrible!
   3. Tengo que defender mi honor. (*This*) *esto* _____ es importante.
   4. Rechazó nuestra oferta. (*That*) *eso* _____ me enojó.
   5. El camión se volcó. (*That*) _____ fue terrible.
   6. El presidente pronunciará un discurso esta noche. (*This*) ¡ *Aquel*
      será muy interesante!

B. Traducción
   1. Here are the coats. This one is Joe's; that one is Robert's; and the one over there is Philip's.
   2. John won the prize. That is incredible!
   3. These letters are Conchita's. Those over there are Mr. Molino's.
   4. I didn't read that novel, but this one is very interesting.

C. Aplicación personal
   1. No voy a darles un examen sobre esta lección. ¿Qué les parece eso?
   2. Es posible que hagamos un viaje a México este verano. ¿Les gustaría eso?
   3. No podemos terminar este capítulo esta semana. ¿Le molesta esto?
   4. Si sus padres le regalaran una moto, ¿le gustaría eso, o no?

III. Los adjetivos posesivos

A. Las formas apocopadas (*short forms*) de los adjetivos posesivos

SINGULAR		PLURAL	
mi abrigo / maleta	my	**mis** abrigos / maletas	
tu primo / prima	your (fam. sing.)	**tus** primos / primas	
su periódico / revista	his, her, your, its	**sus** periódicos / revistas	
nuestro examen / **nuestra** lección	our	**nuestros** exámenes / **nuestras** lecciones	
vuestro nieto / **vuestra** nieta	your (fam. pl.)	**vuestros** nietos / **vuestras** nietas	
su yerno / nuera	their, your	**sus** yernos / nueras	

1. Las formas apocopadas de los adjetivos posesivos se sitúan delante del sustantivo. Las formas **mi, tu** y **su** concuerdan en número con la cosa poseída; **nuestro** y **vuestro** concuerdan con ella en género y número.

Ejercicio:

Complete las oraciones siguientes usando la forma apropiada del adjetivo posesivo.

1. Tengo ___ _____ instrumentos.
   (*their*)
2. Gasté _____ dinero.
   (*your*, fam. sing.)
3. Comí _____ ____ manzana.
   (*his*)
4. Bebieron _____ vino.
   (*your*, forma de respeto en el plural)
5. Visité a _____ padres.
   (*your*, fam. pl.)
6. Comprará _____ coche.
   (*our*)
7. Si fuera necesario, venderían _____ televisor.
   (*their*)
8. _____ amigos no vinieron.
   (*My*)
9. ¿Dónde estarán _____ zapatos?
   (*her*)

10. El gobierno espera resolver _____ problemas económicos.
    (*its*)

2. Para evitar la confusión que resulta, a veces, del uso de **su** y **sus**, se emplea la construcción que sigue: artículo definido + sustantivo + **de** + pronombre personal.

No he visto su cartera.
No he visto la cartera de él.

I haven't seen his billfold.

Esas son sus maletas.
Esas son las maletas de usted.

Those are your suitcases.

Ejercicios:

A. Cambie las oraciones siguientes tal como se indica en el modelo.

> **He encontrado sus cartas. (ella)**
> **He encontrado las cartas de ella.**

1. He lavado su ropa. (él)
2. Compraremos su tocadiscos. (ustedes)
3. Hemos traído su medicina. (usted)
4. Leímos su editorial. (ella)
5. Escuchábamos sus discos. (él)
6. Comieron sus peras. (ellas)

B. Aplicación personal
1. ¿Han visto mis gafas? ¿mis llaves?
2. ¿Son cómodos sus zapatos?
3. ¿Tomó su jugo de naranja esta mañana?
4. ¿Es alto(a) su profesor(a) de español?
5. La familia de usted, ¿vive cerca de aquí?
6. ¿Es república o monarquía nuestro país?

B. Las formas largas de los adjetivos posesivos son

SINGULAR		PLURAL
mío, mía	my, of mine	míos, mías
tuyo, tuya	your, of yours	tuyos, tuyas
suyo, suya	his, her, its, your, of his (hers, yours)	suyos, suyas
nuestro, nuestra	our, of ours	nuestros, nuestras
vuestro, vuestra	your, of yours	vuestros, vuestras
suyo, suya	their, your, of theirs (yours)	suyos, suyas

Las formas largas de los adjetivos posesivos siguen al sustantivo y concuerdan en género y número con la cosa poseída. Son los equivalentes de *of mine*, *of his*, *of yours*, etc., en inglés. También se utilizan en ciertas exclamaciones, en expresiones de cariño, y al hablar directamente a una persona.

Tu idea merece consideración.	*Your idea deserves consideration.*
Esa idea tuya merece consideración.	*That idea of yours deserves consideration.*
Mis amigos me ayudarán.	*My friends will help me.*
Algunos amigos míos me ayudarán.	*Some friends of mine will help me.*
¡Madre mía! ¡Dios mío!	*Good heavens!*
¡Ese hijo mío!	*That son of mine!*
¡Amor mío!	*My love!*
Queridos amigos míos . . .	*My dear friends . . .*

Ejercicio:

Traducción

1. An aunt of ours lives in Tampico.
2. A nephew of hers went to Los Angeles.
3. A sister of his was working in our office.
4. Have you (**tú**) seen that ring of hers?
5. A girl friend of mine sent me her picture.
6. Some relatives of yours visited us yesterday.
7. My dear, what are you doing?
8. That daughter of mine never straightens up her room.

IV.   Los pronombres posesivos

SINGULAR			PLURAL	
el mío	**la mía**	mine	**los míos**	**las mías**
el tuyo	**la tuya**	yours	**los tuyos**	**las tuyas**
el suyo	**la suya**	his, hers, yours, its	**los suyos**	**las suyas**
el nuestro	**la nuestra**	ours	**los nuestros**	**las nuestras**
el vuestro	**la vuestra**	yours	**los vuestros**	**las vuestras**
el suyo	**la suya**	theirs, yours	**los suyos**	**las suyas**

A.   Los pronombres posesivos concuerdan en género y número con el sustantivo que representan. Generalmente, se omite el artículo definido después del verbo **ser**.

Conduje su auto.	*I drove her car.*
Conduje el suyo.	*I drove hers.*
No he encontrado tus fósforos.	*I haven't found your matches.*
No he encontrado los tuyos.	*I haven't found yours.*
Es mi vaso.	*It's my glass.*
Es mío.	*It's mine.*

Ejercicios:

A. Sustituya los adjetivos posesivos por los pronombres posesivos correspondientes, según el modelo.

> Mis libros estaban en el estante. *shelf*
> Los míos estaban en el estante.

1. Nuestros primos han viajado mucho.
2. Sus llaves están sobre la mesa. *keys*
3. Mis maletas habían estado en el sótano.
4. Tu reloj estaba atrasado.
5. Vuestras hermanas llegaron tarde.
6. Su anillo era precioso.

B. Aplicación personal
1. He traído mi bolígrafo. ¿Ha traído el suyo?
2. Mi cartera está aquí, ¿y la suya?
3. Mi abrigo está en la oficina. ¿Dónde está el suyo?
4. Nuestra familia es grande, ¿y la suya?
5. Encontré unos cuadernos en la mesa. ¿Son suyos?
6. Hay algunos borradores en esta aula. ¿Son nuestros?

B.   Para evitar la ambigüedad que resulta del uso de **el suyo, la suya,** etc., es necesario, a veces, emplear el artículo definido y una frase preposicional aclaratoria.

> Tengo los suyos.
> Tengo los de usted.   *I have yours.*

Ejercicio:

Conteste según el modelo.

> ¿De quién es este tenedor?   *Whose fork is this?*
> ¿Es de José?   *Is it Joe's?*
> Sí, es suyo.   *Yes, it's his.*
> Sí, es de él.   *Yes, it's his.*

1. ¿De quién es este cepillo? ¿Es de Marta?
2. ¿De quién es este espejo? ¿Es de Conchita?
3. ¿De quién es esta botella? ¿Es de Juan?
4. ¿De quién son estos paquetes? ¿Son de Elena?
5. ¿De quién es este pañuelo? ¿Es de Tito?
6. ¿De quiénes son estas revistas? ¿Son de Juan y Miguel?

C.   Para expresar *everything that belongs to me* (*all that is mine*), *everything that belongs to you* (*all that is yours*), etc., se emplean **todo lo mío, todo lo tuyo,** etc. (Estas son formas neutras y, por eso, son invariables.)

Todo lo mío es tuyo.   *All that is mine is yours.*

Todo lo nuestro estaba en malas   *Everything we had was in bad*
condiciones.   *shape.*

Ejercicio:

Traducción
1. He lost everything that belonged to us.   *El perdia todo lo nuestro*
2. Everything of theirs is here.
3. I sold everything that belonged to me.   *Vendri todo lo mio*
4. We bought everything that belonged to him.
5. All that is hers is in this room.   *Todo lo suyo*
6. All that is yours (fam. sing.) is in good shape.   *Todo lo tuyo es en buen estado*

V. Los interrogativos

CUADRO DE LAS FORMAS INTERROGATIVAS

¿ Qué ?	*What ? Which ?*
¿ Quién ?, ¿ quiénes ?	*Who ? Whom ?* (después de preposiciones)
¿ De quién ?, ¿ de quiénes ?	*Whose ?*
¿ Cuál ?, ¿ cuáles ?	*Which one ? Which ones ? What ?* (in Spain "que")
¿ Cómo ?	*How ?*
¿ Cuánto ?, ¿ cuánta ?	*How much ?*
¿ Cuántos ?, ¿ cuántas ?	*How many ?*
¿ Dónde ?	*Where ?*
¿ Adónde ?	*Where (to) ?*
¿ De dónde ?	*Where . . . from ?*
¿ Por qué ?	*Why ?*
¿ Para qué ?	*What for ?*
¿ Cuándo ?	*When ?*
¿ Qué tal ?	*How do you like ? How is (are) ?*

A. Los interrogativos son adjetivos, adverbios o pronombres. Siempre
llevan acento ortográfico, es decir, en preguntas directas tanto como en preguntas indirectas.

¿ Qué quieren ustedes ?   *What do you want ?*

¿ Qué novelas ha leído usted ?   *What novels have you read ?*

¿ Cuál de las novelas ha leído   *Which one of the novels have you*
usted ?   *read ?*

¿ Quién ha tomado la delantera ?   *Who has taken the lead ?*

¿ A quién dijiste eso ?   *To whom did you say that ?*

¿ De quién son estos anteojos ?   *Whose glasses are these ?*

¿ Cómo se encuentran ustedes ?   *How are you all feeling ?*

¿ Cuánto valen ?   *How much are they worth ?*

¿ Cuántos soldados murieron ?   *How many soldiers died ?*

¿ Dónde está la biblioteca ?   *Where is the library ?*

¿ De dónde vinieron ?   *Where did they come from ?*

¿Adónde van?	*Where are they going?*
¿Por qué insistes en salir?	*Why do you insist on leaving?*
¿Para qué sirve esto?	*What is this used for?*
¿Cuándo llegarás?	*When will you arrive?*
¿Qué tal el viaje?	*How was the trip?*
No sé por qué dijo eso.	*I don't know why he said that.*

B.   **Qué** seguido de **ser** se usa para pedir una definición o para obtener información.

definition

¿Qué es eso?	*What is that?*
¿Qué es una zarzuela?	*What is a musical?*
¿Qué es un pronombre?	*What is a pronoun?*

C.   **Cuál** seguido de **ser** se usa para seleccionar o elegir.

¿Cuál es tu sombrero?	*Which is your hat?*
¿Cuál de estas tiendas es la mejor?	*Which of these stores is best?*
¿Cuáles son sus paquetes?	*Which are your packages?*

Nota:
En preguntas, **qué** va seguido de un sustantivo.

¿Qué libro es suyo?	*Which book is yours?*

o

¿Cuál es su libro?	*Which is your book?*

Ejercicios:

A.   Complete las preguntas que siguen, usando **qué**, **cuál** o **cuáles**, según corresponda.

1. ¿_____ revista tiene usted en la mano?
2. ¿_____ es el mercado común?
3. ¿_____ son terrazas?
4. ¿_____ son las capitales de la América del Sur?
5. ¿_____ de los pañuelos te gustan más?
6. ¿ Cuál _____ es la chaqueta de Anita?
7. ¿_____ es un terremoto?
8. ¿_____ prefieres? ¿éste o ése?
9. ¿_____ grabadora compraste?
10. ¿_____ fue la que seleccionó?
11. ¿_____ tío vive en París?
12. ¿_____ es una bomba nuclear?

B.   Convierta en preguntas las oraciones siguientes, empleando los interrogativos apropiados. (Las oraciones representan las respuestas.)

1. Miguel ha perdido las llaves.
2. No me siento bien.

3. Mis primos hablan muy bien el italiano.
4. Nuestros abuelos vinieron de Alemania.
5. Quería comprar tres boletos.
6. Teresa es mi hermana menor.
7. Pensábamos en nuestro próximo viaje.
8. He leído muchos poemas de Gabriela Mistral.
9. Esto es un abrelatas.
10. Prefiero tomar té.
11. Aquel tocadiscos es de Ernesto.
12. Vamos a la fiesta.

C. Llene los espacios en blanco con interrogativos apropiados.

1. ¿_____ asignaturas ha completado?
2. ¿_____ es esta toalla?
3. ¿_____ periódico lee usted todos los días?
4. ¿_____ han traído los pasaportes?
5. ¿_____ pesos te quedan?
6. ¿_____ son las tortas que hiciste?
7. ¿_____ de los coches compró usted?
8. ¿_____ dinero ganaste?
9. ¿_____ son estos abrigos?
10. ¿_____ quieres ir temprano?
11. ¿_____ piensas empezar a trabajar?
12. ¿_____ es el señor Rojas?

VI. Los interrogativos usados en exclamaciones

¡Cuántos libros tienes!	*How many books you have!*
¡Qué viaje!	*What a trip!*
¡Qué paisaje más (tan) lindo!	*What a pretty landscape!*
¡Qué triste estás hoy!	*How sad you seem today!*
¡Cuánto lo siento! ·	*How sorry I am!*
¡Qué chistoso!	*How funny!*
¡Qué flores!	*What flowers!*

A. En exclamaciones, **qué** usado delante de un sustantivo en forma singular es el equivalente de *what a*...! en inglés. En esta construcción se suprime el artículo indefinido.

¡Qué noche!	*What a night!*
¡Qué película!	*What a picture (movie)!*

B. En exclamaciones, cuando el adjetivo sigue al sustantivo, se coloca **tan** o **más** entre el sustantivo y el adjetivo.

¡Qué muchachos tan guapos!	*What good-looking boys!*
¡Qué patio más bonito!	*What a pretty patio!*

C. El interrogativo **qué** seguido de un adjetivo expresa *how* en inglés.

¡Qué bueno!	*How nice!*
¡Qué triste!	*How sad!*

D. Para expresar *how much* o *how many* en exclamaciones, se emplean **cuánto, cuánta, cuántos** y **cuántas**.

¡Cuánto lo quiero!	*How much I love him!*
¡Cuántos colores hay!	*How many colors there are!*

Ejercicio:

Traducción

1. How awful!
2. What an elegant suit! *Que traje más elegante*
3. How many records you have!
4. What a beautiful ring you have!
5. How amusing!
6. How I admire them! *Cuanto los admiro*
7. How many problems they have!
8. What a mechanic!
9. How interesting!
10. How much I miss them! *Cuanto los echo de menos*
11. What a trip!
12. What a beautiful day!

VII. Los adjetivos numerales

A. Los números cardinales

0	cero	18	dieciocho
1	uno (un), una	19	diecinueve
2	dos	20	veinte
3	tres	21	veintiuno (veintiún), veintiuna
4	cuatro	22	veintidós
5	cinco	23	veintitrés
6	seis	24	veinticuatro
7	siete	25	veinticinco
8	ocho	26	veintiséis
9	nueve	27	veintisiete
10	diez	28	veintiocho
11	once	29	veintinueve
12	doce	30	treinta
13	trece	31	treinta y uno (un), treinta y una
14	catorce	32	treinta y dos, etc.
15	quince	40	cuarenta
16	dieciséis	41	cuarenta y uno (un), cuarenta y una
17	diecisiete	42	cuarenta y dos, etc.

50	cincuenta	80	ochenta
60	sesenta	90	noventa
70	setenta		

100	ciento (cien)
101	ciento uno (un), ciento una
102	ciento dos, etc.
200	doscientos, doscientas
201	doscientos uno (un), doscientas una
202	doscientos dos, doscientas dos, etc.
300	trescientos, trescientas
400	cuatrocientos, cuatrocientas
500	quinientos, quinientas
600	seiscientos, seiscientas
700	setecientos, setecientas
800	ochocientos, ochocientas
900	novecientos, novecientas
1.000	mil
1.001	mil uno (un), mil una
2.000	dos mil
100.000	cien mil
1.000.000	un millón (de)
2.000.000	dos millones (de)
	mil millones (en los Estados Unidos, *one billion*)
	un millón de millones (en los Estados Unidos, *one trillion*)

Nota: También se emplean las formas siguientes:

diez y seis	veinte y uno (un), veinte y una
diez y siete	veinte y dos
diez y ocho	veinte y tres
diez y nueve	veinte y cuatro, etc.

1. **Uno** se reduce a **un** delante de un sustantivo masculino.

He comprado un pastel y dos tortas.	*I've bought one pie and two cakes.*
Había treinta y un estudiantes en la clase de sociología.	*There were thirty-one students in the sociology class.*

pero

—¿Cuántos capítulos hay en total?	*How many chapters are there all together?*
—Veinte y uno.	*Twenty-one.*

2. La forma **una** se emplea delante de un sustantivo femenino.

María tenía dos hermanos y una hermana.	*Mary had two brothers and one sister.*
Nos quedaban veinte y una pesetas.	*We had twenty-one pesetas left.*

3. **Ciento (cien)** = *a hundred, one hundred.* La forma apocopada **cien** se utiliza delante de un sustantivo masculino o femenino y delante de otro número mayor.

cien párrafos	*100 paragraphs*
cien páginas	*100 pages*
cien mil ejemplares	*100,000 copies (of a book)*

pero

ciento un párrafos	*101 paragraphs*
ciento una páginas	*101 pages*
ciento cincuenta y un ejemplares	*151 copies*

Nota: Se omite la palabra y cuando se combinan números mayores que **ciento**.

ciento cuarenta	140
doscientos mil	200,000

pero

doscientos ochenta y nueve   289

4. Los números desde 200 hasta 999 tienen formas masculinas y femeninas.

Quinientas treinta y seis mujeres firmaron el contrato.	*Five hundred and thirty-six women signed the contract.*
Setecientos veintiún miembros del sindicato están en huelga.	*Seven hundred and twenty-one members of the union are on strike.*

5. **Mil** = a thousand, one thousand.

Mil personas asistieron al concierto.	*A thousand people attended the concert.*

6. **Un millón de** + sustantivo; **dos millones de** + sustantivo, etc. La preposición **de** sigue a los números **un millón, dos millones**, etc., delante de un sustantivo.

Más de un millón de obreros están sin trabajo.	*More than a million workers are jobless.*
Más de tres millones de jóvenes buscan empleo.	*More than three million young people are looking for work.*

7. El uso de los números cardinales para indicar fechas (días, años, y siglos). Al hablar del primer día del mes, se dice "el primero."

Anteayer fue el primero de abril.	*The day before yesterday was April 1st.*

Para indicar los otros días del mes se utilizan los números cardinales.

Pasado mañana es el once de mayo.	*The day after tomorrow is May 11.*

Para indicar los años y siglos se emplean los números cardinales.

En el siglo seis a. de J.C. (antes de Jesucristo) los cartagineses llegaron a España.	*The Carthaginians arrived in Spain in the sixth century B.C.*
Los moros invadieron a España en el año 711 d. de J.C. (después de Jesucristo).	*The Moors invaded Spain in the year 711 A.D.*

Ejercicio:

Traducción
1. They constructed ninety-one buildings last month.
2. This novel contains 501 pages.
3. —How many nephews do you have?
   —Only one.
4. —Are there more than a hundred people here?
   —Mr. Garcia says there arc 125; 50 women and 75 men.
5. In the fourth century B.C. . . . — AC
6. In the fifth century A.D. . . . — DC
7. Have you read George Orwell's novel *1984*?
8. The city had more than three million inhabitants.
9. I've told you a thousand times . . .!
10. —Today is the first of June.
    —No, today is the second. Yesterday was the first.

B. Los números ordinales

primero (primer), primera	first
segundo, -a	second
tercero (tercer), tercera	third
cuarto, -a	fourth
quinto, -a	fifth
sexto, -a	sixth
séptimo, -a	seventh
octavo, -a	eighth
noveno, -a	ninth
décimo, -a	tenth

Nota: **Primero** y **tercero** pierden la o delante de un sustantivo masculino singular.

el primer emperador	*the first emperor*
el primer párrafo	
o	*the first paragraph*
el párrafo primero	

1. <u>Uso de los números ordinales: Después de **décimo**, suelen usarse los números cardinales en vez de las formas ordinales.</u>

la primera página	*the first page*
el quinto ejercicio	*the fifth exercise*

pero

la página once	*the eleventh page*
el capítulo veintiuno	*the twenty-first chapter*

2. <u>Posición de los números ordinales</u>
    a. <u>Por lo general</u>, preceden al sustantivo.

por segunda vez	*for the second time*
por primer lugar	*in the first place*
Una tercera parte no es suficiente.	*One-third is not enough.*

   b. <u>Pueden seguir al sustantivo cuando se refieren a páginas, capítulos, tomos, etc.</u>

el tercer tomo	
o	*the third volume*
el tomo tercero	

   c. Al referirse a reyes, reinas, papas, el número (ordinal o cardinal) que indica el orden de la sucesión sigue al sustantivo.

Carlos quinto	*Charles the Fifth*
Isabel primera	*Elizabeth the First*
Luis trece	*Louis the Thirteenth*
el papa Pío doce	*Pope Pius the Twelfth*

Ejercicio:

Complétense las oraciones que siguen, según las indicaciones.
1. (third)—¿Es usted estudiante de _____ año?
    (first)—No, soy estudiante de _____ año.
2. (first) Lo vi por _____ vez anoche.
3. (fourth) Su nuevo apartamento está en el _____ piso.

4. —¿Has comprado las entradas?
   (tenth)—Sí, y están en la _____ fila. Imagínate.
5. (Philip the Second) (Elizabeth the First) _____ fue el gran adversario de _____.
6. (second) Mis padres hablan todavía de la _____ Guerra Mundial.
7. (the seventeenth volume) Acaba de publicarse _____ de sus obras.
8. (first)—Mañana es el _____ día del Año Nuevo.
   (365th) —Sí, ¡y hoy es el día _____ de este año!

VIII. Colocación del adjetivo determinativo

En general, el adjetivo determinativo precede al sustantivo:

Tus padres tienen muchos amigos en esta ciudad.	*Your parents have many friends in this city.*
Para mañana, lean ustedes los tres primeros capítulos.	*For tomorrow, read the first three chapters.*

Excepciones

1. El adjetivo **alguno** colocado después del sustantivo en una oración negativa tiene valor negativo.

No se oye ruido alguno.	*No noise is heard.*

2. Cuando el adjetivo demostrativo se coloca después del sustantivo, tiene valor despectivo. Con tempt hmm

¡El muchacho ese nunca va a aprender nada!	*That boy is never going to learn anything!*

Ejercicio:

Composición

The Woman of His Dreams

Reporter: Good day, sir. I'm looking for some data on the ideal woman. May I ask you some questions?

Mr. Ramos: Of course. I have some concrete ideas on the subject.

Reporter: Good! Tell me, what is your preference—a slender woman or one of ample proportions?

Mr. Ramos: Of ample proportions. As you can see, sir, I am a large man.

Reporter: Yes, you are. Now, do you prefer a tall woman, a short one, or one of average height?

Mr. Ramos: Tall, naturally, almost as tall as I. (Mr. Ramos is more than six feet tall.)

Reporter: Another question, sir. In your opinion, which of these adjectives describes the woman of your dreams—dynamic, aggresive, talkative, quiet, calm, docile?

Mr. Ramos: (Without hesitation) Quiet, calm, and docile.

(At that moment, a short, thin woman appears. When she sees Mr. Ramos, she gets furious and says to him in a shrill voice:)

Mrs. Ramos: Arturo, Arturo! Where have you been? I've been waiting for you for half an hour! You know I have a thousand things to do. You are always like this. You never do anything. I have to do it all! Arturo!

Repaso

A. Llene los espacios en blanco con una forma apropiada de **ser** o **estar** en el presente de indicativo o subjuntivo, según corresponda.
   1. Eso _____ lo que pienso yo.
   2. Dudo que tus padres _____ en casa.
   3. Gracias a Dios, mis abuelos _____ de buena salud.
   4. Estos paquetes _____ para ti.
   5. Nosotros _____ de Nevada.
   6. El juguete _____ de plástico.
   7. Todos _____ en la cocina.
   8. El profesor no cree que _____ posible reunirnos mañana.

B. Conviértanse en oraciones negativas.
   1. Teníamos algo interesante que hacer.
   2. Mostraba mucho interés en el proyecto.
   3. ¿Prefiere usted la ensalada o la fruta?
   4. Marta fue también.
   5. Muchas personas asistieron a la fiesta.
   6. ¿Visitaron a algunos de sus amigos?

C. Llene usted los espacios en blanco con un pronombre relativo.
   1. Era la época durante _____ todos prosperaban.
   2. El señor Benítez es el hombre _____ ganó el premio.
   3. Hay muchas calles estrechas a lo largo de _____ se encuentran muchas tiendas pequeñas.
   4. _____ me gusta más es dormir la siesta.
   5. Esos son los problemas _____ me asustan.
   6. La muchacha _____ libros tengo en mi coche está esperándome.
   7. Puede hacer _____ quiera.
   8. Compramos el cuadro _____ pintó aquel artista.
   9. La mujer a _____ entregué los documentos es la secretaria del jefe.

D. Complétense las oraciones siguientes.
   1. ¿Conoces a alguien que (jugar) mejor que él?
   2. Esta mañana no encontré nada que me (gustar).
   3. No le prestaré el dinero a menos que (quedarse) aquí.
   4. No lo supe hasta que (tropezar) conmigo Alicia.
   5. Estuve en casa toda la mañana sin que nadie me (ver).
   6. Dígale que (sonreír) más.
   7. Antes de (salir), cerraron todas las puertas con llave.
   8. ¿Quieren ustedes que Marta y yo las (ayudar)?

Market, *Medellin, Colombia*

16

Los adverbios y las comparaciones

APARTADO UNO: LOS ADVERBIOS

Los adverbios son formas invariables que modifican a verbos, adjetivos (y participios pasivos usados como adjetivos) y otros adverbios.

I. Colocación de adverbios

A. Suelen colocarse delante de adjetivos, participios pasivos y otros adverbios.

Es sumamente importante tener esto en cuenta.	*It is extremely important to keep this in mind.*
Este trabajo está bien hecho.	*This work is well done.*
El jefe regresará muy pronto.	*The boss will return very soon.*

B. Por lo general, siguen al verbo que modifican o, para poner más énfasis en la idea expresada, van al principio de la oración.

Me lo devolverá mañana.	*He will return it to me tomorrow.*
Mañana me lo devolverá.	*Tomorrow he'll return it to me.*
Conocí ayer al profesor Fernández.	*I met Professor Fernandez yesterday for the first time.*
Ayer conocí al profesor Fernández.	*Yesterday I met Professor Fernandez for the first time.*

II. Clasificación de los adverbios

En general, los adverbios pertenecen a una de las clasificaciones que siguen.

A. Adverbios de lugar.

Forma interrogativa: **¿Dónde?**
aquí   here
allí   there
acá   over here (in this direction)
ahí   over there (in that direction)
allá   there (far away in time or space)
más allá   further on
arriba   up, upstairs
abajo   down, downstairs
adentro   inside
afuera   outside

B. Adverbios de tiempo.

Forma interrogativa: **¿Cuándo?**
primero   first
luego   then
después   afterwards
pronto   soon
anteanoche   the night before last

C. Adverbios de modo (*adverbs of manner*).

Forma interrogativa: **¿ Cómo ?**
despacio   slowly
cuidadosamente   carefully
esporádicamente   sporadically

D. Adverbios de cantidad (*adverbs of quantity*).

Forma interrogativa: **¿ Cuánto ?**
mucho   a lot
poco   little, not much
un poco   a little
bastante   enough
demasiado   too much
tanto   so much

E. Adverbios que expresan afirmación, negación y duda.

sí   yes
no   no, not
tal vez   perhaps
quizá(s)   perhaps
posiblemente   possibly

III.   Formación del adverbio

A.   Muchos adverbios deben aprenderse de memoria.

bien   well
mal   poorly, badly
también   also, too
así   so, thus, like this, like that

B.   Conversión del adjetivo en adverbio

1.   Para formar el adverbio, se agrega **-mente** a la forma femenina singular del adjetivo. (Muchos adverbios de modo y tiempo se forman así.)

ADJETIVO EN FORMA FEMENINA SINGULAR	ADVERBIO
inmediata	**inmediatamente**
lógica	**lógicamente**
fácil	**fácilmente**
anterior	**anteriormente**

Nota: Cuando se forma el adverbio, se mantiene el acento escrito del adjetivo.

2.   Cuando hay una serie de adverbios, se agrega **-mente** solamente a la última forma. Los demás adverbios utilizan la forma femenina singular del adjetivo sin sufijo.

Escribió lenta y cuidadosamente.   *He wrote slowly and carefully.*
Explicó sus ideas sencilla, clara   *He explained his ideas simply,*
  y lógicamente.   *clearly and logically.*

C. Es muy frecuente en español el uso de **con** + *sustantivo* en vez del adverbio de modo.

La miraba con cariño.	*He was looking at her affectionately.*
Lo escucharon con atención.	*They listened to him attentively.*
Respondió con entusiasmo.	*He responded enthusiastically.*
Comía con dificultad.	*She was eating with difficulty.*

D. Es costumbre utilizar el adjetivo en vez del adverbio cuando se hace referencia al estado del sujeto.

Los dos vivían felices . . .	*The two lived happily . . .*
La muchacha dormía contenta.	*The girl slept contentedly.*
María vendrá sola.	*Mary will come alone.*

E. Uso de frases adverbiales: Hay innumerables expresiones idiomáticas compuestas de grupos de palabras que sirven de adverbios en español. Se llaman "frases adverbiales." Algunas de uso frecuente se mencionan aquí.

a la vez   at the same time
a veces   at times
otra vez   again
rara vez   seldom
una que otra vez   once in a while
una vez   once
dos veces   twice
de ahora en adelante   from now on
de día en día   from day to day
de mal en peor   from bad to worse
de vez (cuando) en cuando   from time to time
de nuevo   again
de pronto   suddenly
de repente   suddenly
en seguida   immediately, right away
por lo general   generally
por lo visto   apparently
a lo lejos   in the distance
lo más pronto posible   as soon as possible
cuanto más . . . tanto más . . .   the more . . . the more . . .

F. El adverbio **recientemente** se reduce a **recién** (*recently*) delante de participios pasivos.

recién nacida   recently born
recién llegados   recently arrived

Ejercicio:

Llénense los espacios en blanco con las formas adverbiales apropiadas.

1. (*Generally*) (*well*) (*badly*) _____ la Sra. Blanco canta _____ pero anoche cantó muy _____.
2. (*First*) (*then*) (*afterwards*) _____ comimos, _____ cantamos y _____ bailamos.

3. (*recently*) Los _____ casados fueron los primeros en llegar.
4. (*slowly, carefully and clearly*) Explicó la situación _____.
5. (*rapidly and carelessly*) Hizo el trabajo _____.
6. (*From now on*) _____, la clase se reunirá en el aula 317.
7. (*from bad to worse*) El negocio iba _____.
8. (*too much*) (*from time to time*) Todos comemos _____.
9. (*at the same time*) Los dos respondieron _____.
10. (*so much*) ¡No hables _____, niño!
11. (*In the distance*) _____ se veía una casita roja.
12. (*right away*) ¡Acuéstense _____, niños!
13. (*Suddenly*) _____ estalló una bomba.
14. (*happily*) El príncipe y la princesa vivían _____.
15. (*The more . . . the more . . .*) _____ estudias, _____ aprendes.

APARTADO DOS: LAS COMPARACIONES

I. Comparación de los adjetivos

A. Comparación regular
1. Comparación de inferioridad: **menos** + adjetivo + **que** = *less* + *adjective* + *than*.

Mi madre es menos conservadora que mi padre.	*My mother is less conservative than my father.*

2. Comparación de igualdad: **tan** + adjetivo + **como** = *as* + *adjective* + *as*

Estos platos no son tan hermosos como los que compramos nosotros.	*These dishes are not as beautiful as the ones we bought.*
Parece que estás tan cansado como yo.	*It seems you are as tired as I am.*

3. Comparación de superioridad: **más** + adjetivo + **que** = *more* + *adjective* + *than*.

Este sillón es más cómodo que aquél.	*This armchair is more comfortable than that one over there.*
Sus hermanas son más altas que ella.	*Her sisters are taller than she is.*

4. El grado superlativo

a. El adjetivo sin sustantivo

el más
la más
los más + adjetivo + **de** = *the most* + *adjective* + *in or of*
las más

el menos
la menos
los menos + adjetivo + **de** = *the least* + *adjective* + *in or of*
las menos

Este sofá es el más cómodo de todos.	*This sofa is the most comfortable of all.*
Este capítulo es el menos interesante del libro.	*This chapter is the least interesting in the book.*
Aquellos obreros fueron los más productivos de la fábrica.	*Those workers were the most productive in the factory.*

b. El adjetivo usado con sustantivo: **el (la, los, las)** + sustantivo + **más** + adjetivo + **de** = *the most* + *adjective* + *noun* + *in* or *of*

El Siglo de Oro fue la época más gloriosa de la historia de España.	*The Golden Age was the most glorious period in Spanish history.*

el (la, los, las) + sustantivo + **menos** + adjetivo + **de** = *the least* + *adjective* + *noun* + *in* or *of*.

Desgraciadamente, Pablo era el chico menos inteligente de la clase.	*Unfortunately, Paul was the least intelligent boy in the class.*

5. Expresión de grados de intensidad sin hacer comparaciones:

a. El uso de adverbios tales como **muy, sumamente, algo, nada, casi, bastante, demasiado** y **tan** delante del adjetivo. (En inglés, se utilizan las formas equivalentes *very, extremely, rather, not at all, almost, quite, too* y *so*, para producir el mismo efecto.)

Usted es muy amable.	*You are very kind.*
Es sumamente difícil tomar una decisión ahora.	*It's extremely difficult to make a decision now.*
Estábamos algo aburridos.	*We were rather bored.*
La situación no es nada peligrosa.	*The situation is not at all dangerous.*
¡Eso es casi increíble!	*That is almost unbelievable!*
Este ejercicio es bastante importante.	*This exercise is quite important.*
Ese traje es demasiado costoso.	*That suit is too expensive.*
¡No seas tan malo!	*Don't be so bad!*

b. El uso del sufijo **-ísimo** (**-ísima, -ísimos, -ísimas**): Este sufijo tiene la fuerza de **muy** y se agrega a la última consonante del adjetivo. El sufijo concuerda en género y número con el sustantivo.

Esas flores son hermosísimas.	*Those flowers are very beautiful.*
Era un hombre rarísimo.	*He was a very strange man.*
Estos datos son importantísimos.	*These data are very important.*
Mi abuelita está contentísima allí.	*My dear little grandmother is very happy there.*

6. El uso de **más de, menos de,** y **no . . . más que** delante de los numerales.

a. Se emplea **más de** delante de números para indicar *more than.*

Esta novela tiene más de 400 páginas.	*This novel has more than 400 pages.*

b. Se utiliza **menos de** delante de números para indicar *less than* o *fewer than.*

Me quedan menos de mil pesetas.	*I have less than a thousand pesetas left.*

c. **No . . . más que** es sinónimo de **solamente** y significa *only.*

No gastamos más que diez dólares.	*We spent only ten dollars.*

B. Adjetivos con formas comparativas y superlativas irregulares.

FORMA POSITIVA	FORMA COMPARATIVA	FORMA SUPERLATIVA
grande(s) large, great	**mayor(es)*** larger, older, greater	**el (la) mayor** the largest (greatest, oldest) **los (las) mayores**
pequeño (-a, -os, -as) small	**menor(es)*** less, lesser, younger, smaller	**el (la) menor** the least (youngest, smallest) **los (las) menores**
bueno (-a, -os, -as) good	**mejor(es)** better	**el (la) mejor** the best **los (las) mejores**
malo (-a, -os, -as) bad	**peor(es)** worse	**el (la) peor** the worst **los (las) peores**
igual(es)** equal	**inferior(es)**** inferior **superior(es)**** superior	

*****Grande** y **pequeño** se comparan del modo regular cuando se refieren al tamaño de una persona o cosa. Las formas irregulares se refieren a edad, cantidad e importancia.

******Se dice **igual a, inferior a,** y **superior a** (*equal to, inferior to,* and *superior to*).

Roberto es más grande que su hermano mayor.	*Robert is bigger than his older brother.*
Sara era la menor de la familia.	*Sarah was the youngest in the family.*
Mi coche es mucho más pequeño que el tuyo.	*My car is much smaller than yours.*
Esta tela es de mejor cualidad que la que vimos ayer.	*This cloth is of better quality than the cloth we saw yesterday.*
Sus mejores amigos son mayores que él.	*His best friends are older than he is.*
Los peores estudiantes son los que no tienen interés en aprender.	*The worst students are those who have no interest in learning.*
¡No tengo la menor idea!	*I don't have the least idea!*
Esta obra es inferior a la que escribió el año pasado.	*This work is inferior to the one he wrote last year.*

Ejercicio:

Complétense las oraciones que siguen, según las indicaciones.

1. ¿Cuál fue _____ (*his best novel*)?
2. (*The worst*) _____ problemas se resolverán pronto.
3. Isabel no es (*as nice as*) _____ su hermana _____ (*younger*).
4. Tu cuarto es _____ (*larger than*) los de tus hermanos _____ (*older*).
5. Esta pulsera es (*less expensive than*) _____ esa pero no es (*as beautiful as*) _____ la otra.
6. Las servilletas estaban _____ (*very dirty*).
7. Diego era _____ (*the most talkative of all*).
8. Este es _____ (*the most comfortable armchair in the house*).
9. Su último drama es _____ (*superior to*) los demás.
10. Los dos han ahorrado (*more than*) _____ quinientos dólares.
11. La sopa está _____ (*too*) caliente.
12. —Este documento no es (*as important as*) _____ ésos.
    —Al contrario, es _____ (*extremely*) importante.
13. —¿Cuántos pesos te quedan?
    —(*Less than*) _____ cincuenta.
14. Esta película es (*less enjoyable than*) _____ la que vimos la semana pasada.
15. (*Only*) _____ tenía _____ doscientas pesetas.

II. Comparación de los adverbios

A. Las formas comparativas de **bien, mal, mucho** y **poco**

bien well	**tan bien como** as well as
	mejor (que) better (than)
mal badly, poorly	**tan mal como** as badly (poorly) as
	peor (que) worse (than)
mucho a lot	**tanto como** as much as
	más (que) more (than)
poco little, not much	**tan poco como** as little as
	menos (que) less (than)

No bailo tan bien como tú.	*I don't dance as well as you do.*
No hay nadie que baile tan mal como yo.	*There is no one who dances as badly as I do.*
No había nadie que hablara tan poco como él.	*There was no one who talked as little as he did.*
Se divertirá tanto como nosotros.	*He will enjoy himself as much as we will.*
Después de mucha práctica, usted hablará mejor.	*After a lot of practice, you will speak better.*
¿Quién escribe peor que yo? Nadie.	*Who writes worse than I do? No one.*
Si deseas aprender más, tendrás que estudiar más.	*If you want to learn more, you will have to study more.*
El mes pasado, gané menos de lo que esperaba.	*Last month, I earned less than I expected.*

B. Las formas comparativas regulares

1. **menos** + adverbio + **que** = *less* + *adverb* + *than*

Maneja menos rápidamente que antes.	*He drives at a lower speed than before.*

2. **tan** + adverbio + **como** = *as* + *adverb* + *as*

Subió la escalera tan rápidamente como los demás.	*He climbed the stairs as fast as the others.*

3. **más** + adverbio + **que** = *more* + *adverb* + *than*

Habla más rápidamente que los demás.	*He talks faster than the others.*

Ejercicio:

Llénense los espacios en blanco con las formas apropiadas del adverbio.
1. (*more than*) La quiere _____ nunca.
2. (*less*) ¿Quién recibió _____ ? ¿Héctor o su hermano menor?
3. (*as much as*) El señor Gutiérrez trabaja _____ los demás pero gana mucho _____ (*less*).

4. (*worse than*) Nuestro equipo jugó _____ de costumbre y perdió 31 a 7.
5. (*better*) ¿Quién baila _____? ¿Alberto o José?
6. (*more carefully than*) Por lo general, los adultos manejan _____ los jóvenes.
7. (*as fast as*) Yo me vestí _____ pude.
8. (*less clearly*) Explicó sus opiniones _____ de lo que esperábamos. Por eso, aprendimos _____ (*little*).

III. Comparación de los sustantivos

A. menos + sustantivo + que = *less* (*fewer*) + *noun* + *than*

Yo tenía menos paciencia que ella.   *I had less patience than she had.*

Había menos competidores que el año anterior.   *There were fewer competitors than there were the previous year.*

B. tanto(a) + sustantivo + como = *as much* + *noun* + *as*

Su padre demostraba tanto entusiasmo como ellos.   *Their father demonstrated as much enthusiasm as they did.*

Esta teoría tiene tanta importancia como la que acaba de mencionar.   *This theory is as important as the one you've just mentioned.*

C. tantos(as) + sustantivo + como = *as many* + *noun* + *as*

Hoy día, los jóvenes no aceptan tantas responsabilidades como los de hace veinte años.   *The young people of today do not accept as many responsibilities as those of twenty years ago.*

D. más + sustantivo + que = *more* + *noun* + *than*

Mereció más aplausos que los demás actores.   *He deserved more applause than did the other actors.*

Gastó más dinero del que ganó.   *He spent more money than he earned.*

IV. Comparaciones entre elementos de dos oraciones

A. Cuando lo que se compara son dos sustantivos, uno de la primera oración y otro sobreentendido (*understood*) de la segunda oración, se utilizan **del que, de la que, de los que**, y **de las que** para unir las dos oraciones. La selección de las formas usadas depende del género y número del sustantivo de la primera oración.

Vinieron más personas de las que invitamos.   *More people came than we invited.*

Sus esfuerzos recibían menos atención de la que merecían.   *His efforts received less attention than they deserved.*

Le ofrecimos más dinero del que pidió.	*We offered him more money than he asked for.*
Compraron más ejemplares de la novela de los que necesitaban.	*They bought more copies of the novel than they needed.*

B. Cuando se compara todo el significado de la primera oración con el significado sobreentendido de la segunda, se utiliza la forma **de lo que** para enlazar las dos ideas.

Estaban más contentos de lo que pensábamos.	*They were more contented (happier) than we thought.*
Los problemas eran más complejos de lo que esperábamos.	*The problems were more complex than we expected.*

V. Otras formas comparativas de uso frecuente

A. **tanto** + **el** (**la, los, las**) + sustantivo + **como** + **el** (**la, los, las**) + sustantivo — *the* | *noun* + *as well as* + *the* + *noun.*

Tanto los liberales como los conservadores reconocen la magnitud del problema.	*The liberals as well as the conservatives recognize the magnitude of the problem.*

B. **cuanto más . . . tanto más** = *the more . . . the more*; **cuanto menos . . . tanto menos** = *the less . . . the less*. Esta construcción puede usarse para hacer varias clases de comparaciones.

Cuanto más tiene, tanto más quiere.	*The more he has, the more he wants.*
Cuanto más trabaja, tanto más aprende.	*The more he works, the more he learns.*
Cuanto más rico es, tanto más mezquino.	*The wealthier he is, the more miserly.*
Cuanto menos dinero gana, tanto menos ahorra.	*The less money he earns, the less he saves.*

Ejercicios:

A. Traducción
1. They lost more games (**partidos**) than they won.
2. There are as many musicians as artists in the group.
3. The workers as well as the head of the company (**el director**) realized the seriousness of the situation.
4. If they had as much energy as enthusiasm, they would be able to finish the work tomorrow.
5. That vocalist is more popular than I thought.
6. The Air Force (**la Fuerza Aérea**) has more pilots than it needs.

7. The life of a sailor was less adventurous than he imagined.
8. The more wealth, the more responsibilities.
9. There are fewer sailors than soldiers, aren't there?

B. Composición

Tennis

Helen and I had wanted to watch the tennis matches. The two brothers, Enrique and Raul, were playing. They are the two good-looking Argentinean tennis players who won their match yesterday. Although they didn't play as well as we had expected, they won quickly and easily. Both of them are fantastic tennis players and some day will probably be the best in the world. Although Raul is younger, he is taller and stronger and usually plays better than Enrique.

I wish I could play as well as they do. I've told myself a hundred times that if I played at least an hour a day or more, I could be a very good player, if not one of the best.

Repaso

A. Conteste, según las indicaciones.
1. ¿De quién es este cuaderno? ¿Es tuyo? (*Yes, it's mine.*)
2. ¿De quién es esta blusa? ¿de Alicia? (*No, it's not hers.*)
3. ¿De quiénes son estos libros? ¿de Miguel y Antonio? (*Yes, they are theirs.*)
4. ¿De quién son esos lápices? ¿de tu hermano? (*Yes, they are his.*)
5. ¿De quiénes son aquellas toallas? ¿Son vuestras? (*No, they are not ours; they're yours* [**forma plural**].)

B. Conteste según su gusto.
1. ¿Cómo es tu hermano? ¿diligente o perezoso?
2. ¿Cómo son los ejercicios? ¿fáciles o difíciles?
3. ¿Cómo es el novio de Marta? ¿alto o bajo?
4. ¿Cómo fue la fiesta? ¿divertida o aburrida?
5. ¿Cómo son los niños? ¿buenos o malos?

C. Llénense los espacios en blanco usando un pronombre relativo apropiado.
1. Mi escritorio, _____ trajimos de México, es de caoba.
2. La rubia, _____ me saludó al entrar, estrena un vestido muy elegante.
3. Margarita y Roberto, _____ han dejado de fumar recientemente, se sienten mucho mejor.
4. Ese abogado, _____ se graduó hace un año, defendió el movimiento feminista.
5. El equipaje _____ acabamos de facturar es un regalo de mis padres.
6. La pluma con _____ escribía era de oro.

D. Traducción
1. What a life! What problems!
2. Which play do you like best?
3. He asked me which novels I wanted to read.
4. What beautiful flowers!
5. How many people will attend the lecture?
6. I don't know how many brothers she has.
7. How much money has he lost?

E. Sustituya el infinitivo por la forma apropiada del verbo indicado.
1. Nos pidió que (entregar) todos los sellos que teníamos.
2. Es posible que mis padres (llegar) hoy.
3. Creo que (haber) una reunión especial mañana.
4. Tememos que eso no (ser) posible este año.
5. Esperábamos que nuestros amigos (aceptar) la invitación.

6. ¡Ojalá que ellos no (empeorarse)!
7. El niño está llorando. No sé si se (haber) hecho daño o no.
8. Si nuestro equipo (haber) ganado el partido, Manuel nos (haber) llamado.

17

La voz pasiva, el gerundio y las formas verbales progresivas

APARTADO UNO: LA VOZ PASIVA

La voz pasiva suele formarse igual que en inglés.

La pelota	**fue**	**tirada**	**por**	**Juan.**
The ball	was	thrown	by	John.

En esta construcción, el sujeto de la oración recibe la acción del verbo; en la voz activa, el sujeto la realiza.

La voz pasiva	Las fotos fueron sacadas por Carlos.
	The photographs were taken by Charles.
La voz activa	Carlos sacó las fotos.
	Charles took the photographs.

I. Formación de la voz pasiva

Como se nota, la voz pasiva se forma con el verbo **ser** y el participio pasivo que concuerda en número y género con el sujeto de la oración. Por lo general, se usa la preposición **por** delante del agente.

La fiesta fue organizada por el señor Ortiz.	*The party was organized by Mr. Ortiz.*
Las fiestas fueron organizadas por el señor Ortiz.	*The parties were organized by Mr. Ortiz.*
Su retrato será pintado por un pintor famoso.	*His portrait will be painted by a famous painter.*
Sus retratos serán pintados por un pintor famoso.	*Their portraits will be painted by a famous painter.*

Ejercicios:

Classical passive voice

A. Complete las oraciones con la forma apropiada del participio pasivo.
   1. La compañía fue (fundar) por los señores Gómez. *fundada*
   2. Esos países han sido (visitar) por muchos turistas. *visitados*
   3. Su cumpleaños será (celebrar) por su familia el lunes. *celebrado*
   4. La invitación fue (aceptar) por el profesor. *aceptada*
   5. Las flores fueron (recoger) por la señora Fernández. *recojidas*
   6. El torneo ha sido (prohibir) por el ayuntamiento. *(city) (govt) prohibido*

B. Traducción
   1. My car has been repaired by a good mechanic.
   2. That book was written by a famous Mexican physician.
   3. The virus was discovered by a group of scientists.
   4. The songs were interpreted by El Trío Tropical.
   5. Those problems were discussed by the women.
   6. The paintings were sold by the heirs.

II. Uso de la preposición *de* en vez de *por*

Cuando el verbo de la oración expresa un sentimiento o emoción, puede usarse la preposición **de** en vez de **por** delante del nombre del agente.

Elena es amada de todos.   *Helen is loved by everyone.*

A veces se usa la preposición **de** con ciertos verbos tales como **rodear,** *to encircle, surround* **seguir, saber** y **conocer** para introducir el agente.

Eran conocidos de todos.   *They were known by everyone.*

(Aun con los verbos arriba mencionados se puede usar la preposición **por**.)

Ejercicio:

A. Complete las oraciones siguientes empleando **por** o **de** delante del nombre del agente.
1. La señora García es respetada _____ *de* _____ todos.
2. México fue conquistado _____ *por* _____ Hernán Cortés.
3. Ese partido político no será reconocido _____ *de/por* _____ el gobierno.
4. El presidente será seguido _____ *de* _____ los miembros de su familia.
5. Manuel es admirado _____ *de* _____ sus amigos.
6. El político fue odiado _____ *de* _____ sus enemigos.

III. Uso de *estar* para indicar el resultado de una acción

Cuando se quiere indicar el resultado de una acción, y no la acción misma, se emplean el verbo **estar** y el participio pasivo que concuerda en número y género con el sujeto de la oración.

La caja está cerrada.   *The box is closed. (Someone has already closed it.)*

Los platos están lavados.   *The plates are washed. (Someone has already washed them.)*

Ejercicios:

A. Traducción
1. The notes are written.
2. The flowers are arranged.
3. Manuel is probably married.
4. The lights are turned off.
5. The bookstore was open.
6. The beds were made.

B. Aplicación personal
1. ¿Están encendidas o apagadas las luces del aula?
2. ¿Estaban abiertas las ventanas cuando usted llegó?
3. ¿Es usted estimado(a) de sus amigos?

205

4. ¿Están terminados todos los ejercicios?
5. ¿Está abierta ahora la librería?
6. ¿Está abierta o cerrada la biblioteca?

IV. Construcciones que se emplean en vez de la voz pasiva

A. Cuando el sujeto se refiere a cosas y no se expresa el agente, se usa la forma **se** + la tercera persona del verbo en la voz activa. El verbo muestra su concordancia con el sujeto que generalmente sigue.

Se vende ropa usada aquí.	*Old clothes are sold here.*
Se venden muebles en esa tienda.	*Furniture is sold in that store.*
Antes se servían hamburguesas muy buenas en ese restaurante.	*Good hamburgers used to be served in that restaurant. (They used to serve . . .)*
Antes se servía vino con la comida.	*Wine used to be served with the meal.*

Ejercicios:

A. Cambie las oraciones siguientes empleando **se** + la forma apropiada del verbo en la tercera persona. Siga el modelo.

> **Toqué el disco.**
> **Se tocó el disco.**

1. Vendimos la finca el sábado pasado.
2. Ganaron el partido fácilmente.
3. Escribimos muchas tarjetas.
4. Nuestro amigo perderá la elección.
5. Metimos las llaves en el cajón.
6. El presidente levantó la sesión.
7. Miguel compró los billetes ayer.

B. Construya las oraciones siguientes empleando **se** + la forma apropiada del verbo en la tercera persona.
1. Packages are wrapped here.
2. French is spoken here.
3. Stamps are sold over there.
4. Watches are repaired here.
5. Fruit was usually purchased here.
6. The meal will be prepared right here.
7. Many houses have been built in that neighborhood.
8. The work had already been finished.

C. Aplicación personal
1. ¿Se habla español en esta clase?
2. ¿Se venden bolígrafos en la librería?

3. ¿Se corrigen los exámenes en la clase?
4. ¿Se escriben los ejercicios en la pizarra? ~ blackboard.
5. ¿Se sirven buenas comidas en la cafetería?
6. ¿A qué hora se cierra la biblioteca? ¿la librería?
7. ¿Se dan muchas conferencias en esta universidad? ¿muchos conciertos?

B. Cuando una persona recibe la acción y no se expresa el agente, se emplea se con el verbo en la tercera persona singular. El recipiente de la acción es el complemento directo del verbo.

Se eligió a Juan.	*John was elected.*
Se invitó a los profesores.	*The professors were invited.*

se funchons es an impersonal subj. = one

Esta construcción puede emplearse también con un pronombre en vez de un sustantivo. Cuando el complemento directo es un pronombre masculino, se usan las formas le o les.

Se la invitó.	*She was invited.*
Se le invitó.	*He was invited.*
Se las interrogó.	*They (women) were questioned.*
Se les interrogó.	*They (men) were questioned.*

C. A veces se emplea la tercera persona plural del verbo en una construcción activa. Esta es el equivalente de la construcción impersonal introducida por *they* en inglés.

Denunciaron al presidente.	*They denounced the president.*
Organizaron las excursiones.	*They organized the excursions.*

Ejercicios:

A. Haga las sustituciones, según el modelo.

> **El candidato fue aceptado.**
> **Se aceptó al candidato.**
> **Se le aceptó.**
> **Aceptaron al candidato.**

1. Las niñas fueron castigadas. *punished* *se castigó a las niñas / se las castigó / castigaron a las niñas*
2. El ladrón fue arrestado.
3. Los miembros serán interrogados.
4. Miguel será reprendido.
5. Carlota fue criticada.
6. Los oficiales serán censurados.

B. Traducción
1. The letters have been destroyed. *se han destruido las cartas.*
2. The strikers were wounded by the police.

Las huelguistas fueron heridas por la policía.

3. Mary has been named queen of the festival.
4. No one was invited by our group.
5. Mr. and Mrs. Garcia have been chosen.
6. The book has been published in France.

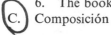

C. Composición

An Accident

Arturo: Did you know that Pepe had an accident three days ago? He was taken to the hospital in an ambulance.
Sarita: Was he seriously hurt?
Arturo: No. His brother said that he broke his left leg, and he thinks he has a torn ligament in the right one. His sister told me that he sprained his right wrist and cut his hand, too.
Sarita: Nothing else?
Arturo: Well, the worst of it is that his car is completely destroyed.
Sarita: Good heavens! Is he at home now?
Arturo: Yes. He was examined by Dr. Ramirez and, according to what I was told, he was sent home this morning.
Sarita: I'm sure that it has been a horrible experience for him.
Arturo: Yes, but he hasn't been forgotten. He's received a lot of cards and flowers.
Sarita: I'm glad. I know Pepe is loved by everyone.
Arturo: Loved by everyone but ... his father shouted to high heaven when he found out what had happened, and he won't forgive him very soon.
Sarita: Poor Pepe!

APARTADO DOS:
EL GERUNDIO SIMPLE

Esta forma verbal invariable es el equivalente del *present participle* en inglés.

I. Formación del gerundio simple

A. Formas regulares

1. Verbos que terminan en **-ar**: Sustitúyase la terminación **-ar** por **-ando**.

hablar	to speak	**hablando**	speaking
estudiar	to study	**estudiando**	studying

2. Verbos que terminan en **-er** e **-ir**: Sustitúyase la terminación **-er** e **-ir** por **-iendo**.

comer	to eat	**comiendo**	eating
escribir	to write	**escribiendo**	writing

B. Formas irregulares

1. Verbos que terminan en -er e -ir cuyo radical termina en una vocal: Se utiliza la terminación **-yendo** en vez de **-iendo**.

leer	to read	**leyendo**	reading
huir	to flee	**huyendo**	fleeing

2. Verbos con cambios de radical cuyo infinitivo termina en **-ir**: Ocurre el mismo cambio de radical que ocurre en las formas plurales de la primera y segunda persona del presente de subjuntivo y en la tercera persona singular y plural del pretérito indefinido.

dormir	to sleep	**durmiendo**	sleeping
morir	to die	**muriendo**	dying
divertirse	to enjoy oneself	**divirtiéndose**	enjoying oneself
repetir	to repeat	**repitiendo**	repeating

3. Otras formas irregulares

decir	to say, to tell	**diciendo**	saying, telling
ir	to go	**yendo**	going
poder	to be able	**pudiendo**	being able
venir	to come	**viniendo**	coming

II. Usos del gerundio simple

A. Para indicar una acción subordinada que ocurre simultáneamente con la acción principal del verbo

Sonriendo y llorando a la vez, las dos se abrazan.	*Smiling and weeping at the same time, the two hug each other.*
La muchedumbre avanzaba, gritando y haciendo gestos de amenaza.	*The crowd advanced, shouting and making menacing gestures.*
*Vi a unas muchachas recogiendo flores.	*I saw some girls picking flowers.*
*Oímos a los estudiantes cantando en las calles.	*We heard the students singing in the streets.*

B. Para construir con el tiempo apropiado del verbo **estar** y otros pocos verbos las formas verbales progresivas (Véase el apartado cuatro de este capítulo.)

—¿Qué estaban haciendo ustedes?	*What were you doing?*
—Estábamos dando de comer al perro.	*We were feeding the dog.*

*Esta construcción puede utilizarse solamente cuando el sujeto del gerundio es el complemento directo de un verbo tal como **oír, ver, sentir**, etc., que indica una impresión recibida por medio de los sentidos, o de un verbo tal como **describir, pintar, representar**, etc., que reproduce estas impresiones.

C. El uso del gerundio simple en español comparado con el uso del *present participle* en inglés

1. A diferencia del inglés, el español no emplea el gerundio como adjetivo. [Dos excepciones son los gerundios **ardiendo** e **hirviendo** (*burning* y *boiling*).]

la máquina de lavar   the washing machine
la muchacha sonriente   the smiling girl
el año que viene   the coming year

> **pero**

el agua hirviendo   the boiling water
los árboles ardiendo   the burning trees

2. En español, no se utiliza el gerundio como sustantivo. El infinitivo tiene esta función. En inglés, el uso del gerundio como sustantivo es muy común.

(El) Cocinar es un arte.	*Cooking is an art.*
(El) Morir es inevitable.	*Dying is inevitable.*
Se prohibe fumar.	*Smoking is forbidden.*

D. Un medio qual hacer en acción; aprendemos el vocabulario estudiandolo todos los dias

III. Posición de los pronombres usados como complementos del gerundio simple

A. Como regla general, los pronombres complementos siguen al gerundio y van unidos a él.

Observé a la muchacha mirándose en el espejo.	*I noticed the girl looking at herself in the mirror.*
Haciéndolo, se sentía muy contento.	*Doing it, he felt very happy.*

B. Cuando el gerundio se utiliza con el verbo **estar** para construir las formas verbales progresivas, los pronombres complementos se unen al gerundio o preceden al verbo principal.

Estamos muriéndonos de hambre. Nos estamos muriendo de hambre.	*We're dying of hunger.*
Estaba besándola. La estaba besando.	*He was kissing her.*

Ejercicios:

A. Escriba el gerundio simple de los verbos que siguen.

1.	apagar	_____	2.	tocar	_____
3.	barrer	_____	4.	coser	_____
5.	sonreír	_____	6.	construir	_____
7.	discutir	_____	8.	leer	_____
9.	creer	_____	10.	ponerse	_____

11. vestirse _____   12. ir   _____
13. ser   _____   14. venir   _____
15. decir   _____   16. poder   _____

B. Complétense las oraciones que siguen.
   1. Te oímos (*laughing*) _____.
   2. Vimos a los muchachos (*playing*) _____.
   3. (*Going down*) _____ la escalera, se cayó y se rompió la pierna izquierda.
   4. Vi a tu hermano (*hitting him*) _____.
   5. Se prohibe (*talking*) _____.
   6. El (*going*) _____ y (*coming*) _____ de los niños le molestó.

APARTADO TRES: EL GERUNDIO COMPUESTO (*COMPOUND PRESENT PARTICIPLE*)

I. Formación del gerundio compuesto

A. Se utiliza el gerundio simple del verbo **haber** más el participio pasivo. (En inglés, se emplea la forma correspondiente del verbo *to have* más el participio pasivo.) Se forma así la construcción: **habiendo** + participio pasivo = *having* + *past participle.*

habiendo contestado having answered
habiendo aprendido having learned
habiendo recibido having received

B. El sujeto del gerundio compuesto, el cual puede ser el sujeto de la oración principal u otro sujeto, sigue a la construcción verbal.

Habiendo terminado su conferencia el profesor, los estudiantes recogieron los libros y salieron.	*When the professor had finished his lecture, the students picked up their books and left.*
Habiendo preparado la comida ella, se sentó a comer.	*After she had prepared the meal, she sat down to eat.*

C. Si el complemento del gerundio compuesto es pronombre, la forma pronominal sigue a **habiendo** y va unida a él.

Habiéndolo examinado con mucho cuidado, ofreció su opinión.	*Having examined it carefully, he offered his opinion.*
Habiéndose despedido de ellos, subió al tren.	*Having said good-bye to them, he climbed into the train.*

II. Uso del gerundio compuesto

Se utiliza para indicar una acción que ocurrió inmediatamente antes de la acción del verbo principal.

Habiendo dicho eso, se levantó.	*Having said that, he got up.*
Habiéndola visto sentada cerca de la ventana, se dirigió a ella.	*Having seen her sitting near the window, he went over to her.*

Ejercicio:

Traducción
1. Having seen what he wanted to see, he left.
2. After they had opened all the gifts, they sat down to eat.
3. After the carpenter had finished the work, Mrs. Gomez paid him.
4. When I had examined it, he asked my permission to take it away with him.
5. Having realized the importance of the project, he decided to keep on working.

APARTADO CUATRO: LAS FORMAS VERBALES PROGRESIVAS

Para indicar que una acción está en progreso, o para poner énfasis en la duración de una acción, se utiliza en español el tiempo apropiado del verbo **estar** en combinación con el gerundio simple. Las construcciones de esta clase son los equivalentes de los *progressive tenses* en inglés. Se forman así: **estar** + el gerundio simple = *to be + present participle.*

Es de suma importancia recordar que estas construcciones se emplean en español solamente para referirse a acciones que están en progreso en el tiempo indicado. Estudie usted con cuidado los ejemplos que siguen.

EN INGLES	EN ESPAÑOL
What are you doing tomorrow?	¿Qué harás mañana?
	¿Qué vas a hacer mañana?
	¿Qué haces mañana?
Is he attending the lecture next week?	¿Asistirá a la conferencia la semana que viene?
	¿Va a asistir a la conferencia la semana que viene?
He was coming at six o'clock, but he had to work until eight.	Iba a venir a las seis, pero tuvo que trabajar hasta las ocho.

212

I. Formación del tiempo progresivo

A. Formas del modo indicativo
1. Los tiempos simples

estoy bailando   I am dancing
estaba bailando   I was dancing
estuve bailando   I was dancing
estaré bailando   I will be dancing
estaría bailando   I would be dancing

2. Los tiempos compuestos

he estado bailando   I have been dancing
había estado bailando   I had been dancing
habré estado bailando   I will have been dancing
habría estado bailando   I would have been dancing

B. Formas del modo subjuntivo
1. Los tiempos simples

que esté bailando   that I am dancing
que estuviera bailando   that I was dancing

2. Los tiempos compuestos

que haya estado bailando   that I have been dancing
que hubiera estado bailando   that I had been dancing

Estuvimos charlando hasta la una.	*We talked (were talking) until one o'clock.*
—¿Estabas preparando la comida cuando te llamé?	*Were you fixing dinner when I called you?*
—No, estaba vistiéndome.	*No, I was getting dressed.*
—¿Estará estudiando Miguel?	*Do you suppose Michael is studying?*
—No, estará jugando al tenis.	*No, he's probably playing tennis.*
—¿Han estado mirando la televisión?	*Have you been watching television?*
—No, hemos estado escuchando discos.	*No, we've been listening to records.*

Notas importantes:

1. No se emplean los gerundios de **estar, ir, ser** o **venir** en esta construcción.

¿Adónde vas?	*Where are you going?*
¿Vienes ahora?	*Are you coming now?*

2. Verbos que indican posición emplean el participio pasivo en vez del gerundio. (En inglés, es más común el uso del gerundio que del participio pasivo.)

Están sentados cerca de la chimenea.	*They are sitting (seated) near the fireplace.*

más ejemplos →

213

Hay tres retratos colgados en la
pared.

*There are three portraits hanging on
the wall.*

Su hermano estaba echado en el
sofá.

Her brother was lying on the sofa.

La señora Alvarez está parada allí
cerca de la puerta.

*Mrs. Alvarez is standing there near
the door.*

*not común(a)
in Spain*

II. Otros verbos que pueden utilizarse con el gerundio para expresar acciones en progreso

Verbos de movimiento, tales como **andar, ir, venir, entrar, llegar,** y verbos que indican la continuación de una acción, tales como **seguir** y **continuar,** pueden utilizarse del mismo modo que el verbo **estar.**

Va cantando por las calles.

*He goes through the streets
singing.*

Vinieron corriendo.

They came running.

Andaba canturreando.

He went along humming.

Me molesta que ustedes sigan
hablando durante el concierto.

*It bothers me that you keep on
talking during the concert.*

Ejercicios:

A. Emplee usted en las oraciones que siguen las formas verbales apropiadas, según las indicaciones.

1. Algunos (*were dancing*) _____, otros (*were singing*) _____, pero yo (*was sitting*) _____ en el sofá medio dormido.

2. La niña vino (*crying*) _____.

3. —¿Qué [*are you doing* (**ustedes**)] _____?
   —(*We're changing our clothes.*) _____. (*We are going*) _____ a una fiesta.

4. —¿Qué [*are you looking for* (**tú**)] _____, querido?
   —(*I'm looking for*) _____ mi chaqueta. (*It was hanging*) _____ aquí ayer.

5. Mientras María (*was writing*) _____ una carta, su hermana Rosa (*was studying*) _____ alemán.

6. (*I am washing their hands.*) _____. *Se los estoy lavando las manos*

7. (*She is cutting his hair.*) _____.

8. Sigue (*playing*) _____ el piano. Me gusta oír la música.

9. —¿Qué (*do you suppose they were doing*) _____?
   —(*They were building*) _____ una casita para el perro.

10. —¿Qué (*do you suppose he was saying*) _____?
    —(*He was probably complaining*) _____ de sus profesores. Lo hace todos los días.

quejarse

B. Composición

Our Good Friend Arthur

Pablo: Tell me, what is our good friend Arthur doing?

Jorge: Arthur? He isn't doing anything now.

Pablo: What was he doing this morning?

Jorge: This morning? He was lying in his bed sleeping.

Pablo: Well, what will he be doing this afternoon?

Jorge: This afternoon? He will be taking a nap or solving the world's problems with his friends.

Pablo: What will he be doing tomorrow morning?

Jorge: He'll be taking a nap, as usual.

Pablo: Well, what *has* he been doing lately?

Jorge: He's been waiting for a check from his parents.

Pablo: And if this check doesn't come?

Jorge: Well, in that case, he will be dreaming about marrying an heiress.

Pablo: I see Arthur is more astute than we thought!

Repaso

A. Forme una sola oración usando un pronombre relativo apropiado.
1. No conozco al hombre. El hombre perdió sus llaves.
2. Vi a la prima de Ernesto. Ella se casó con un dentista.
3. Ayer me encontré con las chicas. Ustedes invitaron a las chicas al baile.
4. ¿Ha visto usted a las señoritas? Salimos con ellas anoche.
5. Allí está el señor Rodríguez. Hablé con él ayer.
6. Ellas son las bailarinas. Hablábamos mucho de ellas.
7. ¿Dónde está la caja? Metimos los recibos en ella.

B. Cambie a preguntas, usando las formas interrogativas apropiadas.
1. El artista cantó tres canciones en francés.
2. Prepararon su plato favorito con mucho cuidado.
3. Estaba pensando en el fin de semana.
4. Estas maletas son de Jorge.
5. Pagamos mucho.
6. Le gustan estas botas.

C. Cambie a la forma negativa.
1. ¿Van ustedes a alguna parte?
2. Algunas personas tienen miedo de las montañas.
3. Roberto tiene fiebre también.
4. Algunos de los miembros votaron por él.
5. Me gustan todos.
6. Alguien lo supo.
7. Siempre tomo vino tinto.
8. ¿Has comido algo?
9. He aquí muchas revistas. He leído algunas.

D. Complete las oraciones siguientes.
1. Carmen es _____ usted piensa.
   (*more intelligent than*)
2. Tu idea es _____ la mía.
   (*better than*)
3. Su esposa gastó _____ ganó él.
   (*more money than*)
4. Su tocadiscos no es _____ éste.
   (*as good as*)
5. No es _____ pensaban.
   (*as easy as*)
6. Mi hermana es _____ yo.
   (*younger than*)

E. Sustituya el infinitivo por la forma apropiada del verbo.

1. ¿Qué sugiere que nosotros (hacer) ahora?
2. Si ustedes no (estar) contentos, nos lo dirían, ¿no?
3. Me presentaron como si (ser) una persona muy importante.
4. Alquilé un coche para que nosotros (visitar) a nuestros amigos.
5. Me gustaría cualquier cosa que usted me (comprar).
6. Si yo (haber sabido) eso, no lo habría vendido.
7. No negaron que Pablo (haber recibido) el dinero.
8. Es verdad que Marta (haber llegado) muy enojada.
9. Con tal que nosotros no (cometer) errores, todo saldrá bien.
10. No dudo que ellos lo (elegir).
11. No es verdad que Teresa (llevar) la delantera.
12. Le he pedido que (mover) todos los muebles.

Cathedral, *Cuzco, Peru*

18

Las preposiciones

La preposición sirve para enlazar dos palabras o frases con el fin de expresar la relación que existe entre ellas. A continuación se presentan algunas de las preposiciones y frases preposicionales más comunes.

PREPOSICIONES	FRASES PREPOSICIONALES
a to, at	**a causa de** because of
ante before (in the presence of)	**a fuerza de** by dint of
bajo under	**a partir de** beginning with
con with	**acerca de** concerning
contra against	**además de** besides
de of, from, by	**al lado de** by the side of
desde since, from	**alrededor de** around (surrounding)
durante during	**antes de** before
en in, on, into	**cerca de** near to
entre between, among	**con respecto a** with regard to
hacia toward	**debajo de** beneath, underneath
hasta until	**delante de** in front of
para for, to, in order to	**dentro de** inside of
por by, through, for	**encima de** on top of
según according to	**fuera de** outside of
sin without	**junto a** next to
sobre on, about (concerning)	**lejos de** far from

I. Verbos que emplean una preposición delante de un infinitivo

Ciertos verbos en español exigen una preposición cuando van seguidos de un infinitivo. A continuación se presentan algunos de estos verbos de uso corriente.

A. Verbo principal + **a** + infinitivo

Generalmente, los verbos de movimiento exigen la preposición **a** delante de un infinitivo.

ir a	**bajar a**
venir a	**subir a**

Bajaron a buscar fósforos.	*They came down to look for matches.*
Vienen a pintar la casa.	*They are coming to paint the house.*

Otros verbos que emplean la preposición **a** delante de un infinitivo son:

acostumbrarse a	**comenzar a**	**invitar a**
aprender a	**detenerse a**	**negarse a**
apresurarse a	**echarse a**	**ponerse a**
atreverse a	**empezar a**	**volver a**
ayudar a	**enseñar a**	

Aprendimos a esquiar en Colorado.	*We learned to ski in Colorado.*
La invité a cenar conmigo.	*I invited her to dine with me.*

B. Verbo principal + **de** + infinitivo

acabar de	**cesar de**	**olvidarse de**
acordarse de	**deber de**	**pensar de**
alegrarse de	**dejar de**	**quejarse de**
arrepentirse de	**haber de**	**tratar de**
		tratarse de

Trataremos de terminarlo cuanto antes. — *We'll try to finish it as soon as possible.*

Deja de hacer eso. — *Stop doing that.*

C. Verbo principal + **en** + infinitivo

consentir en	**insistir en**
consistir en	**pensar en**
convenir en	**quedar en**
empeñarse en	**tardar en**

Convinimos en reunirnos a las dos. — *We agreed to meet at two.*

El avión tardó mucho en llegar. — *The plane was late in arriving.*

D. Verbo principal + **con** + infinitivo

contar con	**entretenerse con**
divertirse con	**soñar con**

Me divertí con leer las tiras cómicas. — *I amused myself by reading the comic strips.*

Había contado con salir a tiempo. — *I had counted on leaving on time.*

Ejercicios:

A. Complete usted las oraciones siguientes usando la preposición apropiada.
1. Me ayudaron _____ mover los muebles.
2. Vienen _____ pasar el fin de semana con nosotros.
3. Se entretenían _____ mirar la televisión.
4. He _____ recibir una condecoración.
5. Se negó _____ decirme lo que había pasado.
6. Soñé _____ ganar el campeonato.
7. Se echaron _____ reír.
8. Te ayudaré _____ servir la comida.

B. Haga oraciones originales empleando los infinitivos siguientes.
1. echarse a
2. acabar de
3. enseñar a
4. quejarse de
5. insistir en
6. soñar con
7. atreverse a
8. volver a

    C. Aplicación personal
1. ¿Sueña usted con hacer un viaje a España este verano?
2. ¿Insiste usted en estudiar antes de mirar la televisión?
3. ¿Quedamos en reunirnos mañana a la misma hora?
4. ¿Se divierte usted con leer las tiras cómicas?
5. ¿Se entretiene con escuchar discos?
6. ¿Había pensado en estudiar esta noche?
7. ¿Se atreve usted a viajar en avión?
8. ¿Ha dejado usted de beber café?
9. ¿Me ayudará a preparar el examen final?
10. Por lo general, ¿tarda usted en llegar a la universidad?

II. Otras construcciones que emplean preposiciones seguidas de infinitivos

    A. **al** + infinitivo

Al verme, me saludó cariñosamente.	*On seeing me, she greeted me affectionately.*
Al levantarme, sentí un dolor en el pecho.	*When I got up, I felt a pain in my chest.*
Al entrar él*, todos lo aplaudieron ruidosamente.	*When he entered, everyone applauded loudly.*

La construcción **al** + infinitivo se emplea en expresiones de tiempo para denotar dos acciones que ocurren al mismo tiempo. **Al** es el equivalente de *on, upon* y *when.*

    B. **de** + infinitivo.

De haberlo sabido antes, no habría ido.	*If I had known it before, I wouldn't have gone.*
De no haber ido al concierto, me habría quedado en casa.	*If I hadn't gone to the concert, I would have stayed at home.*
De tener dinero, haríamos un viaje a Grecia.	*If we had the money, we would take a trip to Greece.*

La construcción **de** + infinitivo tiene valor condicional y puede utilizarse en una oración condicional para reemplazar la oración subordinada introducida por **si**.

    C. **por** + infinitivo

Me quedan dos ejercicios por escribir.	*I have two exercises left to write.*
Todavía tengo muchas diligencias por hacer.	*I still have many errands left to do.*

*En esta construcción, el sujeto (si se expresa) sigue al infinitivo.

La construcción **por** + infinitivo hace referencia a una acción que todavía no ha ocurrido.

Nota: En español, el infinitivo es la forma verbal que sigue a las preposiciones. (En inglés, se emplea el gerundio.)

Ejercicios:

A. Complete las oraciones siguientes usando la preposición apropiada.
   1. _____ haber estudiado más, habría salido mejor en los exámenes.
   2. Todavía me faltan dos páginas _____ completar.
   3. _____ ganar el partido, se hicieron héroes.
   4. Le quedan muchas cosas _____ terminar.
   5. _____ despedirse de su novio, se puso a llorar.
   6. _____ no haber llovido hoy, habríamos ido al parque.
   7. _____ salir, me dio la mano.
B. Complete las oraciones siguientes empleando un infinitivo apropiado.
   1. Lo hice sin _____.
   2. Estoy cansado de _____.
   3. Se empeñó en _____.
   4. Trataron de _____.
   5. Vendrán a _____.
   6. Comieron antes de _____.
   7. Después de _____, se vistió.
   8. ¿Vas a _____?

III. Otros usos de las preposiciones

A. Uso de la preposición **a**
   1. Con complementos directos de persona
      a. Si el complemento directo de un verbo se refiere a una persona específica, o a un animal de interés especial, se emplea la preposición **a** entre el verbo y el sustantivo. (La **a** no se traduce al inglés.)

Conocí a tu primo anoche.	*I met your cousin last night.*
No vimos al señor López.	*We didn't see Mr. Lopez.*
Queremos a nuestro gato.	*We love our cat.*

Por lo general, no se emplea la **a** personal después del verbo **tener**.

El viejo tiene muchos amigos.	*The old man has many friends.*

b. Se emplea la **a** personal cuando el complemento directo del verbo es uno de los pronombres que siguen: **alguien**, **nadie** y **quien(es)**, y, si se refieren a personas, **alguno(-a)** y **ninguno(-a)**.

No oyó a nadie.	*He didn't hear anyone.*
¿A quién vio usted?	*Whom did you see?*
Invitaré a algunos de ellos.	*I'll invite some of them.*

      c. Se usa la **a** personal con cosas personificadas.

Amo a la patria.	*I love my country.*

      d. Cuando el sujeto y el complemento directo se refieren a cosas, conceptos o ideas, se emplea la preposición **a** si existe la posibilidad de ambigüedad.

La amistad atrae a la felicidad.	*Friendship brings happiness.*

    2. En expresiones de tiempo: **A . . . siguiente** significa *on the following . . .* en expresiones tales como éstas.

A la mañana siguiente, me levanté muy tarde.	*On the following morning, I got up very late.*
Al día siguiente, salió para Nueva York.	*On the following day, he left for New York.*

    B. Uso de la preposición **en**: La preposición **en** denota lugar o posición. A veces tiene el significado de *at* en inglés.

No estuvieron en casa.	*They weren't at home.*
La encontré en la estación.	*I found her at the station.*

Nota: Los verbos de movimiento requieren la preposición **a**.

Llegaron a Madrid el martes.	*They arrived in Madrid on Tuesday.*

    C. Uso de la preposición **de**
      1. A veces se usa **de** entre un adjetivo y un infinitivo.

Estamos ansiosos de salir pronto.	*We're anxious to leave soon.*
Fue difícil de hacer.	*It was difficult to do.*

    2. Se emplea **de** para introducir una frase que describe a una persona determinada.

Mi sobrina es la de los ojos pardos.	*My niece is the one with the brown eyes.*
¿Ve usted a la chica del vestido azul?	*Do you see the girl in the blue dress?*

    3. Se emplea **de** para indicar A.M. o P.M. cuando se indica la hora.

Se acostó a las diez de la noche.	*He went to bed at ten p.m.*
Me levanté a las cuatro de la mañana.	*I got up at four in the morning.*

Nota: Si la hora no está indicada, se usa la preposición **por**.

Nunca estudio por la mañana.	*I never study in the morning.*

4. Se usa la preposición **de** para indicar posesión y relaciones de parentesco y amistad.

Soy amigo de Juan.	*I am a friend of John's.*
Es primo de Juana.	*He is a cousin of Jane's.*
La moto es de Pedro.	*It's Peter's motorcycle.*

5. Se emplea la preposición **de** para indicar la materia de que están hechas las cosas y para indicar el origen de una persona.

un cenicero de vidrio	*a glass ashtray*
una falda de algodón	*a cotton skirt*
un hombre de Lima	*a man from Lima*

D. Uso de la preposición **desde**: La preposición **desde** significa *from* o *since* e indica el lugar exacto de donde el sujeto realiza la acción.

Me llamó desde Miami.	*He called me from Miami.*
Fuimos desde Nueva York hasta El Paso en coche.	*We went from New York to El Paso by car.*

Ejercicio:

Emplee una de las preposiciones siguientes en las oraciones que siguen: **a, de, en, por, desde**.

1. Fuimos _____ su casa.
2. Estuvieron _____ la biblioteca.
3. ¿Cuándo llegarán _____ la capital?
4. Estaban esperándome _____ la librería.
5. Se acostó a las nueve _____ la noche.
6. ¿Has visto _____ la chica _____ pelo rubio?
7. ¿Nunca tomas café _____ la noche?
8. Estará _____ su apartamento.
9. _____ la tarde siguiente, partió para el campo.
10. Estuvo _____ el aeropuerto por dos horas.
11. ¿No te gusta trabajar _____ la tarde?
12. Nos veremos _____ el concierto, ¿verdad?

IV. *Por* y *para*

Vamos a comparar los usos de **por** y **para** con el objetivo de eliminar algunas de las confusiones que existen en relación a su uso. Básicamente, se usa **para** para denotar propósito, intento, destino o fin. Se emplea **por** para indicar la causa o el motivo de una acción. Ahora estudiaremos en detalle los usos de estas dos preposiciones.

A. Usos generales de **para**

1. Para expresar el destino de cosas y acciones

Estos emparedados son para usted.	*These sandwiches are for you.*

El camión partió para (rumbo a) Nueva York.	*The truck left for New York.*

2. Para expresar propósito (*in order to*)

Se fueron a las montañas para divertirse.	*They went to the mountains to have a good time.*
Tomé la medicina para aliviar el dolor.	*I took the medicine to relieve the pain.*

3. Para expresar comparaciones

No dibuja mal para una niña de seis años.	*She doesn't draw badly for a child of six years.*
Para un hombre tan gordo, es muy ágil.	*Considering he is such a fat man, he is very agile.*

4. Para expresar el límite de tiempo

Todo esto estará listo para el jueves.	*All this will be ready by (for) Thursday.*
Regresaré para diciembre.	*I'll return by December.*

5. Para indicar un estado o una condición

Estoy listo para correr riesgo.	*I'm ready to take a risk.*
Estamos preparados para hacer el viaje.	*We're ready to take the trip.*

6. Para indicar el uso de las cosas

Tengo seis copas para vino.	*I have six wine glasses.*
¿Dónde está la bandeja para pan?	*Where is the bread tray?*

pero

Tengo una copa de vino.	*I have a glass of wine.*
Tengo una bandeja de pan.	*I have a tray of bread.*

7. Para indicar **en la opinión de, según,** o **en cuanto a**

Para ella, soy un genio.	*In her opinion, I'm a genius.*
Para él, esto no es muy necesario.	*According to him, this isn't very necessary.*
Para nosotros, fue un desastre.	*As far as we're concerned, it was a disaster.*

B. Usos generales de **por**
   1. Para indicar el agente en la voz pasiva

La ley fue aprobada por el congreso.	*The law was approved by the congress.*
El gobernador fue elegido por el pueblo.	*The governor was elected by the people.*

2. Con el significado de *for the sake of*

Haré todo lo que pueda por ellos.	*I'll do all I can for them.*
Votaremos por usted en esta elección.	*We'll vote for you in this election.*

3. Para indicar el modo o medio de hacer algo

Fueron por mar.	*They went by sea.*
Lo envié por correo aéreo.	*I sent it by air mail.*

4. Para indicar el objeto o la causa de una acción

Volví a la oficina por mi abrigo.	*I returned to the office for my coat.*
Fue por el médico.	*He went for the doctor.*
Lucharon por sus ideales.	*They fought for their ideals.*

5. Para expresar **a través de** o **a lo largo de**

Entraron por la puerta principal.	*They entered by the main door.*
Caminaron por la orilla del mar.	*They walked along the seashore.*

6. Para expresar tiempo aproximado (*around*) y para expresar el tiempo que dura una acción

Me quedaré por tres días.	*I'll stay for three days.*
Regresará por diciembre.	*He'll return around December.*

7. Para indicar *in exchange for*

Gracias por la ayuda.	*Thanks for your help.*
Le di veinte dólares por el tocadiscos.	*I gave him twenty dollars for the record player.*

8. Como equivalente de *per* en inglés

Maneja siempre a cincuenta kilómetros por hora.	*He always drives at fifty kilometers an hour.*
El dos por ciento no es suficiente.	*Two percent is not enough.*

9. En ciertos modismos

¡por Dios! for heaven's sake!
Por (de) nada. Don't mention it.
por favor please
por ejemplo for example
por consiguiente therefore, as a result
estar por (a favor de) to be in favor of

Nota:

Estábamos por comprar aquella casa.	*We were in favor of buying that house.*
Estábamos para salir cuando llegaron.	*We were about to leave when they arrived.*

Ejercicios:

A. Conteste las preguntas siguientes, escogiendo una de las alternativas.
    1. ¿Se quedaron por una semana o por dos?
    2. ¿Necesitará este abrigo para el viernes o para el sábado?
    3. ¿Estabas por asistir al concierto o por visitar el museo?
    4. ¿Salieron para Chicago o para Nueva York?
    5. ¿Entraste por la puerta principal o por la de atrás?
    6. ¿Fueron ustedes a su casa para estudiar o para divertirse?
    7. ¿Hablaba por sí mismo o por ellos?

B. Llénense los espacios en blanco, según las indicaciones.
    1. Me dio veinte dólares (*for my record player*) _____.
    2. Hemos comprado estas sillas (*for the kitchen*) _____.
    3. Esperábamos que lo tuviera (*by Monday*) _____.
    4. Elena es muy fuerte (*for a little girl*) _____.
    5. Andaban (*along the road*) _____.
    6. Había vivido en Arizona (*for six months*) _____.
    7. Fuimos (*for the police*) _____.
    8. Los novios pidieron vasos (*for wine*) _____.
    9. Lo habrán terminado (*by the 30th*) _____.

C. Escoja usted entre **por** o **para**.
    1. El presidente pasará _____ esta calle a las diez.
    2. ¿Cómo mandaron las cartas? ¿_____ avión?
    3. El señor Salinas partió ayer _____ Guatemala.
    4. ¿_____ qué sirve esto?
    5. No hay muchos coches _____ esta avenida.
    6. Todo esto es _____ nosotros.
    7. Mi esposo está enfermo. _____ eso, no podrá asistir a la reunión.

D. Traducción
    1. How much will you give me for this guitar?
    2. There are a lot of curves along this road.
    3. It gets hot around July.
    4. I practice for an hour and a half.
    5. For a diamond, it doesn't glitter much.
    6. He was studying to be an engineer.

E. Aplicación personal
    1. ¿Prefiere usted tener clases por la mañana, por la tarde, o por la noche?
    2. ¿Verá usted a algunos de sus amigos esta noche?
    3. Cuando termine sus estudios este año, ¿saldrá para otro lugar, o se quedará usted aquí?
    4. Al despertarse por la mañana, ¿está de buen o mal humor?

5. En su opinión, ¿es mejor trabajar para vivir o vivir para trabajar?

6. ¿Volverá a estudiar español el año que viene?

7. Si fuera posible hacerlo, ¿se atrevería a hacer un viaje a la luna? ¿al planeta Marte?

8. ¿Piensa usted mucho en el futuro? ¿en el pasado?

9. ¿Se queja usted, a veces, de tener que estudiar tanto?

10. ¿Se siente usted más cansado(a) a las seis de la mañana o a las seis de la tarde?

11. ¿Es largo el viaje desde Madrid hasta Buenos Aires?

12. ¿Es preferible casarse por amor o por dinero?

F. Composición

A Present for Conchita

Raul: Let's buy a present for Conchita!

Carlos: O.K. I've been thinking about her for a long time. If Mike can work for me this afternoon, we can do it right now. After working all day, I don't feel like going shopping.

Raul: What did we give her last year?

Carlos: A pair of earrings. She lost them right away, but she didn't dare tell us.

Raul: Shall we buy her another pair?

Carlos: I'm in favor of buying something more original.

Raul: Shall we invite her to have dinner with us tonight?

Carlos: If you like. What do you think of that restaurant near her apartment?

Raul: They serve good meals there. Do you want me to pick her up?

Carlos: Don't you remember? She agreed to meet us at the library at six. We were going to eat hamburgers together and then take a walk through the park.

Raul: Of course! I've been thinking so much about the finals (**exámenes de fin de curso**) that I forgot!

Repaso

A. Emplee usted una forma interrogativa en las preguntas que siguen.
1. ¿ _____ es un astronauta?
2. ¿ _____ es el cajón para los cubiertos?
3. ¿ _____ dólares ganaste el mes pasado?
4. ¿En _____ no confías?
5. ¿ _____ de los pañuelos prefiere? ¿éstos o aquéllos?
6. ¿ _____ es un planeta?
7. ¿ _____ te ayudaron?
8. ¿A _____ insistió en llamar?
9. ¿De _____ vienen ustedes? ¿de la oficina?
10. ¿ _____ iban Roberto y Miguel? ¿a la conferencia?

B. Traducción
1. The man was putting air in the tires.
2. He kept on wiping the windshield.
3. I heard the dog barking.
4. She said that she had been reading both novels at the same time.
5. They had been sitting in the corner.
6. We saw the people leaving the theater.
7. Having read the report, we understood the problem.
8. The letters will be sent by air mail.
9. The music will be played by three young men.
10. The children were taken to the dentist yesterday.
11. Her birthday was celebrated last Sunday.
12. The pictures are hanging in the living room.

C. Cambie al subjuntivo o al indicativo, según corresponda.
1. Se lo daré a cualquier persona que lo (pedir).
2. Antes de que Carlos te (recoger), dile que (llamar) a su mamá.
3. Si usted lo (haber) hecho, hubiéramos estado más contentos.
4. Si usted no (recibir) una invitación, avíseme.
5. ¿Hay alguien aquí que (conocer) al alcalde?
6. Le pidió a ella que (apresurarse) un poquito más.
7. No la vi cuando (asistir) a la conferencia.

D. Complétense las oraciones que siguen.
1. Su enfermedad era más grave _____ (*than we thought*).
2. La situación era menos peligrosa _____ (*than they had expected*).
3. (*The . . . as well as the . . .*) _____ los jóvenes _____ los viejos reconocen la existencia del problema.
4. (*The more . . . the more . . .*) _____ tiene, _____ quiere.

5. (*fewer . . . than*) El Canadá tiene _____ habitantes _____ los Estados Unidos.

6. La librería vendió (*more than*) _____ cincuenta ejemplares de su última novela.

7. Aunque estamos (*rather*) _____ cansados, no estamos aburridos.

8. —¿Estás (*as*) _____ contenta (*as*) _____ yo?
   —¡Cómo no! Hoy es uno de (*the best days in my life*) _____ _____. ¡Vamos a celebrar un poco!

Términos gramaticales

adjetivo calificativo   descriptive adjective
adjetivo demostrativo   demonstrative adjective
adjetivo determinativo   determinative adjective (limiting adj.)
adjetivo posesivo   possessive adjective
adverbio   adverb
artículo definido   definite article
artículo indefinido   indefinite article
complemento directo   direct object
complemento indirecto   indirect object
concordancia   agreement
formas verbales progresivas   progressive forms of the verb
género   gender
gerundio   gerund
interrogativos   interrogatives
mandatos de cortesía   formal commands
mandatos indirectos   indirect commands
modo   mood
modo imperativo   imperative mood
modo indicativo   indicative mood
modo subjuntivo   subjunctive mood
negación   negation
oración   sentence
oración principal   independent clause
oración subordinada   dependent clause
participio pasivo   past participle
pronombre demostrativo   demonstrative pronoun
pronombre recíproco   reciprocal pronoun
pronombre reflexivo   reflexive pronoun
pronombre sujeto   subject pronoun
sustantivo   noun
tiempos compuestos   compound tenses
  condicional perfecto   conditional perfect
  futuro perfecto   future perfect
  pluscuamperfecto de indicativo   pluperfect indicative (past perfect)
  pluscuamperfecto de subjuntivo   pluperfect subjunctive
  pretérito anterior   past anterior indicative
  pretérito perfecto de indicativo   present perfect indicative
  pretérito perfecto de subjuntivo   present perfect subjunctive
tiempos simples   simple tenses
  condicional   conditional
  futuro   future
  imperfecto de subjuntivo   imperfect subjunctive
  presente de indicativo   present indicative
  pretérito imperfecto de indicativo   imperfect
  pretérito indefinido de indicativo   preterite
voz activa   active voice
voz pasiva   passive voice

ESPAÑOL–INGLES

A

a, *prep.* to, at, in; **a las ocho** at eight o'clock; **a la francesa** in the French style

a eso de about (in time expressions)

a fines de toward the end of

a fondo thoroughly

a la vez at the same time

a lo largo de along, the length of

a lo lejos in the distance

a más tardar at the latest

a menos que, *conj.* unless

a partir de starting with; **a partir de hoy** from today on

a propósito by the way

a tiempo on time

a veces at times

abajo, *adv.* down, downstairs; **calle abajo** down the street

abogado, *m.* lawyer

abrelatas, *m.* can opener

abrigo, *m.* overcoat

abrir, *v.* open

abstenerse [de], *v.* refrain [from]

abuela, *f.* grandmother

abuelo, *m.* grandfather

aburrido, *adj.* boring, bored

aburrir, *v.* bore; **aburrirse** get bored

acabar, *v.* finish; **acabar [de]** + *inf.* have just + *p.p.*; **acabar por** end by; **Se acabó.** It's over. That's the end of it.

accidente, *m.* accident

aceptar, *v.* accept

acompañar, *v.* accompany, go with

aconsejar, *v.* advise (give advice); **aconsejarle a uno que** + *subj.* advise someone to + *inf.*

acordarse (ue) [de], *v.* remember

acostar (ue), *v.* put to bed; **acostarse** go to bed

acostumbrarse [a], *v.* become accustomed [to]

actor, *m.* actor

actriz, *f.* actress

actuar, *v.* act (perform a function)

además, *adv.* besides; ——— **de,** *prep.* besides

adentro, *adv.* inside

admirar, *v.* admire

advertir (ie), *v.* notify, warn

aeropuerto, *m.* airport

afeitarse, *v.* shave oneself

Africa, *f.* Africa

africano, *adj.* African

afuera, *adv.* outside

agente, *m.* agent; — **de viajes** travel agent

agosto, *m.* August

agradable, *adj.* pleasant, agreeable

agua, *f.* water

agudo, *adj.* sharp

águila, *f.* eagle

ahora, *adv.* now; — **mismo** right now

ahorrar, *v.* save (money)

al aire libre in the fresh air; outdoors

al contrario on the contrary

al día siguiente on the following day

al otro día the next day

alcalde, *m.* mayor

alcoba, *f.* bedroom

alegrar, *v.* brighten, make cheerful; **alegrarse de** be glad to; **alegrarse de que** + *subj.* be glad that

alemán, *adj.* German

alemán, *m.* German, German language

Alemania, *f.* Germany

alfombra, *f.* carpet, rug

algo, *pron.* something; — + *adj.* rather + *adj.*

algodón, *m.* cotton

alguien, *pron.* someone, somebody

alguno (algún), alguna, *adj.* some; **de algún modo** in some way; **alguna vez** ever, at some time or other

alguno, *pron.* someone (of a group), some

almacén, *m.* department store

almorzar (ue), *v.* lunch, eat lunch

alquilar, *v.* rent

alrededor de, *prep.* around (surrounding)

alto, *adj.* tall, high, loud; **en voz alta** aloud

aluminio, *m.* aluminum

allá, *adv.* there (far away in time or space); **más allá** farther on

allí, *adv.* there; **por allí** over there, around there

amable, *adj.* kind, nice

amar, *v.* love

ambos, *pron.* y *adj.* both

amigo (amiga), *m.* y *f.* friend

amor, *m.* love

ampliar, *v.* expand

amueblado, *adj.* furnished

andar [por], *v.* walk along

anécdota, *f.* anecdote

anillo, *m.* ring

animar, *v.* encourage; **animarse** be encouraged, take heart

anoche, *adv.* last night

ante, *m.* suede, elkskin

anteanoche, *adv.* the night before last

anteayer, *adv.* the day before yesterday

antes, *adv.* before, formerly; **antes de,** *prep.* before; **antes de que,** *conj.* before

antiguo, *adj.* ancient, former, old (of long standing)

antipático, *adj.* not nice, disagreeable

anuncio, *m.* advertisement, announcement

año, *m.* year

apagar, *v.* turn off, put out

aparecer (aparezco), *v.* appear

apartamento, *m.* apartment

aplaudir, *v.* applaud

aplausos, *m. pl.* applause

aprender [a], *v.* learn [to]

apresurarse [a], *v.* hasten [to], hurry [to]

aprisa, *adv.* fast, quickly

apurarse, *v.* hurry up

aquel, aquella, aquellos(-as), *adj.* that (those) over there (distant in space or time)

aquí, *adv.* here

árbol, *m.* tree

argentino, *adj.* Argentinean

arreglar, *v.* fix

arreglo, *m.* arrangement

arrepentirse (ie) [de], *v.* repent [of]

arrestar, *v.* arrest

arriba, *adv.* up, upstairs; **de arriba abajo** from top to bottom

arte, *m.* y *f.* art; **bellas artes** fine arts

artefacto, *m.* artifact

artículo, *m.* article

artista, *m.* y *f.* artist

asesinar, *v.* murder

así, *adv.* thus, so, in this way, like this; **así que,** *conj.* as soon as

asiento, *m.* seat; — **delantero** front seat; — **trasero** back seat

asignatura, *f.* course (subject)

asistir [a], *v.* attend (go to)

aspiradora, *f.* vacuum cleaner

astronómico, *adj.* astronomical

asumir, *v.* assume

asunto, *m.* matter, affair, subject

asustar, *v.* frighten

atender (ie), *v.* take care of (wait on)

atraer, *v.* attract

atrás, *adv.* back, behind; **puerta de atrás** back door

atrasado, *adj.* slow (watch, clock)

atreverse [a], *v.* dare [to]

aula, *f.* classroom

aumentar, *v.* increase

aún, *adv.* yet, still

aunque, *conj.* although, even though

autobús, *m.* bus

autor, *m.* author

avenida, *f.* avenue

avergonzado, *adj.* ashamed, embarrassed

avergonzar, *v.* embarrass, shame

avión, *m.* airplane

avisar, *v.* notify

ayer, *adv.* yesterday

ayudar [a], *v.* help [to]

ayuntamiento, *m.* city government, town hall

azúcar, *m.* sugar

azul, *adj.* blue

B

bailador (bailadora), *m.* y *f.* dancer

bailar, *v.* dance

bailarín (bailarina), *m.* y *f.* professional dancer

baile, *m.* dance

bajar, *v.* go down, go downstairs, take down; bajar de get off (train), get out of (car)

bajo, *adj.* short, low; en voz baja in a low voice

banco, *m.* bank

bandera, *f.* flag

bañarse, *v.* take a bath

barato, *adj.* cheap, inexpensive

barca, *f.* small boat, launch

barco, *m.* boat, ship

barrer, *v.* sweep

barrio, *m.* neighborhood

básquetbol, *m.* basketball

bastante, *adv.* y *adj.* enough, quite

beber, *v.* drink

bebida, *f.* drink

beca, *f.* scholarship

becerro, *m.* calfskin

béisbol, *m.* baseball

biblioteca, *f.* library

bien, *adv.* well

bienvenida, *f.* welcome; dar la bienvenida to welcome; ¡ Bienvenidos todos ! Welcome to all!

billete, *m.* ticket, bill (money)

biología, *f.* biology

bisabuelos, *m. pl.* great grandparents

blanco, *adj.* white

blusa, *f.* blouse

boleto, *m.* ticket (Am.)

bolígrafo, *m.* pen (ball-point)

bolsa, *f.* purse, pocketbook

bolsillo, *m.* pocket

bomba, *f.* bomb

bonito, *adj.* pretty

borrador, *m.* eraser

bota, *f.* boot

botella, *f.* bottle

brazo, *m.* arm

brillar, *v.* shine

Buenas noches. Good evening; Buenas tardes. Good afternoon.

bueno, *adj.* good

Buenos días. Good morning.

bufanda, *f.* scarf

buscar, *v.* look for, get (pick up someone or something)

C

caber (quepo), *v.* fit, have enough room; No cabe duda. There is no doubt.

cabeza, *f.* head

caer (caigo), *v.* fall; caerse fall down

café, *m.* coffee, café

cafetería, *f.* cafeteria

caja, *f.* box, case; caja de ahorros savings bank

cajón, *m.* drawer, large box

calcetín, *m.* sock (clothing)

caliente, *adj.* hot

callarse, *v.* become quiet, keep silent

calle, *f.* street

cama, *f.* bed

cámara, *f.* camera

camarero(-a), *m.* y *f.* waiter (waitress)

cambiar, *v.* change, exchange; cambiar de opinión change one's opinion; cambiarse de ropa change one's clothes

cambio, *m.* change
caminar, *v.* walk
camión, *m.* truck, bus (Mexico)
camionero, *m.* truckdriver
camisa, *f.* shirt
campaña, *f.* campaign
campeonato, *m.* championship
campestre, *adj.* country, rural
campo, *m.* country (as opposed to city)
candidato, *m.* candidate
cansado, *adj.* tired
cansar, *v.* tire; **cansarse** get tired
cantante, *m.* y *f.* singer
cantar, *v.* sing
cantidad, *f.* amount, quantity
capaz [de], *adj.* capable [of]
capital, *f.* capital (city)
capital, *m.* capital (money)
caro, *adj.* expensive
carta, *f.* letter (communication); **cartas** playing cards
cartera, *f.* wallet, briefcase
cartero, *m.* postman
casa, *f.* house, home; **en casa** at home; **ir (volver) a casa** go (return) home
casarse [con], *v.* get married [to]
castigar, *v.* punish
católico, *adj.* Catholic
celebrar, *v.* celebrate; **celebrarse** be celebrated, take place
célebre, *adj.* famous
cena, *f.* dinner
cenar, *v.* have dinner, dine
censurar, *v.* censure
centro, *m.* center; **ir al centro** go downtown
cepillo, *m.* brush (for hair, clothes, etc.)
cerca, *f.* fence
cerca, *adv.* nearby; **cerca de,** *prep.* near
cerrar (ie), *v.* shut; **cerrar con llave** lock
cerveza, *f.* beer

cesar de + *inf.,* *v.* stop + *pres. part.*
césped, *m.* grass, lawn
ciento (cien), *adj.* a hundred, one hundred
cierto, *adj.* a certain, certain, true; **Es cierto.** It is true.
cine, *m.* movie theater
circo, *m.* circus
ciudad, *f.* city
civilización, *f.* civilization
claro, *adj.* clear; **Claro que sí (no).** Of course (not).
clase, *f.* class, kind, sort
clave, *f.* key (explanation)
clima, *m.* climate
cobrar, *v.* charge, collect; **cobrar un cheque** cash a check
cocina, *f.* kitchen
cocinar, *v.* cook
coche, *m.* car
coger, *v.* catch, seize
colgar (ue), *v.* hang (suspend); **estar colgado** be hanging
collar, *m.* necklace
comenzar (ie) [a], *v.* begin [to]
comer, *v.* eat
comestibles, *m. pl.* food, groceries
comida, *f.* meal
como de costumbre as usual
como si as if
como siempre as always, as usual
comodidad, *f.* comfort, convenience
cómodo, *adj.* comfortable
compañero, *m.* companion; **— de clase** classmate; **— de cuarto** roommate
compañía, *f.* company
completar, *v.* complete, finish
completo, *adj.* complete
complicado, *adj.* complicated
componer (compongo), *v.* fix (repair)
comprar, *v.* buy
comprender, *v.* understand
comprometerse [a], *v.* promise [to]

con tal que, *conj.* provided that
concierto, *m.* concert
condecoración, *f.* decoration (medal)
conducir (conduzco), *v.* drive, lead, conduct
conferencia, *f.* lecture
confesar (ie), *v.* confess
confiar (confío) [en], *v.* rely [on]
confundido, *adj.* confused
conocer (conozco), *v.* know (a person), be familiar with, meet for the first time
conseguir (i), *v.* get, obtain; **— empleo** get work
consejero, *m.* advisor
consejo, *m.* piece of advice; **consejos** advice
consentir (ie) [en], *v.* consent [to]
consistir en, *v.* consist of
construir (construyo), *v.* build, construct
consultar, *v.* consult
contar (ue), *v.* count, tell, relate; **— una historia** tell a story; **— con** count on, rely on
contemporáneo, *adj.* contemporary
contento, *adj.* happy (contented)
contestar, *v.* answer, reply; **— que sí (no)** answer yes (no)
continuar (continúo), *v.* continue
contribuir (contribuyo), *v.* contribute
conveniente, *adj.* convenient, suitable
convenir [en], *v.* agree [to]
convertirse (ie) en, *v.* turn into, become
corazón, *m.* heart
corregir (i), *v.* correct
correr, *v.* run; **correr (el) riesgo de** run the risk of
cortar, *v.* cut; **cortarse (el pelo, el dedo,** etc.) cut (one's hair, finger, etc.)
cortés, *adj.* courteous
cosa, *f.* thing; **otra cosa** something else
coser, *v.* sew
costar (ue), *v.* cost; **costarle trabajo a uno** be difficult for one

costumbre, *f.* custom; **de —** usual, usually; **como de —** as usual
crecer (crezco), *v.* grow
creer, *v.* believe, think
crema dental, *f.* toothpaste
crimen, *m.* crime
crisis, *f.* crisis
crítica, *f.* criticism
criticar, *v.* criticize
crítico, *adj.* critical
crueldad, *f.* cruelty
cuaderno, *m.* notebook
cuadro, *m.* picture, painting
cual, *rel. pron.* which; **el (la) cual, los (las) cuales** which, who; **¿ cuál ?, ¿ cuáles ?,** *interr.* which? what?
cualidad, *f.* quality
cualquier (-a), *adj. y pron.* any, whichever, anyone
cuando, *adv. y conj.* when; **¿ cuándo ?,** *interr.* when?
cuanto, *adj. y pron.* as much as, as many as, all that; **cuanto antes** as soon as possible; **en cuanto,** *conj.* as soon as; **en cuanto a** as for, with regard to; **cuanto más (menos) . . . tanto más (menos) . . .** the more (less) . . . the more (less) . . . ; **¿ cuánto ?,** *interr.* how much?; **¿ cuántos ?** how many?
cuarto, *m.* room
cuarto, *adj.* fourth
cubierto, *m.* place setting
cubrir, *v.* cover
cuchara, *f.* spoon
cuenta, *f.* bill (to be paid)
cuento, *m.* story, tale, short story
cuidadoso, *adj.* careful
cuidar de, *v.* take care of, watch over; **cuidarse** to be careful
cultura, *f.* culture
cumpleaños, *m.* birthday
cuyo, *rel. adj.* whose

CH

chaqueta, *f.* jacket
charlar, *v.* chat, talk

cheque, *m.* check; **cobrar un cheque** cash a check

chica, *f.* girl

chico, *m.* boy

chillón (chillona), *adj.* shrill

la China, *f.* China

chino, *adj.* Chinese

chocar con, *v.* collide with

chocolate, *m.* chocolate

D

dar *v.* give; **dar a** face (direction); **dar de comer** feed; **darle cuerda a** wind (clock, watch); **darse cuenta de** realize (be aware of); **dar un paseo** take a walk (ride)

datar de, *v.* date from

datos, *m. pl.* data, facts

de, *prep.* of, from, by; **de ahora en adelante** from now on; **de antemano** beforehand, ahead of time; **de cuando (vez) en cuando** from time to time; **de hoy en ocho días** a week from today; **de hoy en quince días** two weeks from today; **de lo que** than; **de lujo** deluxe; **de repente** suddenly

debajo de, *prep.* underneath

deber, *m.* duty

deber, *v.* owe, have to, ought; **deber de** must be, probably be; **deberse a** be due to

decano, *m.* dean

decidir, *v.* decide; **decidirse a** make up one's mind to

décimo, *adj.* tenth

decir (digo), *v.* say, tell; **decir que no (sí)** say no (yes)

dedo, *m.* finger; **dedo de pie** toe

dejar, *v.* permit, leave behind, let go; **dejar de** stop, fail to, cease to

delante de, *prep.* in front of

delgado, *adj.* slender

delinquir (delinco), *v.* be guilty

demás, *adj.* the rest of, the other; **los demás obreros** the other workmen; **lo demás,** *pron.* the rest of it; **los (las) demás** the others

demasiado, *adj.* too much, too many; *adv.* too much

democracia, *f.* democracy

demócrata, *m. y f.* democrat

democrático, *adj.* democratic

demorar, *v.* delay

dentista, *m. y f.* dentist

denunciar, *v.* denounce

depender [de], *v.* depend [on]

dependiente (dependienta), *m. y f.* clerk (in a store)

deporte, *m.* sport

derecho, *m.* right (privilege); **derechos de matrícula** registration fees

desagradable, *adj.* disagreeable

desastroso, *adj.* disastrous

desayunarse, *v.* have breakfast

desayuno, *m.* breakfast

descansar, *v.* rest

describir, *v.* describe

descubrimiento, *m.* discovery

descubrir, *v.* discover

descuidado, *adj.* careless

desde, *prep.* since; **desde entonces** since then; **desde hace** for (in time expressions); **desde luego** of course; **desde luego que no** of course not

desgraciadamente, *adv.* unfortunately

desilusionado, *adj.* disillusioned

despacio, *adv.* slowly

despectivo, *adj.* derogatory

despedirse (i) [de], *v.* say good-bye [to]

despertador, *m.* alarm clock; **Sonó el —.** The alarm rang.

despertar (ie), *v.* wake someone; **despertarse** wake up

después, *adv.* afterwards; **después de,** *prep.* after; **después de que,** *conj.* after

destruir (destruyo), *v.* destroy

detener (detengo), *v.* stop; **detenerse [a]** stop [to]

detrás de, *prep.* behind

devolver (ue), *v.* return (something)

día, *m.* day; **todo el día** all day long; **todos los días** every day

diamante, *m.* diamond

diario, *m.* newspaper

diccionario, *m.* dictionary

dichoso, *adj.* happy, lucky, annoying, bothersome

diciembre, *m.* December

diente, *m.* tooth

dieta, *f.* diet

diferencia, *f.* difference

diferente, *adj.* different

difícil, *adj.* difficult

dilema, *m.* dilemma

diligente, *adj.* hard-working, diligent

dineral, *m.* lots of money

dinero, *m.* money; **ganar dinero** earn money; **ahorrar dinero** save money

dirigir (dirijo), *v.* direct; **dirigirse a** address (a person), go toward

disco, *m.* record (phonograph)

discurso, *m.* speech

discutir, *v.* discuss, argue

disfrutar de, *v.* get pleasure from, enjoy

dispuesto, *adj.* ready, prepared; **estar dispuesto a** be inclined to, be ready to

disputa, *f.* dispute

distinguir (distingo), *v.* distinguish

distribuir (distribuyo), *v.* distribute

divertido, *adj.* enjoyable, amusing

divertir (ie), *v.* amuse; **divertirse** amuse oneself, enjoy oneself

documento, *m.* document

dólar, *m.* dollar

doler (ue), *v.* ache; **dolerle a uno** cause pain to someone

dolor, *m.* pain, ache, sorrow

domingo, *m.* Sunday

donde, *adv.* where; **adonde** [to] where; **de donde** from where; **¿dónde?** *interr.* where?

dormido, *adj.* asleep

dormir (ue), *v.* sleep; **dormirse** to go to sleep; **dormir como un tronco** sleep like a log

drama, *m.* drama

duda, *f.* doubt; **No hay duda de que . . .** There is no doubt that; **sin duda** doubtless, without a doubt

dudar, *v.* doubt

dueño, *m.* owner

dulce, *adj.* sweet

dulce, *m.* piece of candy; **dulces** candy

durante, *prep.* during

E

economía, *f.* economy

económico, *adj.* economic

el Ecuador, *m.* Ecuador

echar de menos, *v.* miss (feel nostalgia for); **echarse a** begin to; **echar una siesta** take a nap

edificio, *m.* building

editorial, *m.* editorial

ejemplo, *m.* example; **por ejemplo** for example

ejercicio, *m.* exercise

elegir (elijo), *v.* elect, choose

emigrante, *m.* emigrant

empeñarse en, *v.* insist upon

empeorarse, *v.* get worse

empezar (ie) [a], *v.* begin [to]

en, *prep.* in, into, on, at; **en absoluto** absolutely not; **en casa** at home; **en caso de que,** *conj.* in case; **en cuanto,** *conj.* as soon as; **en cuanto a mí** as far as I'm concerned

en el extranjero abroad

en primer lugar in the first place

en realidad actually

en seguida at once, immediately

en vez (lugar) de instead of

enamorarse [de], *v.* fall in love [with]; **estar enamorado [de]** be in love [with]

encantador (encantadora), *adj.* charming

encantarle a uno, *v.* delight

encargarse de, *v.* take charge of

encender (ie), *v.* light, turn on (light, radio, television)

encontrar (ue), *v.* find; **encontrarse con** meet, run across

energía, *f.* energy

enfadarse, *v.* get angry

enfermera, *f.* nurse

enfermo, *adj.* sick

enfrente de, *prep.* in front of

enojarse, *v.* get annoyed

enorme, *adj.* enormous, huge

ensalada, *f.* salad

ensayo, *m.* essay

enseñar [a], *v.* teach [to]

entender (ie), *v.* understand

entonces, *adv.* then (at that moment, in that case)

entrada, *f.* ticket, admission, entrance

entrar en, *v.* enter

entregar, *v.* hand in, hand over, deliver

entretenerse [con], *v.* entertain oneself [by], amuse oneself [by]

entusiasmo, *m.* enthusiasm

enviar (envío), *v.* send

equipado, *adj.* equipped; **bien —** well-equipped

equipo, *m.* team

equivocarse, *v.* make a mistake

error, *m.* error

escalera, *f.* stairs, staircase

escaparse [de], *v.* escape [from]

escoger (escojo), *v.* choose

escribir, *v.* write; **— a máquina** typewrite

escritor (escritora), *m.* y *f.* writer

escritorio, *m.* desk

escuchar, *v.* listen, listen to

escuela, *f.* school; **— de verano** summer school

ese, esa, *pron.* y *adj.* that, that one; **esos, esas** those

eso, *pron.* that (idea), that thing

España, *f.* Spain

esparcir (esparzo), *v.* spread, scatter

espejo, *m.* mirror

esperar, *v.* hope, expect, wait, wait for

espiritual, *adj.* spiritual

esposa, *f.* wife

esposo, *m.* husband

esquiar, *v.* ski

esquina, *f.* corner (street)

estacionar, *v.* park

estallar, *v.* explode, burst

estante, *m.* bookcase

estar, *v.* be; **estar de acuerdo** agree; **estar de buen (mal) humor** be in a good (bad) mood; **estar de vuelta** be back; **estar para** + *inf.* be ready + *inf.*; **estar por** be in favor of; **estar por** + *inf.* still to be + *p.p.*

este, esta, *adj.* y *pron.* this, this one; **estos, estas** these; **este, esta, estos, estas** the latter

estilo, *m.* style

estimar, *v.* regard highly, esteem

esto, *pron.* this (idea or thing)

estrecho, *adj.* narrow

estrella, *f.* star

estudiante, *m.* y *f.* student

estudiar, *v.* study

estudios, *m. pl.* studies

Europa, *f.* Europe

europeo, *adj.* European

exacto, *adj.* exact

examen, *m.* test, exam

experiencia, *f.* experience

explicar, *v.* explain

expresar, *v.* express

expresivo, *adj.* expressive

extranjero, *adj.* foreign; **—,** *m.* foreigner; **en el —** abroad

F

fábrica, *f.* factory

fácil, *adj.* easy

faltar, *v.* be lacking or missing; **faltarle a uno** be lacking to someone; **Me falta dinero.** I haven't money; **faltar a la clase** miss (skip) class

familia, *f.* family

fantasma, *m.* ghost

fantástico, *adj.*   fantastic
farmacia, *f.*   pharmacy, drugstore
favor, *m.*   favor; **pedirle a uno un favor** ask someone a favor
favorito, *adj.*   favorite
fe, *f.*   faith
felicitaciones, *f. pl.*   congratulations
felicitar, *v.*   congratulate
feliz, *adj.*   happy
fenómeno, *m.*   phenomenon
feo, *adj.*   ugly
fiarse (me fío) [de], *v.*   trust, have faith [in]
fiebre, *f.*   fever
fiesta, *f.*   party, festival
fila, *f.*   row (line)
fin, *m.*   end
finca, *f.*   farm
físico, *adj.*   physical
flamante, *adj.*   brand-new, shiny new
flor, *f.*   flower
flotante, *adj.*   floating
fondo, *m.*   bottom, depth
formular, *v.*   formulate
fósforo, *m.*   match; **encender un —** light a match
foto, *f.*   photo
fotografía, *f.*   photograph
francamente, *adv.*   frankly
francés, *adj.*   French
francés, *m.*   Frenchman, French language
frase, *f.*   phrase, sentence
frecuencia, *f.*   frequency; **con —** frequently
frecuente, *adj.*   frequent
freír (i), *v.*   fry
frío, *adj.*   cold
frío, *m.*   cold; **hacer frío** to be cold (weather); **tener frío** to be cold (person)
fruncir (frunzo) las cejas, *v.*   frown
fruta, *f.*   piece of fruit; **frutas** fruit
fuente, *f.*   fountain
fuerte, *adj.*   strong
fumar, *v.*   smoke

funcionar, *v.*   work (function)
fundar, *v.*   establish, found
fútbol, *m.*   soccer; **— americano** football
futuro, *m. y adj.*   future

G

gafas, *f. pl.*   (eye)glasses
galería, *f.*   gallery; **— de arte** art gallery
ganar, *v.*   win, earn; **ganarse la vida** earn one's living
garganta, *f.*   throat
gastos, *m. pl.*   expenses
gato, *m.*   cat
gemelos, *m. pl.*   twins
generoso, *adj.*   generous
gente, *f.*   people
geográfico, *adj.*   geographical
gimnasia, *f.*   gymnastics
gimnasio, *m.*   gymnasium
gobierno, *m.*   government
golf, *m.*   golf
golpe, *m.*   blow
gordo, *adj.*   fat
gozar [de], *v*   enjoy, get pleasure [from]
grabadora, *f.*   tape recorder
gracias, *f. pl.*   thanks, thank you
graduarse, *v.*   graduate
grande, *adj.*   large, great
gratis, *adj.*   gratis, for nothing
gravedad, *f.*   seriousness
gritar, *v.*   shout
grupo, *m.*   group
guante, *m.*   glove
guapo, *adj.*   good-looking, handsome
guardar, *v.*   guard, keep; **guardar cama** stay in bed
guerra, *f.*   war
guía, *f.*   directory; **guía de teléfonos** telephone directory
guía, *m. y f.*   guide (person)
guitarra, *f.*   guitar
guitarrista, *m. y f.*   guitarist

gustar, *v.* be pleasing to, please; **gustarle a uno** to like something; **No me gusta el café.** I don't like coffee.

H

haber, *v.* have (used with *p.p.* to form compound tenses); **haber de** + *inf.* be supposed to + *inf.*; **hay que** + *inf.* it is necessary to, one has to; **he aquí** here is, here are

habitante, *m. y f.* inhabitant

hablador (habladora), *adj.* talkative

hablar, *v.* speak

hacer, *v.* make, do; **hacer calor** to be hot (weather); **hacer escala** make a stopover; **hacer frío** to be cold (weather); **hacer gimnasia** exercise; **hacer una pregunta** ask a question; **hacer un viaje** take a trip; **hacerle caso a uno** pay attention to someone; **hacerle daño a uno** hurt someone; **hacerle falta a uno** need; **hacerse** become (get to be); **hacerse daño** hurt oneself

hacia, *prep.* toward

hamburguesa, *f.* hamburger

hasta, *adv.* even (including); —, *prep.* until; **hasta que,** *conj.* until

hay there is, there are; **hay que** + *inf.* it is necessary to; **No hay de que.** You're welcome.

he aquí here is, here are, here you have

helado, *m.* ice cream

heredar, *v.* inherit

herir (ie), *v.* wound

hermana, *f.* sister

hermano, *m.* brother

hermoso, *adj.* beautiful

héroe, *m.* hero

heroína, *f.* heroine

hielo, *m.* ice

hija, *f.* daughter

hijo, *m.* son

historia, *f.* history, story

hoja, *f.* leaf, sheet of paper

holgazán (holgazana), *adj.* lazy

hombre, *m.* man

hora, *f.* hour; time (of day); **¿Qué hora es?** What time is it?

horario, *m.* schedule

hospedarse, *v.* stop (at a hotel)

hoy, *adv.* today

huelga, *f.* strike

huevo, *m.* egg; **huevos fritos** fried eggs; **huevos pasados por agua** soft-boiled eggs; **huevos revueltos** scrambled eggs; **tortilla de huevos** omelet

huir (huyo), *v.* flee

I

iglesia, *f.* church

igual [a], *adj.* equal [to]

imaginarse, *v.* imagine; **¡Imagínate!** Just imagine!

imaginativo, *adj.* imaginative

impermeable, *m.* raincoat

imponente, *adj.* imposing

importante, *adj.* important

importar, *v.* be important; **importarle a uno** be important to someone, matter to someone

imposible, *adj.* impossible

imprimir, *v.* print

improbable, *adj.* improbable

incidente, *m.* incident

incluir (incluyo), *v.* include

increíble, *adj.* incredible

inferior [a], *adj.* inferior [to]

informar, *v.* inform

Inglaterra, *f.* England

inglés, *adj.* English

inglés, *m.* Englishman, English language

iniciar, *v.* initiate, begin

insistir [en], *v.* insist [on]

instrumento, *m.* instrument

interesante, *adj.* interesting

interesar, *v.* interest; **interesarle a uno** be of interest to someone

interrogar, *v.* interrogate

interrumpir, *v.* interrupt

inventar, *v.* invent

invitación, *f.* invitation
invitar [a], *v.* invite [to]
ir (voy), *v.* go; **ir a** go to, be going to;
ir a casa go home; **ir de compras** go
shopping; **ir de paseo** go walking; **ir
de pie** go on foot; **ir de vacaciones** go
on vacation; **ir de viaje** go on a trip;
ir y venir come and go; **irse** go away
irresistible, *adj.* irresistible
isla, *f.* island
italiano, *adj.* Italian
italiano, *m.* Italian, Italian language

J

jabón, *m.* soap
jamás, *adv.* never, ever
el Japón, *m.* Japan
japonés, *adj.* Japanese
japonés, *m.* Japanese, Japanese language
jardín, *m.* garden
jefe, *m.* boss, chief, head
joven, *adj.* young
judío, *adj.* Jewish
judío, *m.* Jew
jueves, *m.* Thursday
jugar (ue) a, *v.* play; **jugar a las cartas**
play cards; **jugar al fútbol (tenis, béisbol,
etc.)** play soccer (tennis, baseball, etc.)
jugo, *m.* juice; **jugo de naranja** orange
juice
jugoso, *adj.* juicy
juguete, *m.* toy
junio, *m.* June
junto a, *prep.* next to, close to
juntos, *adj. pl.* together

L

ladrón, *m.* thief
lagarto, *m.* lizard
lago, *m.* lake
lana, *f.* wool
lápiz, *m.* pencil
largo, *adj.* long

lástima, *f.* pity; **¡ Qué lástima !** What
a pity!
lastimarse, *v.* hurt oneself
latinoamericano, *adj.* Latin-American
lavar, *v.* wash; **lavarse** wash oneself;
lavarse las manos wash one's hands
lección, *f.* lesson
leche, *f.* milk
leer, *v.* read
legumbre, *f.* vegetable
lejos, *adv.* far, far away; **lejos de,** prep.
far from
lengua, *f.* tongue, language
lento, *adj.* slow
levantar, *v.* raise, lift; **levantarse** get
up; **levantar la sesión** adjourn the meeting
liberal, *adj.* liberal
libre, *adj.* free; **al aire libre** outdoors
librería, *f.* bookstore
libro, *m.* book; **— de texto** textbook
limón, *m.* lemon
limpiar, *v.* clean; **limpiarse los dientes**
clean one's teeth
limpio, *adj.* clean
lindo, *adj.* pretty
línea, *f.* line
listo, *adj.* clever, ready
lo, *pron.* him, you, it; **lo cual** which;
lo que what, that which; **lo más pronto
posible** as soon as possible
lucir (luzco), *v.* shine
luchar, *v.* struggle, fight
luego, *adv.* then (next); **luego que,** *conj.*
as soon as
lugar, *m.* place; **tener lugar** take
place
luna, *f.* moon
luz, *f.* light

LL

llamada, *f.* call (telephone)
llamar, *v.* call; **llamar al orden la sesión**
call the meeting to order; **llamarse** be
called, be named

llave, *f.* key; **cerrar la puerta con llave** lock the door

llevar, *v.* take (someone or something somewhere), wear (clothes); **llevar a cabo** carry out; **llevar la delantera** be in front (lead)

llover(ue), *v.* rain

M

madera, *f.* wood

maduro, *adj.* ripe, mature

mal, *adv.* badly, poorly

maleta, *f.* suitcase

malo, *adj.* bad, poor (health)

malsano, *adj.* unhealthy

mandar, *v.* order, send

mandón (mandona), *adj.* bossy

manejar, *v.* drive (a car), manage

mano, *f.* hand

mantenerse en contacto, *v.* keep in touch

manuscrito, *m.* manuscript

manzana, *f.* apple

mañana, *f.* morning; **mañana,** adv. tomorrow; **pasado mañana** the day after tomorrow

máquina, *f.* machine; **escribir a máquina** typewrite; **máquina de escribir** typewriter

maquinaria, *f.* machinery

mar, *m.* y *f.* sea; **por mar** by sea

maravilloso, *adj.* wonderful, marvelous

marchar, *v.* run (auto); **marcharse** go away

marrón, *adj.* chestnut brown

martes, *m.* Tuesday

más, *adv.* more, most; **más de +** *número* more than + *number*; **más que** more than; **no más . . . que** only; **cuanto más . . . tanto más** the more . . . the more; **nada más** nothing else

matricularse, *v.* enroll, register

mayo, *m.* May

mayor, *adj.* greater, older, larger; **el(la) mayor** the greatest, oldest, largest

mayoría, *f.* majority

mecánico, *m.* mechanic

medianoche, *f.* midnight

medicina, *f.* medicine

medio, *adj.* half a, a half, middle; **el Oriente Medio** the Middle East; **en medio de** in the middle (midst) of; **ir a medias** go halves (Dutch); **la Edad Media** the Middle Ages

mediodía, *m.* noon

mejor, *adj.* better; **el(la) mejor** the best; **mejor,** *adv.* better, best

mejorarse, *v.* get better

menor, *adj.* smaller, younger, lesser; **el(la) menor** the smallest, youngest, least; **al por menor (mayor)** retail (wholesale)

menos, *adv.* less, least; **menos de +** *número* less than + *number*; **menos que** less than, fewer than; **al menos** at least

mentir (ie), *v.* tell a lie, lie

mentira, *f.* lie

mercado, *m.* market; **Mercado Común** Common Market

merecer (merezco), *v.* deserve, merit

mérito, *m.* merit

mes, *m.* month; **al mes** per month; **el mes pasado** last month

mesa, *f.* table; **poner la mesa** set the table

meter, *v.* place, put; **meter ruido** create a disturbance; **meterse en un lío** get oneself into a jam

mexicano, *adj.* y *s.* Mexican

México, *m.* Mexico

mezcla, *f.* mixture

miembro, *m.* member

mientras (que), *conj.* while, as long as

miércoles, *m.* Wednesday

mil, *adj.* a thousand, one thousand

millón, *m.* million; **un millón de dólares** a million dollars; **dos millones de pesos** two million pesos

minuto, *m.* minute

mirar, *v.* to look at

mismo, *adj.* same, self; **mismo,** *adv.*

right; **ahora mismo** right now; **aquí mismo** right here

modales, *m. pl.* manners

moderno, *adj.* modern

molestar, *v.* disturb; **molestarle a uno** be a bother to someone

monarquía, *f.* monarchy

moneda, *f.* money (change, coin)

montaña, *f.* mountain

moreno, *adj.* dark (hair or complexion)

morir (ue), *v.* die; **morirse de hambre (sed)** be dying of hunger (thirst)

mostrar (ue), *v.* show

moto, *f.* motorcycle

motocicleta, *f.* motorcycle

mover (ue), *v.* move (physically)

muchacha, *f.* girl

muchacho, *m.* boy

muchedumbre, *f.* crowd

mucho, *adj. y adv.* much, a lot of; **muchos** many

mudar, *v.* change; **mudar de casa** move; **mudar de opinión** change one's mind; **mudar de ropa** change clothes

mueble, *m.* piece of furniture; **muebles** furniture

muela, *f.* tooth

muestra, *f.* sample

mujer, *f.* woman

multa, *f.* fine

multar, *v.* impose a fine, fine

multitud, *f.* crowd, multitude

mundial, *adj.* world, worldwide

mundo, *m.* world; **todo el mundo** everyone

museo, *m.* museum

música, *f.* music

músico, *m.* musician

N

nacer (nazco), *v.* be born

nacimiento, *m.* birth

nación, *f.* nation

nacional, *adj.* national

nada, *pron.* nothing; **nada,** *adv.* not at all; **de nada** you're welcome; **nada más** nothing else

nadar, *v.* swim

nadie, *pron.* no one, nobody

natural, *adj.* natural

necesario, *adj.* necessary

negar (ie), *v.* deny; **negarse a** refuse to

negocio, *m.* business deal, business; **hombre de negocios** businessman

nervioso, *adj.* nervous

nevar (ie), *v.* snow

ni, *adv. y conj.* nor, neither; **ni . . . ni** neither . . . nor; **ni . . . siquiera** not even; **ni yo tampoco** nor I either

niebla, *f.* fog

nieta, *f.* granddaughter

nieto, *m.* grandson

nilón, *m.* nylon

ninguno (ningún), ninguna, *adj.* no; **ninguno,** *pron.* no one (of a group), none; **de ningún modo** in no way; **en ninguna parte** nowhere

niña, *f.* little child (girl)

niño, *m.* little child (boy)

no, *adv.* no, not; **no . . . más que** only; **no sólo . . . sino también** not only . . . but also

noche, *f.* night, evening; **esta noche** tonight

noticia, *f.* piece of news; **noticias** news

novela, *f.* novel; **novela policíaca** detective story

noveno, *adj.* ninth

novia, *f.* fiancée, girlfriend

novio, *m.* fiancé, boyfriend

nublado, *adj.* cloudy

nuevo, *adj.* new, another; **¿ Qué hay de nuevo ?** What's new?

número, *m.* number

nunca, *adv.* never

O

o, *conj.* or; **o . . . o** either . . . or

obra, *f.* work (of art, of literature, etc.); **obra maestra** masterpiece

obrero, *m.* workman

ocasión, *f.* occasion

océano, *m.* ocean

octavo, *adj.* eighth

ocultar, *v.* hide

ocupado, *adj.* occupied, busy; **La línea está ocupada.** The line is busy.

ocurrir, *v.* happen, occur

odiar, *v.* hate

oficial, *m.* official

oficina, *f.* office

ofrecer (ofrezco), *v.* offer

oír (oigo), *v.* hear

ojalá, *interj.* I hope so; **ojalá (que)** + *subj.* I hope that . . . , I wish that . . .

ojo, *m.* eye

olvidar, *v.* forget; **olvidarse de** forget

opinión, *f.* opinion

oponerse [a], *v.* be opposed [to], object [to]

oportunidad, *f.* opportunity, chance

oración, *f.* sentence clause

orden, *f.* order (command); **orden,** *m.* order (arrangement)

organizar, *v.* organize

Oriente, *m.* Orient, East; **el Oriente Medio** the Middle East

origen, *m.* origin

orquesta, *f.* orchestra

oso, *m.* bear

otro, *adj.* other, another; **otra vez** again; **uno a otro** one another

P

paciencia, *f.* patience

pacífico, *adj.* pacific

padre, *m.* father; **padres,** *m. pl.* parents

pagar, *v.* pay (for)

país, *m.* country (nation)

pañuelo, *m.* handkerchief

papel, *m.* paper (product)

paquete, *m.* package

par, *m.* pair; **de par en par** wide open

para, *prep.* for, in order to, considering the fact that; **para ahora** by now; **para entonces** by then; **para que,** *conj.* in order that, so that

paraguas, *m.* umbrella

parecer (parezco), *v.* seem, appear; **parecerle a uno** seem to one; **Parece que sí (no).** It seems so (not).; **parecerse a** resemble

pared, *f.* wall; **Las paredes oyen.** Walls have ears.

pariente, *m. y f.* relative

parque, *m.* park

parte, *f.* part, portion; **¿ De parte de quién?** Who's calling?; **en alguna parte** somewhere; **en ninguna parte** nowhere; **en (por) todas partes** everywhere

participar, *v.* participate, take part

partido, *m.* game, match, political party

partir, *v.* leave; **partir para** leave for

pasado, *adj.* past; **el verano pasado** last summer; **pasado mañana** the day after tomorrow

pasaporte, *m.* passport

pasar, *v.* pass, happen, spend (time); **Pase usted.** Come in.; **pasar por** go along (the street); **pasar un buen rato** have a good time

pastel, *m.* pie, pastry

patinar, *v.* skate; **patinar en el hielo** ice-skate

payaso, *m.* clown

pecho, *m.* chest (part of body)

pedir (i), *v.* ask for, request; **pedirle a uno que** + *subj.* ask someone to do something; **pedir permiso** ask permission; **pedir un préstamo** ask for a loan

peinarse, *v.* comb one's hair

película, *f.* film, motion picture

peligroso, *adj.* dangerous

pelirrojo, *adj.* red-headed; red-haired

pelo, *m.* hair

pensar (ie), *v.* think; **pensar** + *inf.* intend to + *inf.*; **pensar de** think of (have an opinion about); **pensar en**

think about (have one's thoughts dwell on)

peor, *adj.* y *adv.* worse, worst; **el(la) peor** the worst

pequeño, *adj.* small, little

pera, *f.* pear

perder (ie), *v.* lose, miss (train); **perderse** get lost

perezoso, *adj.* lazy

perfume, *m.* perfume

periódico, *m.* newspaper

permanecer (permanezco), *v.* remain

permitir, *v.* allow, permit, let

pero, *conj.* but

perro, *m.* dog

perseguir (i), *v.* pursue

pertenecer (pertenezco) [a], *v.* belong [to]

pescar, *v.* fish

pesimista, *adj.* pessimistic; **pesimista,** *m.* y *f.* pessimist

peso, *m.* peso

pie, *m.* foot; **buscar cinco pies al gato** go looking for trouble; **cinco pies de alto** five feet tall; **estar de pie** be standing; **ir a pie** walk, go on foot

piedra, *f.* stone

pierna, *f.* leg

pintar, *v.* paint

pintor (pintora), *m.* y *f.* painter

pintoresco, *adj.* picturesque

pirámide, *f.* pyramid

piscina, *f.* swimming pool

piso, *m.* floor, apartment

pizarra, *f.* blackboard

plan, *m.* plan

planchar, *v.* iron

planeta, *m.* planet

planta, *f.* plant; **planta baja** ground floor

plástico, *m.* plastic

plátano, *m.* banana

plato, *m.* plate, dish

playa, *f.* beach

pobre, *adj.* poor, unfortunate

poco, *adj.* y *adv.* little (quantity), not much; **pocos** few; **un poco** a little

poder, *m.* power

poder (ue), *v.* be able to, can

poema, *m.* poem

poesía, *f.* poetry

poeta, *m.* poet

policía, *m.* policeman; **policía,** *f.* police (force)

policíaco, *adj.* police, detective; **cuentos policíacos** detective stories

poner (pongo), *v.* put, place; **poner la luz** turn on the light; **poner el grito en el cielo** shout to high heaven; **poner en marcha** get a machine going; **poner en orden** tidy; **poner la mesa** set the table; **ponerse a** begin to

por, *prep.* by, through, along, during, per, because of, for the sake of, in exchange for, in search of; **el diez por ciento** ten percent; **por eso** for that reason, because of that; **por ejemplo** for example; **por fin** finally; **por lo general** generally; **por primera vez** for the first time; **por supuesto** of course

¿por qué? *interr.* why?

porque, *conj.* because

portapapeles, *m.* briefcase

portarse, *v.* behave

portátil, *adj.* portable

posible, *adj.* possible

postre, *m.* dessert

preceder, *v.* precede; **precedido de** preceded by

precio, *m.* price

preferir (ie), *v.* prefer

pregunta, *f.* question

preguntar, *v.* ask a question; **preguntar por** ask about or for someone

premio, *m.* prize

preparar, *v.* prepare; **prepararse** get ready

preparativos, *m. pl.* preparations

prescindir de, *v.* do without

presentar, *v.* introduce, present

presidente, *m.* president

prestar, *v.* lend; **prestar atención** pay attention

prima, *f.* cousin (female)

primero, *adj.* first; **el primero en llegar** the first to arrive

primo, *m.* cousin (male)

primogénito, *adj.* first-born

princesa, *f.* princess

príncipe, *m.* prince

problema, *m.* problem

producir (produzco), *v.* produce

profesor (profesora), *m.* y *f.* teacher, professor

programa, *m.* program

prohibir, *v.* forbid, prohibit

promesa, *f.* promise

prometer, *v.* promise

pronto, *adv.* soon

propina, *f.* tip

propio, *adj.* own, of one's own, suitable, proper

protestante, *adj.* Protestant

protestar, *v.* protest

próximo, *adj.* next; **la próxima vez** next time

publicar, *v.* publish

público, *m.* y *adj.* public

puerta, *f.* door

pues, *adv.* then, well

pulsera, *f.* bracelet; **reloj de pulsera** wristwatch

punto, *m.* point, dot, period; **punto de vista** point of view

puro, *adj.* pure, clean, sheer

Q

que, *rel. pron.* that, which, who, whom; **el(la) que** he(she) who, the one who (that); **que,** *conj.* that; **el mismo que** the same as; **más (menos) que** more (less) than; **por mucho que trabaje** no matter how much he works

¿qué?, *interr.* what?; **¿Qué tal?** Hello, how's everything going?

¡qué!, *interj.* what a...!, what...!, how...!

quedar, *v.* be left, remain; **Me quedan tres pesos.** I have three pesos left; **quedar en** agree to; **quedarse** stay, remain; **Se quedó en casa.** She stayed at home.

queja, *f.* complaint

quejarse [de], *v.* complain [about]

querer (ie), *v.* love, desire, want; **querer decir** mean

quien, *rel. pron.* who, whom, he who, she who

¿quién?, *interr.* who? whom?

químico, *m.* y *adj.* chemist, chemical

quinto, *adj.* fifth

quitar, *v.* remove, take off, take away; **quitarle algo a alguien** take something from someone; **quitarse (el vestido, los zapatos,** etc.) take off one's (dress, shoes, etc.)

R

radio, *m.* y *f.* radio

rápido, *adj.* rapid, quick

raqueta, *f.* racket

rara vez seldom

raro, *adj.* rare, strange (odd)

raza, *f.* race (racial background)

reacción, *f.* reaction

realidad, *f.* reality; **en realidad** actually

recibir, *v.* receive

recién, *adv.* recently

reciente, *adj.* recent

recoger (recojo), *v.* pick up, gather

reconocer (reconozco), *v.* recognize

recordar (ue), *v.* remember

recuerdo, *m.* memory, keepsake; **Recuerdos a todos** Regards to all

rechazar, *v.* refuse, reject

red, *f.* net, network, system

redactar, *v.* compose, edit, write up

referirse (ie) a, *v.* refer to

regalar, *v.* give as a gift

regalo, *m.* gift

región, *f.* region
regresar, *v.* go back, return
regular, *adj.* regular, so-so
reina, *f.* queen
reír (río), *v.* laugh; **reírse [de]** laugh [about], laugh [at]
relatar, *v.* relate, narrate
reloj, *m.* watch, clock; **reloj de pulsera** wristwatch
repartir, *v.* distribute, apportion
repetir (i), *v.* repeat
reprender, *v.* reprimand, scold
representación, *f.* performance (dramatic)
representar, *v.* represent, show (a play)
república, *f.* republic
republicano, *adj.* republican
resfriado, *m.* cold (illness)
residencia de estudiantes, *f.* dormitory
resignación, *f.* resignation
resistir, *v.* bear, stand, resist
resolver (ue), *v.* solve, resolve
respetar, *v.* respect
responsabilidad, *f.* responsibility
restaurante, *m.* restaurant
resultado, *m.* result
retirarse [de], *v.* withdraw [from]
reunión, *f.* meeting, get-together, reunion
reunirse, *v.* get together, meet
revista, *f.* magazine
rey, *m.* king
rico, *adj.* rich, wealthy
río, *m.* river
robar, *v.* steal; **robarle algo a alguien** steal something from someone
rogar (ue), *v.* plead, beg
rojo, *adj.* red
romper, *v.* break
ropa, *f.* clothes
roto, *adj.* broken, torn
rubí, *m.* ruby
rubio, *adj.* blond
ruido, *m.* noise

Rusia, *f.* Russia
ruso, *adj.* Russian
ruso, *m.* Russian, Russian language

S

sábado, *m.* Saturday
saber (sé), *v.* know (a fact), find out, know how to
sabroso, *adj.* tasty, delicious
sacar, *v.* take out (extract); **sacar buenas (malas) notas** get good (bad) grades; **sacar fotos** take photos
saco, *m.* sack, bag, suit coat
salir (salgo), *v.* leave, go out; **salir bien (mal) en un examen** do well (poorly) in an exam; **salirse con la suya** have one's own way
salud, *f.* health
saludable, *adj.* wholesome (good for one's health)
saludar, *v.* greet, say "hello" to
sandía, *f.* watermelon
sandwich, *m.* sandwich
santiamén, *m.* jiffy; **en un santiamén** in a jiffy
sarampión, *m.* measles
secretaria, *f.* secretary
seguir (i), *v.* follow, continue; **seguir** + *gerundio* keep on + *pres. p.*; **seguido de** followed by
segundo, *adj.* second
seguro, *adj.* sure
seleccionar, *v.* choose
semana, *f.* week; **la semana pasada** last week; **la semana que viene** next week; **todas las semanas** every week
semestre, *m.* semester
senador, *m.* senator
sentado, *adj.* seated, sitting
sentar (ie), *v.* seat; **sentarle a uno** suit, be becoming to; **sentarse** sit down; **estar sentado** be sitting down, be seated
sentir (ie), *v.* regret, feel sorry; **sentirse** feel (ill, tired, etc.)
señal, *f.* sign, signal; **señal de alto** stop sign

señor, *m.* Mr., sir, gentleman

señora, *f.* lady, Mrs., madam

señorita, *f.* young lady, Miss

separar, *v.* separate

séptimo, *adj.* seventh

ser (soy), *v.* be; **ser de** belong to, be (made) of, be from (a place)

serie, *f.* series

servilleta, *f.* napkin

servir (i), *v.* serve; **servir de** act as, serve as; **servir para** be good for; **No sirve para nada.** It's not good for anything.

sexto, *adj.* sixth

si, *conj.* if, whether

sí, *adv.* yes

siempre, *adv.* always

siglo, *m.* century

silla, *f.* chair

sillón, *m.* armchair, easy chair

simpático, *adj.* nice

siquiera, *adv.* even; **ni . . . siquiera** not even

situación, *f.* situation

sobre, *prep.* over, on, upon; **sobretodo** especially

sobrina, *f.* niece

sobrino, *m.* nephew

sofá, *m.* sofa

sol, *m.* sun

solo, *adj.* alone, lonely, only one

sólo, *adv.* only; **no sólo . . . sino también** not only . . . but also

sonar (ue), *v.* ring, sound; **Suena el timbre.** The bell is ringing.

sonreír (sonrío), *v.* smile

sonrisa, *f.* smile

soñar (ue) [con], *v.* dream [about]

sopa, *f.* soup

sorprender, *v.* surprise; **sorprenderle a uno** be surprising to someone

sorpresa, *f.* surprise

sótano, *m.* cellar, basement

su, *poss. adj.* his, her, your, its, their

subir, *v.* climb, go up; **subir a** get into (bus, plane, car, etc.)

sucio, *adj.* dirty

sueco, *s.* Swede

sueco, *adj.* Swedish

suelo, *m.* ground, soil, floor

sueño, *m.* sleep, dream; **tener sueño** be sleepy

suéter, *m.* sweater

sufrir, *v.* suffer

sugerir (ie), *v.* suggest; **sugerirle a uno que** + *subj.* suggest to someone that

suicidarse, *v.* commit suicide

sumamente, *adv.* extremely

superior [a], *adj.* superior [to]

suspender, *v.* hang, postpone, fail, flunk

suyo, suya, *adj.* of his, of hers, of yours, of theirs; **el(la) suyo(suya),** *pron.* his (hers), yours, its, theirs

T

tal (*pl.* **tales**), *adj.* such, such a; **con tal que,** *conj.* provided that; **¿ Qué tal?** Hello, how's everything?; **tal vez** perhaps; **tal(tales) como** such as

tamaño, *m.* size

también, *adv.* also, too

tampoco, *adv.* not either; **Ni él tampoco.** Nor he either.

tan, *adv.* so; **tan aprisa** so fast; **tan pronto como** as soon as; **tan . . . como** as . . . as

tanto, *adj.* so much; **tantos** so many; **tanto . . . como** as much . . . as; **tanto el(la, los, las) . . . como el(la, los, las)** the . . . as well as the . . ., both the . . . and the . . .; **tanto,** *adv.* so much

tarde, *adv.* late

tarde, *f.* afternoon

tarea, *f.* task, job

tarjeta, *f.* postcard

taza, *f.* cup

té, *m.* tea

telefonear, *v.* phone

telegrama, *m.* telegram

televisión, *f.* television
televisor, *m.* television set
tema, *m.* subject, theme
temer, *v.* fear
temprano, *adv.* early
tener (tengo), *v.* have, possess; — **aire acondicionado** be air conditioned; — ... **años** be ... years old; — **calor** be hot (a person); — **cuidado [de]** be careful [of]; — **éxito** be successful; — **frío** be cold (a person); — **ganas de** be anxious to; — **hambre** be hungry; — **la culpa** be at fault; — **miedo [de]** be afraid [of]; — **prisa** be in a hurry; — **que** + *inf.* have to + *inf.*; — **que ver con** have to do with; — **razón** be right; **no tener razón** be wrong; — **sed** be thirsty; — **sueño** be sleepy; — **suerte** be lucky; — **vergüenza [de]** be ashamed [of]
tenis, *m.* tennis
tercero, *adj.* third
terminar, *v.* finish
ternura, *f.* tenderness
terraza, *f.* terrace
terremoto, *m.* earthquake
terrible, *adj.* terrible
testificar, *v.* testify
testigo, *m.* witness
tiempo, *m.* time (in general sense), weather
tía, *f.* aunt
tienda, *f.* store
timbre, *m.* doorbell
tío, *m.* uncle
tiras cómicas, *f. pl.* comic strips
toalla, *f.* towel
tocadiscos, *m.* record player
tocar, *v.* touch, play (an instrument); **tocarle a uno** be someone's turn
todavía, *adv.* still, yet; **todavía no** not yet
todo, *adj.* all, every; **todo el día** the whole day; **todo el mundo** everybody; **todo lo mío (tuyo, suyo,** etc.) everything that is mine (yours, his, etc.); **todo lo**

que all that; **todos** all, everybody; **todos los días** every day; **todos los que** all those who; **del todo** completely; **sobre todo** especially
tomar, *v.* take, grasp, have something to eat or drink; **tomarle el pelo a uno** kid someone
tomo, *m.* volume (book)
tonto, *adj.* silly, foolish
torneo, *m.* contest, tournament
torta, *f.* cake
tortilla, *f.* tortilla, omelet
trabajar, *v.* work
trabajo, *m.* work
traducción, *f.* translation
traducir (traduzco), *v.* translate
traer (traigo), *v.* bring
tráfico, *m.* traffic
traje, *m.* suit
transparencia, *f.* slide (camera)
tratar, *v.* try; **tratar de** try to, deal with; **tratarse de** be a question of
tremendo, *adj.* tremendous
tren, *m.* train
trigo, *m.* wheat
triste, *adj.* sad
tropezar (ie) con, *v.* run across, run into
turista, *m. y f.* tourist
tuyo, *adj.* of yours; **el tuyo,** *pron.* yours

U

último, *adj.* last, final; **por último** finally
único, *adj.* only, single, unique (one of a kind)
la Unión Soviética, *f.* the Soviet Union
universidad, *f.* university
uno (un), *adj.* one, a; **unos** some, a few
uña, *f.* fingernail

V

vacaciones, *f. pl.* vacation; **ir de vacaciones** go on a vacation
vajilla, *f.* set of dishes

valer (valgo), *v.* be worth; **valer la pena** be worth the trouble; **¿Cuánto vale?** How much is it worth?

variar, *v.* vary

varios, *adj.* various, several

vaso, *m.* glass (for drinking)

vecino, *m.* neighbor

vencer (venzo), *v.* conquer, defeat, win

vendedor (vendedora), *m.* y *f.* salesman (saleswoman)

vender, *v.* sell

venir (vengo), *v.* come; **ir y venir** come and go; **boleto de ida y vuelta** round-trip ticket

ventana, *f.* window

ver (veo), *v.* see

verano, *m.* summer

verdad, *f.* truth; **es verdad** it's true

verde, *adj.* green, not ripe

vestido, *m.* dress

vestir (i), *v.* dress; **vestir de negro** dress in black; **vestirse** get dressed

vez, *f.* time (occasion); **a la vez** at the same time; **a veces** at times; **alguna vez** some time, ever; **cada vez más (menos)** more and more (less and less); **¿cuántas veces?** how often?; **de vez en cuando** from time to time; **en vez de** instead of; **por primera (segunda) vez** for the first (second) time; **tal vez** perhaps

viajar, *v.* travel

viaje, *m.* trip; **hacer un viaje** take a trip; **agencia de viajes** travel agency

viajero, *m.* traveler

vida, *f.* life; **¡Así es la vida!** That's life!

vidrio, *m.* glass (material)

viejo, *adj.* old

viernes, *m.* Friday

vino, *m.* wine; **vino blanco** white wine; **vino tinto** red wine

violín, *m.* violin

virus, *m.* virus

visita, *f.* visit; **hacer una visita** pay a visit

visitar, *v.* visit

vivir, *v.* live

vivo, *adj.* living, lively, bright in color; **ser vivo** be lively; **estar vivo** be living

volar (ue), *v.* fly

volcar, *v.* overturn

volver (ue), *v.* return, go back; **volver a** + *inf.* do something again; **volverse** turn around; **volverse loco** go crazy

votar [por], *v.* vote [for]

voz, *f.* voice; **en voz alta (baja)** in a loud (low) voice

vuelo, *m.* flight

vuestro, *adj. fam. pl.* your; of yours; **el vuestro,** *pron.* yours

Y

ya, *adv.* already, now; **ya no** no longer; **Ya me voy.** I'm coming.

Z

zapato, *m.* shoe

zopenco, *m.* blockhead

INGLES–ESPAÑOL

A

abandon, *v.* abandonar, dejar

about (*concerning*) sobre, acerca de; (*in time expressions*) a eso de, más o menos

abroad en el extranjero

absolutely not en absoluto

accept, *v.* aceptar

accident, *n.* accidente

accompany, *v.* acompañar

according to según

ache, *n.* dolor

ache, *v.* dolerle a uno; **My feet ache.** Me duelen los pies.

act, *v.* hacer un papel (*in the theater*); actuar (*behave, perform*); **act as** servir de

actor, *n.* actor

actress, *n.* actriz

actually en realidad

A.D. después de Jesucristo (d. de J.C.)

admire, *v.* admirar

adventurous, *adj.* aventurero

advertisement, *n.* anuncio

advice, *n.* consejo (*piece of advice*); consejos (*advice in general*)

advise, *v.* avisar (*notify*); aconsejar (*give advice*)

advisor, *n.* consejero

affair, *n.* asunto

Africa, *n.* Africa

African, *adj.* africano

after, *prep.* después de; *conj.* después de que

afterwards, *adv.* después

again otra vez, de nuevo; **do something again** volver a hacer algo

agent, *n.* agente; **travel agent** agente de viajes

aggressive, *adj.* agresivo

agree, *v.* estar de acuerdo; **agree to** quedar en

airplane, *n.* avión; **by plane** (*a person*) en avión; **by plane** (*a letter or package*) por avión

airport, *n.* aeropuerto

alarm clock, *n.* despertador; **The alarm clock rang.** Sonó el despertador.

alive (*living*), *adj.* vivo (*used with* estar); **full of life** vivo (*used with* ser)

all, *adj.* todo; **all that** todo lo que; **all those who (that)** todos los que; **above all** sobretodo; **all day long** todo el día

allow, *v.* permitir

almost, *adv.* casi

alone, *adj.* solo

along, *prep.* a lo largo de

also, *adv.* también

although, *conj.* aunque

aluminum, *n.* aluminio

always, *adv.* siempre; **as always** como siempre

ambulance, *n.* ambulancia

amount, *n.* cantidad

ample, *adj.* amplio

amuse, *v.* divertir, entretener; **amuse oneself** divertirse, entretenerse

amusing, *adj.* divertido, entretenido

ancient, *adj.* antiguo

and, *conj.* y, e

angry, *adj.* enfadado

annoy, *v.* enojar

another, *adj.* otro; **one another** uno(s) a otro(s)

answer, *n.* contestación, respuesta

answer, *v.* contestar, responder; **answer yes (no)** contestar que sí (no)

apartment, *n.* apartamento, piso

appear, *v.* parecer (*seem*); aparecer (*come into view*)

applaud, *v.* aplaudir

applause, *n. pl.* aplausos

apple, *n.* manzana

Argentinean, *adj.* argentino

argue, *v.* discutir

arm, *n.* brazo

armchair, *n.* sillón

arrange, *v.* arreglar

arrangement, *n.* arreglo

around (*surrounding*), *prep.* alrededor de; **around** (*in time expressions*) a eso de, más o menos

arrive [at], *v.* llegar [a], **arrive home** llegar a casa

art, *n.* arte; **fine arts** bellas artes

article, *n.* artículo

artifact, *n.* artefacto

artist, *n.* artista

as, *conj.* como; **as . . . as** tan(to) . . . como; **as far as I'm concerned** en cuanto a mí; **as if,** conj. como si; **as long as** mientras (que); **as soon as** en cuanto, tan pronto como, luego que, así que; **as soon as possible** cuanto antes, lo más pronto posible; **as usual** como de costumbre

ashamed, *adj.* avergonzado

Asia, *n.* Asia

ask (*a question*), *v.* preguntar, hacer una pregunta; **ask** (*request*) pedir; **ask for** pedir; **ask for** (*or about*) **someone** preguntar por

asleep, *adj.* dormido

assume, *v.* asumir

astronomical, *adj.* astronómico

astute, *adj.* astuto

at, *prep.* a (*in time expressions*); en (*location*); **at home** en casa; **at once** en seguida; **at the same time** a la vez; **at times** a veces; **at twelve o'clock** a las doce

attend, *v.* atender (*take care of*); **attend** (*school, a lecture, etc.*) asistir a

attract, *v.* atraer

August, *n.* agosto

aunt, *n.* tía

author, *n.* autor, autora

avenue, *n.* avenida

average, *adj.* medio; **on the average** por término medio; **of average height** de estatura mediana

awful, *adj.* terrible, horrible

B

back seat, *n.* asiento trasero

bad, *adj.* malo

badly, *adv.* mal

bag, *n.* saco

banana, *n.* plátano

bank, *n.* banco, orilla (*shore*); **savings bank** caja de ahorros

bargain, *n.* ganga; **a good bargain** una verdadera ganga

bark, *v.* ladrar

baseball, *n.* béisbol

basketball, *n.* básquetbol, baloncesto

B.C. antes de Jesucristo (a. de J.C.)

be, *v.* ser, estar; **— a question of** tratarse de; **— able** poder; **— afraid [of]** tener miedo [de], temer; **— air-conditioned** tener aire acondicionado; **— anxious to** tener ganas de; **— ashamed [of]** tener vergüenza [de]; **— at fault** tener la culpa; **— back** estar de vuelta; **— bad weather** hacer mal tiempo; **— born** nacer; **— careful** tener cuidado; **— cold** tener frío (*a person*); hacer frío (*weather*); **— glad [to]** alegrarse [de]; **— good** (*useful*) **for** servir para; **— good weather** hacer buen tiempo; **— hot** tener calor (*a person*); hacer calor (*weather*); **— hungry** tener hambre; **— in a hurry** tener prisa; **— in love [with]** estar enamorado [de]; **— left** (*remain*) quedarle a uno; **— lucky** tener suerte; **— nice weather** hacer buen tiempo; **— right** tener razón; **— sleepy** tener sueño; **— standing** estar de pie; **— successful** tener éxito; **— sunny** hacer sol; **— supposed to** haber de; **— thirsty** tener sed; **— windy** hacer viento; **— worth** valer; **— worth the trouble** valer la pena; **— wrong** no tener razón; equivocarse; **— . . . years old** tener . . . años

beach, *n.* playa

bear, *n.* oso

beautiful, *adj.* hermoso

because, *conj.* porque; **because of that** por eso

become, *v.* convertirse en (*turn into*); hacerse (*make oneself*); llegar a ser (*get to be*); **become** (*ill, furious, etc.*) ponerse (enfermo, furioso, etc.); **become** (*suit*) sentarle bien

bed, *n.* cama

bedroom, *n.* alcoba, recámara (Mex.)

beer, *n.* cerveza

before, *adv.* antes; **before,** prep. antes de; **before,** *conj.* antes (de) que

beforehand, *adv.* de antemano

beg, *v.* rogar

begin [to], *v.* comenzar [a], empezar [a], ponerse [a]

behave, *v.* portarse

behind, *prep.* detrás de

believe, *v.* creer

belong to, *v.* ser de, pertenecer a

belongings, *n.* cosas

besides, *adv.* además; besides, *prep.* además de

best, *adj.* and *adv.* mejor; the best, el(la) mejor

better, *adj.* and *adv.* mejor

bicycle, *n.* bicicleta

big, *adj.* grande

bigger, *adj.* más grande (*size*), mayor (*older*)

bill, *n.* cuenta (*to be paid*), billete (*money*)

biology, *n.* biología

birthday, *n.* cumpleaños

blond, *adj.* rubio

blouse, *n.* blusa

blow, *n.* golpe

blue, *adj.* azul

boat, *n.* barca (*small*), barco (*large*)

book, *n.* libro; textbook libro de texto

bookcase, *n.* estante

bookstore, *n.* librería

bore, *v.* aburrir; get bored aburrirse; be bored estar aburrido

boring, *adj.* aburrido

boss, *n.* jefe

bossy, *adj.* mandón (mandona)

both, *adj.* and *pron.* los(las) dos, ambos; both he and she tanto él como ella

bother, *v.* molestar; be a bother to someone molestarle a uno

bottle, *n.* botella

box, *n.* caja

boy, *n.* muchacho, chico, niño (*little boy*)

brand-new, *adj.* flamante

break, *v.* romper

breakfast, *n.* desayuno; eat breakfast desayunarse

briefcase, *n.* cartera, portapapeles

bright, *adj.* vivo (*color*), inteligente, listo (*clever*)

bring, *v.* traer

broken, *adj.* roto

brother, *n.* hermano

brush (*for hair, clothes, etc.*), *n.* cepillo

build, *v.* construir

building, *n.* edificio

burst, *v.* estallar; burst out laughing echarse a reír

bus, *n.* autobús, camión (Mex.)

busy, *adj.* ocupado; The line is busy. La línea está ocupada.

but, *conj.* pero; but rather (instead) sino; not only ... but also no sólo ... sino también

buy, *v.* comprar

by the way a propósito

C

café, *n.* café

cafeteria, *n.* cafetería

cake, *n.* torta

call, *n.* llamada

call, *v.* llamar; call on the phone llamar por teléfono; pay a call visitar, hacer una visita; be called (named) llamarse

calm, *adj.* tranquilo

camera, *n.* cámara

can opener, *n.* abrelatas

candy, *n.* dulces; a piece of candy dulce

candidate, *n.* candidato

capable [of], *adj.* capaz [de]

capital, *n.* capital (*city*), *f.*; capital (*money*) *m.*

car, *n.* coche, auto, carro

cards, *n.* cartas; **play cards** jugar a las cartas; **postcard** tarjeta

careful, *adj.* cuidadoso

careless, *adj.* descuidado

carpenter, *n.* carpintero

carpet, *n.* alfombra

carry, *v.* llevar; **carry away** llevarse; **carry out** llevar a cabo

case, *n.* caso

cash, *v.* cobrar; **cash a check** cobrar un cheque

cat, *n.* gato

catch, *v.* coger; **catch a cold** coger un resfriado

Catholic, *adj.* católico

celebrate, *v.* celebrar; **be celebrated** celebrarse

center, *n.* centro; **university center** centro universitario

century, *n.* siglo

certain, *adj.* cierto, seguro

chair, *n.* silla

chance, *n.* oportunidad

change, *n.* cambio, vuelta (*money*)

change, *v.* cambiar; **change clothes** cambiar (mudar) de ropa; **change one's mind** cambiar (mudar) de opinión

charming, *adj.* encantador (encantadora)

cheap, *adj.* barato

check, *n.* cheque

cheese, *n.* queso

chest (*part of body*), *n.* pecho

child, *n.* niño (*boy*); niña (*girl*)

China, *n.* la China

Chinese, *adj.* chino

chocolate, *n.* chocolate

choose, *v.* escoger, seleccionar, elegir

church, *n.* iglesia

circus, *n.* circo

city, *n.* ciudad

class, *n.* clase

classmate, *n.* compañero de clase

classroom, *n.* aula

clean, *v.* limpiar; **clean one's teeth** lavarse (limpiarse) los dientes; **clean,** *adj.* limpio

clerk, *n.* dependiente, dependienta

clever, *adj.* listo

climate, *n.* clima

climb, *v.* subir; **climb the stairs** subir la escalera; **climb into** subir a

clock, *m.* reloj; **alarm clock** despertador

close, *v.* cerrar; **close the business deal** concluir el negocio

cloud, *n.* nube

cloudy, *adj.* nublado

clown, *n.* payaso

coat, *n.* abrigo (*overcoat*); chaqueta (*jacket*)

coffee, *n.* café

cold (*illness*), *n.* catarro, resfriado; **cold** (*temperature*), *adj. and n.* frío; **be cold** (*a person*) tener frío; **be cold** (*weather*) hacer frío

college student, *n.* estudiante universitario

collide [with], *v.* chocar [con]

comb, *n.* peine; **comb,** *v.* peinar; **comb one's hair** peinarse

come, *v.* venir; **come and go** ir y venir; **the coming week** la semana que viene

comfort, *n.* comodidad

comfortable, *adj.* cómodo

commit suicide, *v.* suicidarse

companion, *n.* compañero

company, *n.* compañía, invitados (*guests*)

complain [about], *v.* quejarse [de]

complaint, *n.* queja

complete, *adj.* completo; **complete,** *v.* completar

concert, *n.* concierto

concrete, *adj.* concreto

confess, *v.* confesar

congratulate, *v.* felicitar

congratulations, *n.* felicitaciones

conquer, *v.* vencer

construct, *v.* construir

consult, *v.* consultar

contain, *v.* contener

contemporary, *adj.* contemporáneo

content, *adj.* contento

continue, *v.* continuar, seguir; **continue doing something** seguir (continuar) haciendo algo

contribute, *v.* contribuir

convenient, *adj.* conveniente

cook, *v.* cocinar

corner, *n.* rincón (*of a room*), esquina (*of the street*)

correct, *v.* corregir

cost, *v.* costar

cotton, *n.* algodón

count, *v.* contar; **count on** contar con

country, *n.* país (*nation*), campo (*as opposed to city*)

course (*subject*), *n.* asignatura

courteous, *adj.* cortés

cousin, *n.* primo, prima

cover, *v.* cubrir

cracker, *n.* galleta

crime, *n.* crimen, delito

crisis, *n.* crisis; **crises,** *n. pl.* crisis

critical, *adj.* crítico

criticism, *n.* crítica

criticize, *v.* criticar

crowd, *n.* gente, muchedumbre, multitud

cruelty, *n.* crueldad

cry, *v.* llorar

culture, *n.* cultura

cup, *n.* taza

curve, *n.* curva

cut, *v.* cortar; **cut (one's hair, finger, etc.)** cortarse (el pelo, el dedo, etc.); **cut class** faltar a la clase

D

dance, *n.* baile; **dance,** v. bailar

dancer, *n.* bailador, bailarín

danger, *n.* peligro

dangerous, *adj.* peligroso

dare [to], *v.* atreverse [a]

dark, *adj.* moreno (*hair or complexion*); oscuro (*without light*)

data, *n. pl.* datos

date (*calendar*), *n.* fecha; **date** (*with another person*) cita

daughter, *n.* hija; **daughter-in-law** nuera

day, *n.* día; **by day** de día; **from day to day** de día en día; **per day** al día; **the day after tomorrow** pasado mañana; **the day before yesterday** anteayer

deal with, *v.* tratar de

dean, *n.* decano

December, *n.* diciembre

decide, *v.* decidir

defeat, *v.* vencer

delay, *v.* demorar

delight, *v.* encantarle a uno

deluxe, *adj.* de lujo

democracy, *n.* democracia

democrat, *n.* demócrata (*m. y f.*)

democratic, *adj.* democrático

denounce, *v.* denunciar

dentist, *n.* dentista (*m. y f.*)

deny, *v.* negar

depend [on], *v.* depender [de], contar [con]

describe, *v.* describir

deserve, *v.* merecer

desk, *n.* escritorio, mesa

dessert, *n.* postre

destroy, *v.* destruir

detective story, *n.* novela policíaca

diamond, *n.* diamante

dictionary, *n.* diccionario

die, *v.* morir, morirse; **die of thirst, hunger,** *etc.* morirse de sed, hambre, etc.

diet, *n.* dieta

difference, *n.* diferencia; **It makes no difference to me.** Lo mismo me da.

difficult, *adj.* difícil
dilemma, *n.* dilema
dine, *v.* cenar
dinner, *n.* cena
direct, *v.* dirigir
director, *n.* director
directory, *n.* guía; **telephone directory** guía de teléfonos
dirty, *adj.* sucio; **dirty,** *v.* ensuciar
disagreeable, *adj.* desagradable
discover, *v.* descubrir
discuss, *v.* discutir
dish, *n.* plato; **set of dishes** vajilla
disillusioned, *adj.* desilusionado
dispute, *n.* disputa
distinguish, *v.* distinguir
distribute, *v.* distribuir, repartir
do, *v.* hacer; **do again** volver a + *inf.*; **do without** prescindir de
docile, *adj.* dócil
dog, *n.* perro
dollar, *n.* dólar
door, *n.* puerta
doorbell, *n.* timbre
dormitory, *n.* residencia para estudiantes
doubt, *n.* duda; **without a doubt** sin duda; **there is no doubt that** no hay duda de que; **doubt,** *v.* dudar
downtown, *n.* centro
drama, *n.* drama
drawer, *n.* cajón
dream, *n.* sueño; **dream [about],** *v.* soñar [con]
dress, *n.* vestido; **dress,** *v.* vestir; **get dressed** vestirse
drink, *n.* bebida; **drink,** *v.* beber, tomar
drive, *v.* manejar, conducir; **take a drive** dar un paso en coche
drugstore, *n.* farmacia
dull-witted, *adj.* tonto
during, *prep.* durante
dynamic, *adj.* dinámico

E

eagle, *n.* águila
early, *adv.* temprano
earn, *v.* ganar; **earn one's living** ganarse la vida
earring, *n.* arete; **a pair of earrings** un par de aretes
earthquake, *n.* terremoto
east, *adj.* este; **Middle East** el Oriente Medio
easy, *adj.* fácil
eat, *v.* comer; **eat breakfast** tomar el desayuno, desayunarse
economic, *adj.* económico
economy, *n.* economía
Ecuador, *n.* el Ecuador
egg, *n.* huevo; **boiled eggs** huevos pasados por agua; **fried eggs** huevos fritos; **scrambled eggs** huevos revueltos
eighth, *adj.* octavo
either . . . or o . . . o; **not either** tampoco, no . . . tampoco; **I don't either.** Ni yo tampoco.
elect, *v.* elegir
embarrass, *v.* avergonzar; **embarrassed** avergonzado
emigrant, *n.* emigrante
encourage, *v.* animar; **be encouraged** animarse
end, *n.* fin; **at the end of** (*book, play, etc.*) al final de; **in the end** al fin; **toward the end** a fines de
energy, *n.* energía
engineer, *n.* ingeniero
England, *n.* Inglaterra
English, *adj.* inglés, inglesa; **English language** inglés
enjoy, *v.* disfrutar de, gozar de; **enjoy oneself** divertirse
enjoyable, *adj.* agradable, divertido
enormous, *adj.* enorme
enough, *adj. and adv.* bastante
enroll, *v.* matricularse
enter, *v.* entrar [en]
enthusiasm, *n.* entusiasmo

equal [to], *adj.* igual [a]
equipped, *adj.* equipado
error, *n.* error
escape, *v.* escaparse
especially, *adv.* sobretodo
essay, *n.* ensayo
Europe, *n.* Europa; **European,** *adj.* europeo
even, *adv.* hasta, aun; **not ... even** ni ... siquiera; **even though** aunque
ever alguna vez, jamás; **as ever** como siempre
every, *adj.* cada; **every other day** cada dos días
everybody, *pron.* todo el mundo, todos
every day, *adv.* todos los días
everything, *pron.* todo; **everything that is mine** todo lo mío
everywhere, *adv.* en(por) todas partes, de todas partes, a todas partes
exact, *adj.* exacto
exam, *n.* examen
examine, *v.* examinar
except, *prep.* menos, excepto, salvo
exchange, *v.* cambiar
exercise, *n.* ejercicio, práctica; **exercises** (*gym*) gimnasia
expand, *v.* ampliar
expect, *v.* esperar
expense, *n.* gasto
expensive, *adj.* caro, costoso
experience, *n.* experiencia
explain, *v.* explicar
explode, *v.* estallar
express, *v.* expresar
extremely, *adv.* sumamente
eye, *n.* ojo

F

face, *n.* cara; **face** (*direction*), *v.* dar a
factory, *n.* fábrica
faith, *n.* fe
fall, *v.* caer(se); **fall in love [with]** enamorarse [de]; **fall** (*prices*) bajar

family, *n.* familia
famous, *adj.* famoso, célebre
fantastic, *adj.* fantástico
far away, *adv.* lejos; **far from,** *prep.* lejos de
farm, *n.* finca, rancho
fat, *adj.* gordo
father, *n.* padre
favor, *n.* favor; **ask a favor of someone** pedirle a uno un favor
favorite, *adj.* favorito, preferido
fear, *v.* temer, tener miedo de
feed, *v.* dar de comer
feel, *v.* tocar (*touch*); **feel** (*ill, tired,* etc.) sentirse (enfermo, cansado, etc.); **feel like doing something** tener ganas de hacer algo
fence, *n.* cerca
few, *adj. and pron.* pocos
fifth, *adj.* quinto
fight, *n.* lucha
fight, *v.* luchar
finally, *adv.* por fin
find, *v.* encontrar, hallar; **find out** descubrir, averiguar, saber
fine, *n.* multa
finger, *n.* dedo
finish, *v.* acabar, terminar
first, *adj. and adv.* primero
fish, *v.* pescar; **go fishing** ir de pesca
fish, *n.* pez (*in water*), pescado (*food*)
fit into, *v.* caber; **fit** (*clothing*) sentarle a uno
fix, *v.* arreglar, preparar (*meal*)
flag, *n.* bandera
flee [from], *v.* huir [de]
flight, *n.* vuelo
floating, *adj.* flotante
floor, *n.* suelo, piso; **ground floor** planta baja
flower, *n.* flor
flunk (*fail*), *v.* suspender
fly, *v.* volar
fog, *n.* niebla

follow, *v.* seguir; **followed by** seguido de

food, *n.* comestibles

foot, *n.* pie; **be four feet tall** tener cuatro pies de alto; **go on foot** ir a pie

football, *n.* fútbol americano

for, *prep.* para, por; (*in time expressions*) hace, desde hace; **for that reason** por eso; **for the first (last) time** por primera (última) vez

foreign, *adj.* extranjero

foreigner, *n.* extranjero

forget, *v.* olvidar, olvidarse de

forgive, *v.* perdonar

former, *adj.* anterior (*previous*); antiguo (*earlier*); (*as opposed to latter*) aquel, aquella

formulate, *v.* formular

fortunately, *adv.* afortunadamente

fountain, *n.* fuente

fourth, *adj.* cuarto

France, *n.* Francia

free, *adj.* libre; (*without charge*) gratis

French, *adj.* and *n.* francés, francesa

Friday, *n.* viernes

friend, *n.* amigo, amiga

from, *prep.* de; **from bad to worse** de mal en peor; **from now on** de ahora en adelante; **from time to time** de vez (cuando) en cuando

frown, *v.* fruncir las cejas

fry, *v.* freír

furious, *adj.* furioso; **get furious** ponerse furioso

furnished, *adj.* amueblado

furniture, *n.* muebles; **a piece of furniture** mueble

future, *adj.* and *n.* futuro

G

gain, *v.* ganar

gallery, *n.* galería; **art gallery** galería de arte

game, *n.* juego, partido

garden, *n.* jardín

gather, *v.* recoger; **gather together** (*meet*) reunirse

general, *adj.* and *n.* general; **generally** por lo general

generous, *adj.* generoso

German, *adj.* and *n.* alemán, alemana

Germany, *n.* Alemania

get, *v.* conseguir (*obtain*); **go get** (*something or someone*) buscar, recoger; **get angry** enfadarse; **get annoyed** enojarse; **get better** mejorarse; **get together** reunirse; **get up** levantarse; **get worse** empeorarse

ghost, *n.* fantasma

gift, *n.* regalo

girlfriend, *n.* novia

give, *v.* dar; **give as a gift** regalar

glass, *n.* vaso (*container*); vidrio (*material*); **eyeglasses** gafas

glitter, *v.* brillar, relucir

glove, *n.* guante

go, *v.* ir; **— along the street** pasar por la calle; **— away** irse; **— to, be going to** ir a; **— by** pasar por; **— crazy** volverse loco; **— down** bajar; **— Dutch** (*halves*) ir a medias; **— for a walk** ir de paseo, dar un paseo; **— get** ir a buscar; **— home** ir a casa; **— on a trip** (*vacation*) ir de viaje (vacaciones); **— on foot** ir a pie; **— out with** salir con; **— shopping** ir de compras; **— to bed** acostarse; **— toward** dirigirse a; **— up** subir; **— with** acompañar; (*match*) hacer juego con

golf, *n.* golf

good, *adj.* bueno; **Good!** ¡Bueno! ¡Muy bien!

good-looking, *adj.* guapo

govern, *v.* gobernar

government, *n.* gobierno

graduate, *v.* graduarse

granddaughter, *n.* nieta

grandfather, *n.* abuelo; **grandmother** abuela; **grandparents** abuelos

grandson, *n.* nieto

grass (*lawn*), *n.* césped

gratis, *adv.* gratis
great, *adj.* grande (gran); **That's great!** ¡Qué bien! ¡Magnífico!
green, *adj.* verde
greet, *v.* saludar
ground floor, *n.* planta baja
grow, *v.* crecer (*in size*), cultivar (*cultivate*)
guitar, *n.* guitarra; **guitarist** guitarrista
guest, *n.* invitado
gymnasium, *n.* gimnasio

H

hair, *n.* pelo
half, *adj.* and *adv.* medio; **a half** medio; **half of** la mitad de; **go halves** ir a medias
hamburger, *n.* hamburguesa
hand, *n.* mano; **hand in,** *v.* entregar
handkerchief, *n.* pañuelo
handsome, *adj.* guapo
hang, *v.* colgar; **be hanging** estar colgado
happen, *v.* ocurrir, pasar, suceder
happy, *adj.* alegre, contento, feliz; **be happy (contented)** estar contento; **be happy to** alegrarse de; **be happy that** alegrarse de que + *subj.*
hard-working, *adj.* diligente, trabajador
hate, *n.* odio; **hate,** *v.* odiar
have, *v.* tener (*possess*); have, *auxiliary verb* haber; **have a chance [to]** tener la oportunidad [de]; **Have a nice day!** ¡Qué lo pase bien!; **have just** + *p.p.* acabar de + *inf.*; **have one's own way** salirse con la suya; **have on** (*wear*) llevar; **have something done** hacer + *inf.*; **have to** tener que + *inf.*, deber; **one has to ...** hay que + *inf.*; **have to do with** tener que ver con
head, *n.* cabeza (*part of body*); **boss** jefe
headache, *n.* dolor de cabeza
hear, *v.* oír
heart, *n.* corazón
height, *n.* altura

heir, *n.* heredero; **heiress** heredera
hello, *interj.* Hola, ¿qué tal?
help, *n.* ayuda; **help [to],** *v.* ayudar [a]
here, *adv.* aquí, acá; **Here you have ...** He aquí ...
hero, *n.* héroe; **heroine,** n. heroína
hesitate, *v.* vacilar
hesitation, *n.* vacilación
hide, *v.* esconder(se), ocultar(se)
hit, *v.* pegar; (*collide with*) chocar con
home, *n.* casa; **at home** en casa; **go home** (*return*) volver a casa
hope, *v.* esperar
horrible, *adj.* horrible
hot, *adj.* caliente
house, *n.* casa; **leave the house** salir de casa
how, *adv.* como; **how long?** ¿cuánto tiempo?; **how pretty!** ¡qué bonito!; **how many?** ¿cuántos?; **how much?** ¿cuánto?; **How old are you?** ¿Cuántos años tiene usted?
however, *adv.* sin embargo, no obstante; **however much ...** por mucho que ...
huge, *adj.* enorme
(a) hundred ciento (cien); **two hundred** doscientos(-as)
hurry up, *v.* apurarse
hurt, *v.* dolerle a uno; **My leg hurts.** Me duele la pierna.; **hurt oneself** hacerse daño, lastimarse; **hurt someone** hacerle daño a alguien
husband, *n.* esposo, marido

I

ice, *n.* hielo; **ice cream** helado; **ice skate,** *v.* patinar sobre el hielo
idea, *n.* idea
ideal, *adj.* ideal
if, *conj.* si
ill, *adj.* enfermo
immediately, *adv.* en seguida, inmediatamente

importance, *n.* importancia
important, *adj.* importante
impossible, *adj.* imposible
impress, *v.* impresionar
improbable, *adj.* improbable
improve, *v.* mejorar(se)
in, *prep.* en, dentro de; **in case ...** en caso de que; **in front of** delante de; **in good (bad) condition** en buenas (malas) condiciones; **just in case** por si acaso; **in order that** para que, de modo que, a fin de que; **in order to** para; **in the distance** a lo lejos
inaugurate, *v.* inaugurar
incident, *n.* incidente
include, *v.* incluir
increase, *v.* aumentar
incredible, *adj.* increíble
inferior [to], *adj.* inferior [a]
inform, *v.* avisar, enterar, informar; **inform oneself about** enterarse de
inhabitant, *n.* habitante
inherit, *v.* heredar
inheritance, *n.* herencia
insist [on], *v.* insistir [en]
instead of, *prep.* en vez(lugar) de
instrument, *n.* instrumento
interpret, *v.* interpretar
interrupt, *v.* interrumpir
introduce, *v.* presentar
invent, *v.* inventar
invitation, *n.* invitación
invite [to], *v.* invitar [a]
iron, *v.* planchar
irresistible, *adj.* irresistible
island, *n.* isla
Italian, *adj.* and *n.* italiano
Italy, *n.* Italia

J

jacket, *n.* chaqueta
Japan, *n.* el Japón
Japanese, *adj.* and *n.* japonés, japonesa

Jew, *n.* judío
Jewish, *adj.* judío
job, *n.* tarea (*task*); empleo (*employment*)
juicy, *adj.* jugoso
June, *n.* junio
just, *adj.* justo; **just a minute** un momentito; **just in case** por si acaso

K

keep, *v.* guardar; **keep one's promise (word)** cumplir su promesa (palabra); **keep in touch** mantenerse en contacto; **keep quiet** callarse
key, *n.* llave (*for door*); clave (*explanation*); **key word** palabra, clave
kid, *v.* tomar el pelo
king, *n.* rey
know (*a fact*), *v.* saber; **know how to** + *inf.* saber + *inf.*; **know** (*a person*) conocer

L

lack, *v.* faltarle a uno; **I haven't time.** Me falta tiempo.
lake, *n.* lago
language, *n.* lengua, idioma
large, *adj.* grande
last, *adj.* último; **last night** anoche; **last week** la semana pasada
late, *adv.* tarde; **be late in doing something** tardar en hacer algo
Latin-American, *adj.* and *n.* latinoamericano
latter, *pron.* éste, ésta, etc.
laugh, *v.* reírse; **laugh at** reírse de
lazy, *adj.* perezoso, holgazán
leaf, *n.* hoja
learn, *v.* aprender; **learn to** aprender a
least, *adj.* menor; **least,** adv. menos; **at least** al menos
leave, *v.* salir de; **leave alone** dejar en paz; **leave behind** dejar, abandonar; **leave for** salir para; **leave out** omitir; **leave (withdraw from)** retirarse de

lecture, *n.* conferencia
left, *adj.* izquierdo
leg, *n.* pierna
lend, *v.* prestar
less, *adj.* menos; less, *adv.* menos; less than menos que, menos de (*before a number*)
let, *v.* dejar, permitir
letter, *n.* carta (*communication*); letra (*of the alphabet*)
liberal, *adj.* liberal
library, *n.* biblioteca
license, *n.* licencia; driver's license licencia para manejar
lie, *n.* mentira; mentirilla (*fib*); tell a lie mentir; lie in bed estar echado en la cama
life, *n.* vida
lift, *v.* levantar
ligament, *n.* ligamento; torn ligament ligamento desgarrado
light, *n.* luz; light, *v.* encender
like (*be pleasing to*), *v.* gustarle a uno; look like parecerse a; like, *adv. and conj.* como
line, *n.* línea
listen [to] *v.* escuchar
little, *adj.* pequeño (*size*); poco (*amount*); little, *adv.* poco; little by little poco a poco
live, *v.* vivir
lively, *adj.* vivo
loaf, *v.* haraganear
lock, *v.* cerrar con llave
lonesome, *adj.* triste, solo
long, *adj.* largo
look for, *v.* buscar
lose, *v.* perder; get lost perderse
love, *n.* amor; love, *v.* amar, querer; be in love with estar enamorado de; fall in love with enamorarse de
lunch, *n.* almuerzo; lunch, *v.* almorzar
luxurious, *adj.* de lujo

M

machine, *n.* máquina
magazine, *n.* revista
mail, *n.* correo
mailman, *n.* cartero
make, *v.* hacer; make a decision tomar una decisión; make a mistake equivocarse; make a stopover hacer escala (en); make the bed hacer la cama; make the meal preparar la comida; make someone do something hacer a uno hacer algo
man, *n.* hombre
manners, *n.* modales
manuscript, *n.* manuscrito
many, *adj.* muchos
market, *n.* mercado; Common Market el Mercado Común; supermarket supermercado
marry, *v.* casarse [con]
match, *n.* fósforo; light a match encender un fósforo; match (*suit*), *v.* hacer juego con; match (*game*) *n.* partido
matter, *n.* asunto; matter (to someone), *v.* importarle a uno; It doesn't matter. No importa.
May, *n.* mayo
maybe, *adv.* quizá(s), tal vez
meal, *n.* comida
mean, *v.* querer decir, significar
mechanic, *n.* mecánico
medicine, *n.* medicina
meet, *v.* reunirse (*get together*); meet for the first time conocer; meet up with encontrarse con
meeting, *n.* reunión
member, *n.* miembro
merit, *n.* mérito; merit, *v.* merecer
message, *n.* recado
Mexico, *n.* México, Méjico
middle, *adj.* medio; the Middle Ages la Edad Media; the Middle East el Oriente Medio; in the middle of, *prep.* en medio de

midnight, *n.* medianoche; **at midnight** a (la) medianoche

milk, *n.* leche

million millón; **a million dollars** un millón de dólares; **three million pesos** tres millones de pesos

minute, *n.* minuto

mirror, *n.* espejo

miss, *v.* echar de menos

Miss, *n.* señorita

mixture, *n.* mezcla

modern, *adj.* moderno

money, *n.* dinero; **earn money** ganar dinero; **save money** ahorrar dinero

month, *n.* mes; **last month** el mes pasado; **next month** el mes que viene; **per month** al mes

more, *adj.* and *adv.* más; **more than** más que; **more than** (*followed by number*) más de; **the more . . . the more . . .** cuanto más . . . tanto más

morning, *n.* mañana; **good morning** buenos días

most, *adj.* and *adv.* más; **most of** la mayor parte de

motion picture, *n.* película

motorcycle, *n.* moto, motocicleta

mountain, *n.* montaña

move, *v.* mover; **move** (*change dwelling*) mudarse de casa; **move away [from]** alejarse [de]; **move closer [to]** acercarse [a]

movies (*theater*), *n.* cine

Mr., *n.* señor

Mrs., *n.* señora

much, *adj.* and *adv.* mucho

murder, *v.* asesinar

museum, *n.* museo

music, *n.* música

musician, *n.* músico

N

napkin, *n.* servilleta

nation, *n.* nación

national, *adj.* nacional

natural, *adj.* natural

near (nearby), *adv.* cerca; **near,** *prep.* cerca de

necessary, *adj.* necesario

necklace, *n.* collar

need, *v.* necesitar, hacerle falta a uno

neighbor, *n.* vecino

neighborhood, *n.* barrio

neither ni; **neither . . . nor** ni . . . ni

nephew, *n.* sobrino

net, *n.* red

network red

never, *adv.* nunca, jamás

new, *adj.* nuevo

news, *n.* noticias; **piece of news** noticia

newspaper, *n.* periódico, diario

next, *adj.* próximo, . . . que viene; **next time** la próxima vez; **next year** el año que viene; **next,** adv. luego, después

next to, *prep.* junto a, al lado de

nice, *adj.* simpático, amable; **not nice** antipático

niece, *n.* sobrina

night, *n.* noche; **last night** anoche; **the night before last** anteanoche

ninth, *adj.* noveno

no, *adv.* no; **no longer** ya no; **in no way** de ninguna manera, de ningún modo; **no matter how much** por mucho que; **nowhere** en ninguna parte

no, *adj.* ningún, ninguna

nobody, *pron.* nadie

noise, *n.* ruido

no one, *pron.* nadie

none (*of a group*), *pron.* ninguno, ninguna

noon, *n.* mediodía; **at noon** a mediodía

not, *adv.* no; **not either** tampoco; **not even** ni siquiera; **not only . . . but also** no sólo . . . sino también; **not yet** todavía no

notebook, *n.* cuaderno

nothing, *n.* nada; **nothing else** nada más

notify, *v.* avisar

novel, *n.* novela

now, *adv.* ahora; **now then** ahora bien

number, *n.* número

nurse, *n.* enfermera

nut, *n.* nuez

nylon, *n.* nilón

O

object, *n.* objeto

object, *v.* oponerse; **object to something** oponerse a algo

ocean, *n.* océano

of, *prep.* de; **of course** desde luego, por supuesto, claro, ¡cómo no!; **of course not** desde luego que no

offer, *v.* ofrecer

office, *n.* oficina; **office hours** horas de consulta

official, *n.* oficial

often, *adv.* frecuentemente, a menudo, muchas veces; **how often?** ¿cuántas veces?

old, *adj.* viejo, antiguo; **be ... years old** tener ... años

on, *prep.* en, sobre, acerca de; **on the contrary** al contrario; **on the following day** al día siguiente; **on the way** camino a; **on time** a tiempo

once, *adv.* una vez; **once in a while** de vez (cuando) en cuando

one, *adj.* uno (un), una; **one's own** propio

only, *adj.* solo, único; **only,** *adv.* sólo, solamente, no ... más que

open, *v.* abrir

opinion, *n.* opinión; **change one's opinion** mudar de opinión

or, *conj.* o, u; **either ... or** o ... o

orange, *n.* naranja; **orange juice** jugo (zumo) de naranja

orchestra, *n.* orquesta

order, *n.* orden; **business order** pedido

organize, *v.* organizar

Orient, *n.* Oriente

origin, *n.* origen

original, *adj.* original

other, *adj.* otro; **every other day** cada dos días; **the others** los demás

our, *adj.* nuestro; **ours,** pron. nuestro, el nuestro

outdoors, *adv.* al aire libre

overcoat, *n.* abrigo

owner, *n.* dueño

P

pacific, *adj.* pacífico

package, *n.* paquete

pain, *n.* dolor

paint, *v.* pintar

painter, *n.* pintor, pintora

painting, *n.* pintura, cuadro

pair, *n.* par

paper, *n.* papel; **newspaper** periódico

parents, *n.* padres

park, *n.* parque; **park** (*a car*) estacionar, aparcar

participate, *v.* participar

party, *n.* fiesta; **political party** partido

pass, *v.* pasar; **pass by the house** pasar por la casa; **pass an exam** salir bien (en), ser aprobado (en)

passport, *n.* pasaporte

pastime, *n.* pasatiempo

pastry, *n.* pastel

patience, *n.* paciencia

pay, *v.* pagar; **pay for** pagar; **pay attention** (*listen*) prestar atención; **pay attention [to]** (*notice*) hacerle caso [a]

pen, *n.* pluma; **ball-point pen** bolígrafo

pencil, *n.* lápiz

people, *n.* gente; (*nation, town*) pueblo

percent, *n.* por ciento; **ten percent** el diez por ciento

performance (*dramatic*), *n.* representación

perfume, *n.* perfume

perhaps, *adv.* tal vez

permit, *v.* permitir, dejar

peso, *n.* peso

pessimist, *n.* and *adj.* pesimista

phenomenon, *n.* fenómeno

photograph, *n.* fotografía, foto; **take a photo** sacar una foto

phrase, *n.* frase

pick, *v.* escoger (*choose*); **pick up** recoger; **pick up someone** recoger, buscar

picture, *n.* cuadro, pintura

picturesque, *adj.* pintoresco

pie, *n.* pastel

pilot, *n.* piloto

pity, *n.* lástima; **What a pity!** ¡Qué lástima!

place, *n.* lugar, sitio; **place,** *v.* poner, colocar; **take place** tener lugar

plan, *n.* plan

plane, *n.* avión; **by plane** (*person*) en avión; **by plane** (*letter*) por avión

planet, *n.* planeta

plant, *n.* planta

play, *v.* jugar a (*games*); tocar (*instrument*)

pleasant, *adj.* agradable

poet, *n.* poeta; **poetess** poetisa

poetry, *n.* poesía

point, *n.* punto; **point of view** punto de vista

police force, policía, *f.*; **policeman** policía, *m.*

politician, *n.* político; **political,** *adj.* político

politics, *n.* política

poor, *adj.* pobre (*without money, unfortunate*); malo (*not good*)

popular, *adj.* popular

portable, *adj.* portátil

possible, *adj.* posible

postcard, *n.* tarjeta

postpone, *v.* suspender

prefer, *v.* preferir

preference, *n.* preferencia

preparations, *n.* preparativos

present, *n.* regalo; **birthday present** regalo de cumpleaños

president, *n.* presidente

pretty, *adj.* bonito, lindo

price, *n.* precio

print, *v.* imprimir

prize, *n.* premio

problem, *n.* problema

produce, *v.* producir

program, *n.* programa

project, *n.* proyecto

promise, *n.* promesa; **promise,** *v.* prometer

proper, *adj.* apropiado (*suitable, correct*); propio (*name*)

proportion, *n.* proporción

protest, *v.* protestar

Protestant, *n.* protestante

public, *n.* and *adj.* público

publish, *v.* publicar

punish, *v.* castigar

pure, *adj.* puro; **pure fantasy** pura fantasía; **pure water** agua pura

pursue, *v.* perseguir

put, *v.* poner, colocar, meter; **put away** guardar; **put off** posponer; **put on** (*clothes*) ponerse (la ropa); **put on** (*light, T.V., etc.*) poner, encender; **put out** apagar; **put up with** aguantar, tolerar, soportar; **put air in the tires** inflar las llantas

pyramid, *n.* pirámide

Q

queen, *n.* reina

question, *n.* pregunta; **question under discussion** cuestión

quiet, *adj.* tranquilo (*calm*); callado (*not talkative*); **be quiet** callarse

R

race, *n.* raza (*ethnic origin*); corrida (*contest*); **race,** *v.* correr

racket, *n.* raqueta (*game equipment*); ruido (*noise*)

radio, *n.* radio

rain, *n.* lluvia; **rain,** *v.* llover; **raincoat** impermeable

rainy, *adj.* lluvioso

raise, *v.* levantar

ranch, *n.* finca, hacienda, rancho

rapid, *adj.* rápido

rare, *adj.* raro

read, *v.* leer

reading, *n.* lectura

ready, *adj.* listo; **be ready to do something** estar dispuesto a hacer algo

reality, *n.* realidad

realize (*understand*), *v.* darse cuenta de; **realize** (*carry out*) realizar

receive, *v.* recibir

recent, *adj.* reciente; **recently** (*before p.p.*) recién

recognize, *v.* reconocer

recommend, *v.* recomendar

record, *n.* disco; **record player** tocadiscos

red, *adj.* rojo; **redhead** pelirrojo

refer to, *v.* referirse a

refrain [from], *v.* abstenerse [de]

refuse [to], *v.* negarse a; **refuse (reject)** rechazar

registration, *n.* matrícula; **registration fees** derechos de matrícula

regret, *v.* sentir

regular, *adj.* regular

relative, *n.* pariente

rely on, *v.* confiar en, depender de

remember, *v.* recordar, acordarse de

rent, *v.* alquilar

repair, *v.* reparar, componer

repeat, *v.* repetir

repent [of], *v.* arrepentirse [de]

report, *n.* informe

resignation, *n.* resignación (*state of mind*); **resignation** (*from a job*) renuncia

resolve, *v.* resolver; **resolve to** resolverse a

responsibility, *n.* responsabilidad

rest, *n.* descanso; **rest,** *v.* descansar

restaurant, *n.* restaurante

result, *n.* resultado; **result [from],** *v.* resultar [de]; **result in** dar por resultado

return, *v.* volver, regresar; **return** (*something*) devolver

rich, *adj.* rico

right, *n. and adj.* derecho; **right away** en seguida; **right now** ahora mismo

ring, *n.* anillo; **ring,** *v.* sonar; **ring someone** llamar (por teléfono)

ripe, *adj.* maduro; **not ripe** verde

river, *n.* río

robber, *n.* ladrón

room (*in house*), *n.* cuarto, sala; (*space*) sitio; **roommate** compañero de cuarto

row (*line*), *n.* fila

ruby, *n.* rubí

run, *v.* correr; **run across** tropezar con; **run** (*function*) marchar, funcionar; **run the risk of** correr (el) riesgo de

Russia, *f.* Rusia

Russian, *n. and adj.* ruso

S

sack, *n.* saco

sad, *adj.* triste

sadness, *n.* tristeza

sailor, *n.* marinero

salesman, *n.* vendedor; dependiente (*in store*); **saleswoman** vendedora, dependienta

same, *adj.* mismo, igual; **at the same time** a la vez; **the same,** *pron.* lo mismo, el mismo, la misma, etc.

sample, *n.* muestra

sandwich, *n.* emparedado, sandwich

Saturday, *n.* sábado

save, *v.* ahorrar (*money*), salvar (*a life*)

say, *v.* decir; **say yes (no)** decir que sí (no); **say hello** saludar; **say good-bye [to]** despedirse [de]

scarf, *n.* bufanda

schedule, *n.* horario

scholarship, *n.* beca

school, *n.* escuela, universidad; **Law**

School Facultad de Derecho; **summer school** escuela de verano

scientist, *n.* científico

sea, *n.* mar; **by sea** por mar

seat, *v.* sentar; **seat oneself** sentarse; **be seated** estar sentado

secretary, *n.* secretaria

see, *v.* ver

seem, *v.* parecer; **to seem to someone** parecerle a uno; **It seems so.** Parece que sí.; **It seems not.** Parece que no.

seldom, *adv.* rara vez

sell, *v.* vender

semester, *n.* semestre

senator, *n.* senador

send, *v.* enviar, mandar; **send back** devolver

sentence, *n.* oración

separate, *v.* separar

series, *n.* serie

seriousness, *n.* gravedad

serve, *v.* servir; **serve as** servir de

set, *v.* poner, colocar; **set the date** fijar la fecha; **set the table** poner la mesa

seventh, *adj.* séptimo

several, *adj.* varios

sharp, *adj.* agudo

shave, *v.* afeitar; **shave oneself** afeitarse

sheet, *n.* hoja (*paper*); sábana (*bedding*)

shine, *v.* brillar

shirt, *n.* camisa

shoe, *n.* zapato

short, *adj.* bajo (*person*); corto (*not long*); breve (*brief*)

shout, *n.* grito; **shout,** *v.* gritar; **shout to high heaven** poner el grito en el cielo

show, *v.* mostrar; representar (*give a performance*)

shrill, *adj.* chillón, chillona

shut, *v.* cerrar

sick, *adj.* enfermo

silly, *adj.* tonto

since, desde; **since then** desde entonces; **since,** *conj.* desde que (*time*), puesto que (*because*)

sing, *v.* cantar

singer, *n.* cantante

sister, *n.* hermana

sit down, *v.* sentarse

situation, *n.* situación

sixth, *adj.* sexto

ski, *v.* esquiar

skinny, *adj.* flaco

sleep, *n.* sueño; **sleep,** *v.* dormir; **fall asleep** dormirse; **sleep like a log** dormir como un tronco

slender, *adj.* delgado

slide (*photography*), *n.* transparencia

slippery, *adj.* resbaladizo

slow, *adj.* lento

slowly, *adv.* lentamente, despacio

small, *adj.* pequeño

smile, *n.* sonrisa; **smile,** *v.* sonreír

smoke, *n.* humo; **smoke,** *v.* fumar

snow, *n.* nieve; **snow,** *v.* nevar

so, *adv.* así, tan; **so much** tanto; **so that,** *conj.* para que, de modo que, de manera que, a fin de que

soap, *n.* jabón

soccer, *n.* fútbol

sock, *n.* calcetín

sofa, *n.* sofá

soldier, *n.* soldado

solve, *v.* resolver

some, alguno; **someone, somebody** alguien; **some** (*of a group*) alguno; **sometimes** a veces

something, *n.* algo; **something else** otra cosa

son, *n.* hijo

soon, *adv.* pronto

Soviet Union, *n.* la Unión Soviética

Spain, *n.* España

Spanish, *adj. and n.* español, española

speak, *v.* hablar

spend, *v.* gastar (*money*), pasar (*time*);

spend the day doing something pasar el día haciendo algo

sport, *n.* deporte; **sportsman,** *n.* deportista

sprain, *v.* torcer

spread, *v.* esparcir (*scatter*); extender (*extend*)

stairs, *n.* escalera; **go up (down) stairs** subir (bajar) la escalera

stamp (*postal*), *n.* sello

standing de pie; **be standing** estar de pie

star, *n.* estrella

start, *v.* comenzar, empezar; **starting from today** a partir de hoy

stay, *v.* quedarse, permanecer; **stay in bed** guardar cama

steal, *v.* robar; **steal something from someone** robarle algo a alguien

still, *adv.* todavía, aún

stomach, *n.* estómago; **stomach ache** dolor de estómago; **The child has a stomach ache.** El niño tiene dolor de estómago.

stone, *n.* piedra

stop, *v.* detener(se), parar(se); **stop doing something** cesar (dejar) de hacer algo; **make a stopover [in]** hacer escala [en]

store, *n.* tienda; **department store** almacén

story, *n.* cuento, historia; **short story** cuento; **story** (*building*) piso

straighten up, *v.* poner en orden

strange, *adj.* raro

street, *n.* calle

strike, *n.* huelga; **striker** huelguista

strong, *adj.* fuerte

student, *n.* estudiante

studies, *n.* estudios

study, *v.* estudiar

subject, *n.* tema (*theme*); asunto (*matter*); curso (*school subject*)

such, such a tal; **such as** tal como

suddenly, *adv.* de repente, de súbito

suffer, *v.* sufrir; **suffering,** *n.* sufrimiento

suggest, *v.* sugerir

suit (*clothes*), *n.* traje

suitcase, *n.* maleta

summer, *n.* verano

sun, *n.* sol; **in the sun** al sol

Sunday, *n.* domingo

superior [to], *adj.* superior [a]

sure, *adj.* seguro; **be sure that** estar seguro de que

surprise, *n.* sorpresa; **surprise,** *v.* sorprender

sweater, *n.* suéter

sweet, *adj.* and *n.* dulce

swim, *v.* nadar

swimming, *n.* natación; **swimming pool** piscina

T

table, *n.* mesa; **set the table** poner la mesa

take, *v.* tomar; **take** (*someone or something somewhere*) llevar; — **a long time to** tardar mucho en; — **a nap** echar una siesta; — **a trip** hacer un viaje; — **a walk** dar un paseo, pasearse; — **away with** (*carry along*) llevarse; — **away from someone** quitarle a uno; — **care of** cuidar de; — **care of oneself** cuidarse; — **charge of** encargarse de; — **off** (*clothes*) quitarse (la ropa); — **out** (*extract*) sacar; — **photos** sacar fotos; — **place** tener lugar; — **the bus, train,** etc. tomar el autobús, tren, etc.; — **the lead** tomar la delantera

talk, *v.* hablar, conversar, charlar (*chat*)

talkative, *adj.* hablador, habladora

tall, *adj.* alto

tape, *n.* cinta; **tape recorder** grabadora

task, *n.* tarea

tasty, *adj.* sabroso

teach [to], *v.* enseñar [a]

teacher, *n.* maestro, profesor

team, *n.* equipo

telegram, *n.* telegrama

telephone, *n.* teléfono; **call on the phone** llamar (por teléfono)

television, *n.* televisión; **television set** televisor

tell, *v.* decir; **tell a story** contar, relatar; **tell lies** mentir, decir mentiras; **tell the truth** decir la verdad

tenderness, *n.* ternura

tennis, *n.* tenis; **tennis player** tenista

tenth, *adj.* décimo

terrace, *n.* terraza

terrible, *adj.* terrible

textbook, *n.* libro de texto

than, *conj.* que; **more than** más que, más de (*before a numeral*); **more than you know** más de lo que sabe

thanks, *n.* gracias; **thank**, *v.* dar gracias

that, *adj.* ese, esa, aquel, aquella; **that (one)**, *pron.* ése, ésa, éso, aquél, aquélla, aquello; **that which** el que, la que, lo que; **that**, *conj.* que; **so that**, *conj.* para que, a fin de que, de manera que, de modo que

then entonces (*at that moment*; *in that case*); luego (*next, afterwards*); pues (*well*)

there, *adv.* ahí, allí, allá; **there is, there are** hay

thing, *n.* cosa

think, *v.* creer, pensar; **think about** (*have thoughts, dwell on*) pensar en; **think of** (*have an opinion*) pensar de; **think so** creer que sí; **think not** creer que no

third, *adj.* tercero

this, *adj.* este, esta; **this**, *pron.* éste, ésta, esto

thoroughly, *adv.* a fondo

(a) thousand, *adj.* mil

throat, *n.* garganta

Thursday, *n.* jueves

ticket, *n.* billete, boleto (*Am.*); **round-trip ticket** billete de ida y vuelta

time, *n.* tiempo (*in general*); hora (*referring to hour*); vez (*occasion*); **at times** a veces; **on time** a tiempo; **have a good time** divertirse; **from time to time** de vez en cuando

tip (*gratuity*) propina; **give a tip** dar una propina

tire, *n.* llanta, neumático; **tire**, *v.* cansar; **get tired** cansarse

tired, *adj.* cansado; **be tired** estar cansado

today, *adv.* hoy

together, *adj.* juntos

tomorrow, *adv.* mañana; **tomorrow morning** mañana por la mañana; **the day after tomorrow** pasado mañana

tonight esta noche

too, *adv.* también (*also*), demasiado (*overly*); **too much** demasiado; **too many** demasiados; **Too bad!** ¡Qué lástima!

tooth, *n.* diente, muela; **have a toothache** tener dolor de muelas

toothpaste, *n.* crema dental, pasta dentífrica

toward, *prep.* hacia; **toward the end of** a fines de

towel, *n.* toalla

toy, *n.* juguete

traffic, *n.* tráfico

train, *n.* tren

translate, *v.* traducir

translation, *n.* traducción

travel, *v.* viajar; **travel agency** agencia de viajes

treat, *v.* tratar (*behave toward*), invitar (*invite*); **treat medically** tratar

tree, *n.* árbol

tremendous, *adj.* tremendo

trip, *n.* viaje; **take a trip** hacer un viaje

truck, *n.* camión; **truck-driver** camionero

true, *adj.* verdadero; **it is true** es verdad (cierto)

trust, *v.* fiarse de

Tuesday, *n.* martes

turn around, *v.* volverse; **turn into** convertirse en; **turn off** (*light, radio, etc.*) apagar; **turn on** (*light, radio, etc.*) encender, poner

twice, *adv.* dos veces

typewrite, *v.* escribir a máquina; **typewriter** máquina de escribir

U

ugly, *adj.* feo

umbrella, *n.* paraguas

uncle, *n.* tío

underneath, *prep.* debajo de

understand, *v.* comprender, entender

unfortunately, *adv.* desgraciadamente

unhappy, *adj.* infeliz, triste

the United States los Estados Unidos

university, *n.* universidad

unless, *conj.* a menos que

until, *prep.* hasta; **until,** *conj.* hasta que

V

vacation, *n.* vacaciones; **go on vacation** ir de vacaciones

vary, *v.* variar

vegetable, *n.* legumbre

violin, *n.* violín

virus, *n.* virus

visit, *n.* visita; **visit,** *v.* visitar, hacer una visita

vocalist, *n.* vocalista

voice, *n.* voz; **in a loud (soft) voice** en voz alta (baja)

volume (*book*), *n.* tomo

vote [for], *v.* votar [por]

W

wait, *v.* esperar; **wait for** esperar

waiter, *n.* camarero

waitress, *n.* camarera

wake, *v.* despertar; **wake (oneself) up** despertarse

walk, *v.* andar, caminar; **walk (along, through, about)** andar por; **walk to a place** caminar a

wall, *n.* pared

wallet, *n.* cartera

war, *n.* guerra

wash (something or someone), *v.* lavar; **wash oneself** lavarse; **wash one's hands, face,** etc. lavarse las manos, la cara, etc.

watch, *n.* reloj; **wristwatch** reloj de pulsera

watch, *v.* mirar

water, *n.* agua

watermelon, *n.* sandía

way, *n.* camino (*road*); modo (*manner*); manera (*manner*); **on the way to** camino a; **have one's own way** salirse con la suya

wealth, *n.* riqueza

wear (*clothes*), *v.* llevar

weather, *n.* tiempo; **What's the weather like?** ¿Qué tiempo hace?; **It's nice (bad) weather.** Hace buen (mal) tiempo.

Wednesday, *n.* miércoles

week, *n.* semana; **a week from today** de hoy en ocho días; **last week** la semana pasada; **next week** la semana que viene

welcome, *n.* bienvenida; **welcome,** *v.* dar la bienvenida; **welcome,** adj. bienvenido; **You're welcome.** No hay de qué. De nada.

well, *adv.* bien; **well** (*word of hesitation*) pues

whale, *n.* ballena

what, *rel. pron.* lo que; *interr. pron.* ¿qué? ¿cuál?; **What (a)...!** ¡Qué...!

wheat, *n.* trigo

when, *adv.* and *conj.* cuando; **when?** ¿cuándo?

where, *adv.* donde (*in a place*), adonde (*to a place*); **from where** de donde; **where?** *interr.* ¿dónde? ¿adónde? ¿de dónde?

whether, *conj.* si

which, *rel. pron.* que, el(la) cual, los (las) cuales; el(la) que, los(las) que; **that which** lo que(cual); **which?** *interr.* ¿cuál? ¿cuáles?

while, *conj.* mientras (que)

white, *adj.* blanco

who, *rel. pron.* quien, quienes, que; **the one who** el(la) que; **the ones who** los (las) que; **who?** ¿quién? ¿quiénes?; **who else?** ¿quién más?

whose, *rel. pron.* cuyo(a), cuyos(as); **whose,** *interr.* ¿de quién? ¿de quiénes?

why, *adv.* ¿por qué?; **why, of course!** ¡desde luego! ¡claro que sí! ¡por supuesto!

wife, *n.* esposa

win, *v.* ganar, triunfar, vencer (*defeat*)

window, *n.* ventana

windshield, *n.* parabrisas

wine, *n.* vino; **red wine** vino tinto; **white wine** vino blanco

wipe, *v.* limpiar (*clean*); secar (*dry*)

with, *prep.* con

without, *prep.* sin; **without,** *conj.* sin que + *subj.*

witness, *n.* testigo

woman, *n.* mujer

wonderful, *adj.* maravilloso

wood, *n.* madera

wool, *n.* lana

work, *n.* trabajo, empleo; **work of art** obra; **work** (*do a job*), *v.* trabajar; **work** (*function*), *v.* marchar, funcionar; **work out a problem** resolver un problema

workman, *n.* obrero, trabajador

world, *n.* mundo; **worldwide,** *adj.* mundial

worse, *adj.* and *adv.* peor; **worst,** *adv.* peor; **the worst,** *adj.* el(la) peor, los(las) peores, lo peor

wound, *v.* herir

wrap, *v.* envolver

wrist, *n.* muñeca

write, *v.* escribir; **write up** redactar

writer, *n.* escritor, escritora

Y

year, *n.* año; **be . . . years old** tener . . . años

yes, *adv.* sí

yesterday, *adv.* ayer; **the day before yesterday** anteayer

yet, *adv.* todavía, aún; **not yet** todavía no

young, *adj.* joven; **younger,** *adj.* menor; **the youngest** el(la) menor, los(las) menores

your, *adj.* tu, su, vuestro; **of yours** tuyo, suyo, vuestro; **yours,** *pron.* el tuyo, el suyo, el vuestro

Z

zero, *n.* cero

zest, *n.* entusiasmo

zone, *n.* zona

zoo, *n.* jardín zoológico

INDICE